O amor venceu

Capa:
desenho mediúnico de Picasso
Psicopictoriografado pelo médium Luiz A. Gasparetto

Obra atualizada pelo autor espiritual
Revisão:
Ana Maria Littiéri

Editoração Eletrônica:
Kátia Cabello

Foto 4ª capa:
Renato Cirone

45ª edição
Dezembro • 2005
10.000 exemplares

Publicação, Distribuição
Impressão e Acabamento:
CENTRO DE ESTUDOS
VIDA & CONSCIÊNCIA EDITORA LTDA.

Rua Agostinho Gomes, 2312
Ipiranga • CEP 04206-001
São Paulo • SP • Brasil
Fone / Fax: (11) 6161-2739 / 6161-2670
E-mail: grafica@vidaeconsciencia.com.br
Site: www.vidaeconsciencia.com.br

Zibia Gasparetto

ditado por Lucius

O amor venceu

EDITORA GRÁFICA VIDA & CONSCIÊNCIA

Intróito

Baseado nas leis reencarnacionistas foi que escrevi este livro. Somente elas, traduzindo verdades vigorosas que os homens tentam negar a cada passo, podem explicar os mistérios em que a humanidade se debate há milênios, tentando compreender o passado através do estudo de outros povos e de outras civilizações.

Este trabalho é despretensioso. No intuito de contribuir de alguma forma para a atual necessidade de divulgação das leis básicas que regem a vida terrena, voltei ao passado distante, buscando no arquivo da minha consciência milenar, a história que procurei narrar, pura e simplesmente. Desejo esclarecer que se trata de uma história real, extraída dos entrechoques constantes que outrora presenciei.

Como poderíamos explicar o segredo das civilizações mais antigas sem o auxílio das leis a que me referi? Como explicar o adiantamento do povo egípcio, cuja civilização existia milhares de anos antes da Era Cristã?

Seus conhecimentos científicos, gravados em hieróglifos, parte nas ruínas dos templos ainda existentes, parte nas pirâmides, surpreendem o mundo de hoje que ainda se orienta por esses escritos. Mas, como poderiam ser obtidos se não possuíam telescópios, radar, rádio, telégrafo e outros instrumentos de experimentação de que dispõe a ciência moderna?

O povo, por si mesmo, nada sabia, mas os sacerdotes que governavam juntamente com o rei a quem chamavam faraó, eram os donos desses conhecimentos. Esses sacerdotes reuniam-se amiúde, recebendo através da prática mediúnica os conhecimentos científicos. Mesmo entre eles, existia a seleção, pois que destas reuniões somente podiam participar os grã-chefes.

Houve mesmo um faraó chamado Ramsés II, que era contra a idolatria do povo, o qual fazia imagens de animais e as adorava, rendendo-lhes homenagens. Procurou instituir costumes menos bárbaros, porém de acordo com seus conhecimentos espirituais.

Conhecedor das leis mais sagradas do monoteísmo que lhe eram reveladas pelos sacerdotes de Ísis e Ivanoé, quis abolir o culto da adoração dos animais, porém, receoso da reação popular, pois o povo não estava em condições de compreender um culto mais abstrato, consentiu que adorassem o Sol que, jorrando sua luz magnífica, poderia simbolizar a potência divina.

Ainda hoje, já com os tempos mudados, peregrinando pelos vales egipcianos de Tebas, de Tiocletes, podemos observar cultuadores do astro-rei, genuflexos, com a fronte no solo crestado pelo sol causticante. Remanescentes de seus antepassados, não querem abolir suas crenças para evoluir. Entretanto, não como no Ocidente, não da mesma forma, eles também conhecem Jesus e o admiram.

Isentos da deturpação romana, conhecem um Cristo mais semelhante ao que ele foi realmente. Aliás, seus conhecimentos sobre a reencarnação lhes oferecem uma visão maior da realidade.

Em Tebas, principalmente, onde a civilização de outrora reinou, a aragem do tempo transformou muitas coisas, porém, às margens do mar Vermelho, ainda encravadas em suas rochas bafejadas constantemente pelas ondas, existem cavernas e hieróglifos dos sacerdotes ivanoenses quando se recolhiam à meditação.

Recentemente, um cientista belga descobriu um desses recantos e tentou decifrar as suas égides, apenas conseguindo conhecer uma parte: tratava-se de um culto a Deus, oferecendo seus serviços, nesta existência e na próxima, como um extravasamento de sua fé e certeza na reencarnação.

Tebas, magnífica cidade de guerreiros e luz, onde a púrpura dos faraós cinzelou nos templos e castelos, magníficas construções arquitetônicas, de pedra, tijolos, gesso, mármore e ouro.

Se nos reportássemos àqueles dias, no ano 1200 a.C., veríamos suas ruas repletas de gente, movimentando-se na labuta diária. Levantando a poeira dos caminhos, muitos iam e vinham, incessantemente. Seus trajes bizarros constituíam uma alegre sarabanda para nossos olhos. Naquele dia, porém, um sábado cheio de sol que apesar do entardecer recrudescia ainda fervescente, o movimento era maior e desusado. Todos com seus trajes festivos comentavam alegremente o retorno de Pecos, guerreiro respeitado, que fora a Sídon, a fim de buscar os escravos como de praxe era feito de tempos em tempos, para enriquecer o Império, a mando do soberano. Geralmente, Pecos, para exercer tal incumbência, levava consigo um número de soldados e lanceiros, pois embora o poderio do Faraó dominasse toda a parte baixa do Mediterrâneo, não era sem trabalho que conseguia seu objetivo. Geralmente procedia a uma "caçada" e como caçador, agia furtivamente surpreendendo a presa. Tão bem desempenhava suas funções neste setor, que granjeara a confiança do Faraó, a ponto de chefiar seu exército de guarda pessoal. O Faraó, mantido no poder pela violência, era odiado pelos povos das terras subjugadas e, receoso de um atentado, possuía um pequeno exército sem o qual nunca saía do palácio e não permitia também que se ausentasse deixando-o desguarnecido. Pecos era o chefe, o comandante desse pequeno exército de lanceiros e quando se ausentava, era substituído por seu imediato, homem de sua inteira confiança.

A cidade regurgitava, festejando o regresso de Pecos. Geralmente, ao chegar a caravana, o Faraó dava uma grande festa em sua homenagem, e o povo assistia do pátio externo, recebendo trigo e vinho à vontade, tocando alaúdes e cítaras alegremente, improvisando danças, quando os efeitos do vinho se faziam sentir, e esperando pelas sobras do banquete do palácio.

Muitos se deixavam empolgar pelos prazeres do festejo e a orgia prosseguia até que todos, extenuados, rolassem por terra. No palácio, entretanto, a festa constituía-se de um lauto banquete de finas iguarias e depois, quando todos já estavam saciados, envoltos pelos vapores do vinho após a dança das melhores bailarinas do palácio, desfilavam os escravos mais importantes, ou mais interessantes, para serem ofertados a alguém.

Nesse ambiente, inicia-se a nossa história.

CAPÍTULO I

Duas almas, um destino

Naquela tarde, o povo rumava para o pátio externo do palácio, conhecedor da chegada, pela manhã, da caravana de Pecos. Viam-se criaturas de todos os tipos: lavradores vestidos com suas túnicas de pano vermelho ou de listrado preto e amarelo, mulheres carregando os filhos pequeninos às costas, jovens alegres, sacudindo os brincos reluzentes, deslizando como felinos pelas ruas poeirentas, com suas túnicas colantes, deixando a nu seus ombros morenos e parte do colo exuberante, calçando finas sandálias de couro de cabra e trazendo os véus cobertos de pedrarias que tilintavam e luziam aos reflexos solares.

No palácio, a atividade ia em meio. Escravos cruzavam os vastos salões enfeitados de brocado e púrpura, em uma azáfama constante, dispondo objetos e flores em cochichos e risinhos abafados.

Dali a poucos instantes começaria o festim. Décios, escravo que gozava de singulares regalias perante Pecos, e conseqüentemente perante o Faraó e seus sacerdotes, dirigia os outros escravos, nem sempre deixando-se levar pela benevolência e compreensão. Ostentava naquele dia uma túnica cor de vinho, com uma insígnia de pedras no peito, presa ao pescoço por um cordão azul. Fora um régio presente do Faraó por um serviço prestado, que ele orgulhosamente ostentava nas ocasiões festivas. Décios, pressurosamente, dirigiu-se à sala do banquete, examinando mais uma vez se tudo estava como determinara. Sorriu embevecido: na sala havia magníficas flores, frutos, nozes, tâmaras, uvas, pães, carne e muitos outros apetitosos manjares daqueles dias; tudo disposto sobre maravilhosos coxins de púrpura e ouro ao redor das paredes cobertas por finos tecidos da Pérsia e da Macedônia. No centro, a pista onde as dançarinas deveriam efetuar seus bailados, tendo em cada canto, piras, donde saíam constantes línguas de fogo que os escravos reavivavam amiúde, ajuntando-lhes finos extratos de ervas aromáticas que balsamizavam a sala agradavelmente. Os archotes já estavam preparados para serem utilizados assim que o sol se escondesse no crepúsculo róseo do céu de Tebas. O barulho lá fora já principiara, demostrando que o povo aguardava o início da festa com impaciência. As liteiras e os cavaleiros já começavam a chegar ao palácio e os salões receptivos regurgitavam. Súbito, dois pajens, vestindo a túnica da antecâmara do soberano, saíram pelas cortinas que circundavam o coxim do Faraó. Traziam dois clarins e postando-se eretos, desceram as cortinas, tocando em seguida — como era de praxe — o sinal para anunciar o soberano. Imediatamente o silêncio se estabeleceu. Um homem magro, calvo, moreno, envergando túnica de alvo linho, coberta de pedrarias rutilantes, carregando ao peito a Grã-pedra, penetrou majestosamente no salão. Era o Faraó. Todos se curvaram em reverência.

— Meus amigos, — disse ele — saúdo-vos e como anfitrião, espero que todos façam jus à minha hospitalidade. Desejo saudar em particular o emissário que valorosamente cumpriu mais uma vez sua missão em terras distantes.

Do outro lado da sala, entrando garbosamente, fazendo reluzir seus atavios, surgiu um homem, seguido por mais seis outros, com suas lanças e escudos, em fila dupla. Pecos, que caminhava à frente, adiantou-se e postado aos pés do Faraó o adorou, saudando-o gentilmente.

— Levanta-te, Pecos. Estou satisfeito com o cumprimento de tua missão e quero agraciar-te com a Grã-pedra opalina, para premiar o teu desvelo e tua perícia.

Acercou-se então dele, já em pé, e colocou-lhe ao pescoço a grande e maravilhosa pedra rutilante, presa por um cordão luzidio. Pecos agradeceu reverente e ia retirar-se quando o Faraó continuou:

— Hoje és o homenageado, portanto, participarás de minha ceia, ao meu lado. Antes quero aparecer à janela contigo e com Potiar, pois o povo quer aplaudir-te.

Pecos, altaneiro, na exuberante beleza de seus 30 anos, simpático e forte, surgiu à plataforma que dava para o pátio externo. O povo aclamou freneticamente, satisfeito pelo início da cerimônia, ansioso por começar a divertir-se. O Faraó, que aguardava um pouco atrás, adiantou-se por sua vez e disse:

— Meu povo! Eis o nosso herói, que mais uma vez retorna de uma missão rendosa para o nosso país. Trouxe-nos muitas conquistas e, portanto, ordeno que seja iniciada a distribuição de vinho, trigo e frutos a todos os presentes e que seja também iniciada a música para o vosso divertimento!

Verdadeira ovação aclamou as palavras do soberano, que vinham de encontro ao desejo de cada um. Tomando Pecos pelo braço, o Faraó entrou novamente na sala de recepção, sempre seguido pelo seu imediato Potiar, que silencioso e circunspecto, tudo observava calma e solenemente, passando em seguida para o salão do banquete, onde os demais o seguiram e os escravos começaram a servi-los. Enquanto todos se divertiam, gozando os prazeres que satisfazem as vaidades, um lugar havia onde o sofrimento imperava: eram as celas que continham os escravos prisioneiros.

Eram eles o fruto da caçada covarde e ignominiosa. Conhecedores do atentado de que haviam sido vítimas, aguardavam esperançosos uma oportunidade para fugir. No entanto, eram bem vigiados pelos soldados. Nem para comer ou outras necessidades, deixavam a cela estreita e incômoda. Ouviam a alegre algazarra que reinava em torno, o que mais os amargurava.

A certa altura, porém, um dos lanceiros aproximou-se e seguido de mais outros, todos armados, falou aos prisioneiros:

— Escutai, todos. Chegou a hora de deixardes essa cela incômoda. Sereis agora selecionados por Potiar, o fiel, que designará as funções de cada um. Mas, lembrai-vos de que, se alguém tentar fugir ou rebelar-se, será severamente castigado, pagando com a vida.

Dito isto, com um gesto autorizou os que o acompanhavam a abrirem as celas, aguardando impassível que eles saíssem. Um a um, foram saindo das celas infectas e descômodas. Trôpegos, tendo seus membros amortecidos durante quase um mês de viagem, eram ao todo quarenta e cinco. As mulheres foram retiradas antes e conduzidas para a ala das esposas do soberano. A elas se poupara a cela imunda; tinham viajado a cavalo, embora amarradas e ameaçadas constantemente.

Todos foram conduzidos a uma dependência do palácio, onde Potiar os esperava ansioso. Colocou-os ao redor da parede e foi chamando um a um para conversar e determinar suas funções. Todos eram moços, fortes e sadios, pois que bem escolhidos por Pecos. Assim, dentre esses quarenta e cinco, Potiar escolheu seis dos melhores espécimes e ordenou aos escravos que os aprontassem como de praxe, conduzindo-os depois à antecâmara do Faraó, onde os aguardaria. Depois dirigiu-se para a sala onde estavam as mulheres, e seus olhos brilhavam pelo prazer que antegozava de contemplar as novas escravas.

Lá chegando, esperou que as trouxessem. Eram apenas quinze mulheres, mas valiam em beleza e mocidade pelos quarenta e cinco escravos conseguidos.

Começou a interrogá-las. Elas respondiam sem esconder seu rancor e seu ressentimento.

— E tu, como te chamas?

Referia-se a uma jovem de extraordinária beleza, que o fitava orgulhosamente. Não obteve resposta. Enfureceu-se Potiar mais pelo olhar dela do que pela falta de resposta.

— Como te chamas? — inquiriu novamente.

Ela limitou-se a franzir os lábios em soberano desprezo, nada respondendo. Então ele descontrolou-se, puxou-a pelo braço, sacudindo-a violentamente.

— Não queres me falar? Negas-te a responder ao senhor que a todos governa e de quem só é superior o próprio Faraó? Não sabes que posso destruir-te em poucas palavras, castigando-te severamente?

A voz de Potiar, sibilante, rouca, tremia rancorosa.

Ela ergueu seus olhos magníficos e encarou-o serena, mas orgulhosamente. Ele estremeceu ao perceber a beleza e o fascínio que emanavam daquela mulher. Seus lábios entreabertos deixavam aparecer duas fileiras de dentes alvos e perfeitos. Estava vestida com uma túnica magnífica, que lhe deixava nus os ombros alvos e o colo coberto de pedrarias.

— Responde! ordenou Potiar, sentindo, malgrado seu, fraquejar sua autoridade.

— Chamo-me Nalim. – Sua voz era doce e melodiosa, grave como um sussurro.

Ele largou-a, dizendo energicamente:

— Por que não te vestiste como as demais, conforme ordenei?

Ninguém respondeu. Ao cabo de instantes, Potiar chamou Aleat, uma velha escrava e renovou a pergunta.

— É preciso contar-vos, ó grande Potiar, que ela é uma fera verdadeira e nós não conseguimos deitar-lhe as mãos. Ameaçou-nos com um pequeno punhal conseguido não sei onde, e disse que permaneceria vestida como veio, apesar de sua túnica, embora soberba, estar poeirenta e rasgada. Ao perguntar o porquê dessa decisão, ajuntou-nos que jamais vestiria roupas de escrava, uma vez que em sua terra era soberana.

— Muito bem, Nalim, agrada-me saber tua nobre estirpe, porém deves esquecer isto de agora em diante, para não desmerecer o cargo que deverás ocupar.

Os negros olhos de Nalim escureceram ainda mais pela tempestade que rugia neles, mas nada disse.

De que adiantaria?

— Agora — continuou Potiar — todas deverão aprontar-se regiamente, porque terão a honra de desfilar para o faraó, que decidirá quanto aos vossos destinos. Tu, Aleat, avia-te e espero-te na antecâmara de nosso soberano, com as escravas.

Retirou-se rapidamente dirigindo-se à sala onde o banquete prosseguia. Nalim, amuada, muda, sentou-se a um canto, triste e desanimada. Não se conformava com o ultraje sofrido. Filha de nobres hebreus, princesa em sua terra de origem, agora escravizada barbaramente em um país desconhecido, onde nunca os seus a encontrariam. A humilhação daquelas horas de cativeiro pesava sobre os flexíveis ombros de Nalim como chumbo. Insensivelmente recordou sua infância, sua adolescência até as culminâncias de seus 17 anos, quando imprudentemente descera aos jardins para observar de perto um soberbo rapaz, manejando com maestria um maravilhoso alaúde, que enchia o ar com sonoras inflexões de uma linda melodia, cantada por uma voz maravilhosa. Fora o aspecto romântico que lhe impressionara a alma sensível, fora a música, o cavalheiro, a magia da noite, que a fizera, como um pássaro atraído pela serpente, percorrer as alamedas desertas em busca do trovador. Depois sentira-se agarrada, amordaçada e, transida de terror, perdera os sentidos pela primeira vez em sua vida. Depois, tudo continuara como um pesadelo terrível, a viagem penosa, as humilhações a que seu pudor de mulher se viu submetido.

Sentiu uma mãozinha delicada pousar em seu braço. Ergueu os olhos.

— És tu, Solimar?

— Sim, Nalim, estás triste e, no entanto, para teu próprio bem deves aprontar-te para saudar o nosso novo soberano. Eu também sufoco em meu peito as lágrimas de apreensão e de saudade. Sabes que deixei uma mãe enferma e idosa de quem era o arrimo. Certamente, a estas horas o desgosto e a miséria já a mataram. No entanto, encontro forças para tentar cumprir a minha nova tarefa com resignação. Meu pai, que se dedicava aos estudos das ciências nos templos, sempre me dizia que a Eloim se lhe apraz nos provar em todos os setores a fim de haurirmos experiências para vivermos em um maravilhoso reino que será eterno.

Os olhos puros de Solimar brilhavam, tocados por uma comoção sincera e confiante.

— Tu, bela Nalim, tinhas experiências bastantes para ser a senhora; talvez te faltasse a de escrava para ingressares na mansão da luz. A mim também esta experiência deveria faltar. Saibamos enfrentar nosso signo sobranceiramente e venceremos, estou certa. Estarei sempre contigo quando possível e procurarei auxiliar-te a suportar a nova vida.

— Te resignas facilmente, mas eu não. Embora obedeça por ora, não descansarei enquanto não vingar a afronta que recebi.

— Vamos, meninas, gritou a rouquenha voz de Aleat, vão vestir-se que dentro de poucos instantes deverão estar na antecâmara do Faraó. Aconselho-as a se fazerem belas porque o Faraó é muito sensível à beleza e talvez as beneficie.

Enquanto elas se preparavam, o banquete prosseguia. Pecos era a grande figura do momento. Decididamente a vida lhe sorria. Era belo, no vigor da mocidade, possuía glórias, posição de destaque. Seus sentimentos eram de satisfação íntima pelos triunfos que alcançara. Filho mais velho de uma abastada família de nobre estirpe, ingressara como de praxe nos serviços do soberano, indo de encontro também ao seu mais caro desejo, porque podia satisfazer aquela sede de aventuras, algumas galantes. Sentia-se vibrar de entusiasmo ao enfrentar um adversário no campo de luta. Era exímio cavaleiro porque desde muito cedo fora treinado para tal, nem se recordava mesmo da primeira vez que montara um animal. Parecia-lhe que sempre possuíra tal experiência. Era bom lanceiro, possuía bom golpe de vista e um pulso firme para o combate. Era arrojado, mas, apesar de tudo, sempre leal ao adversário. Possuía também um coração afetivo cheio de impulsos bons, mas o ambiente em que vivia e as tentações de que era alvo eram muito fortes para seu temperamento ardente e impetuoso. As mulheres o adoravam e disputavam sua preferência. Mas ele, embora amante de aventuras, não as levava a sério a ponto de comprometer-se. Era egoísta e, assim, procurava tirar tudo da vida sem nada dar em troca. Sendo criado desde pequenino naquele ambiente, julgava a caçada humana que empreendia parte de sua função para servir seu país, achando certo sabor na aventura, mas nunca se detivera nem de relance a analisar a covardia de tal procedimento. Era fruto de seu ambiente e achava natural existirem escravos e senhores, opressores e oprimidos. Para ele, a vida era uma grande batalha, há os que ganham e os que perdem. Ele era um vencedor, e os derrotados deveriam conformar-se submissos.

Os convivas estavam alegres, e os ditos jocosos, efeito do vinho, já se faziam ouvir.

De repente, as fanfarras iniciaram uma música rítmica e sensual, e as bailarinas surgiram enlanguescidas, fascinando os convivas, que aplaudiam entusiasticamente. A cena era bizarra e entontecedora naquele ambiente saturado de "simitra", de vinho, dos perfumes mais exóticos espargidos das piras onde as labaredas lambiam o ar, derrubando sombras fantásticas pelo solo. Os archotes bruxuleantes e por fim aquelas mulheres de pele bronzeada pelo sol forte do deserto, trazidas em sua maior parte de outras terras, causavam admiração geral. Eram belas como esfinges, de uma beleza mímica, com os olhos pintados de "darkim". Quanto durou aquela música ou aquela dança, ninguém pôde precisar! Mas desfeito o encanto quando a última bailarina desapareceu pelas cortinas, os presentes despertaram e uma voz bradou:

— Oh!... poderoso Faraó, onde estão as conquistas dos teus soldados?

O faraó bateu palmas e Potiar, que aguardava pelo sinal, dirigiu-se ao meio do salão. Curvou-se ligeiramente e disse:

— Nobre Faraó e seus convivas. Agora traremos à vossa augusta presença os frutos da última "colunata".

Em seguida, de ambos os lados do salão, começaram a entrar os novos escravos, os homens de um lado e as mulheres do outro.

Vinham silenciosos, como que desejosos de encobrir e recalcar a revolta íntima. A admiração foi geral. Na verdade eles eram magníficos. Nunca se reunira tanta pujança, mocidade e beleza!

— Agora — disse Potiar — quer nosso Faraó agraciar seu grande guerreiro Pecos, com a escolha de uma escrava para seus domínios. Queira aproximar-se, nobre Pecos, e proceder à escolha.

Pecos, surpreendido agradavelmente, sorriu. Pousou o copo de vinho que tinha entre as mãos e dirigiu-se para o lado das mulheres agora escravas. A escolha era difícil. Todas eram realmente belas. Calmamente começou a examiná-las. Vexadas com a exposição brutal de sua beleza física, a maioria encolhia-se timidamente. Ele levantava-lhes o rosto e fitava os olhos de cada uma. Para ele eram todas iguais, todas bonitas, atraentes. Quando porém aproximou-se da pequena Solimar, sentiu certo mal-estar. A pequena fitava-o serenamente, parecendo despertar nele algo estranho. Seus olhos continham mais piedade do que revolta, seu belo rosto de linhas puras personificava a delicadeza de seus sentimentos. Pecos, pela primeira vez naquele dia, sentiu-se algo aborrecido, sem saber porquê. Parecia-lhe estranho que alguém sentisse compaixão por ele, que era o mais feliz dos homens, e que esse alguém fosse uma pobre mulher que ele escravizara e roubara ao convívio dos seus. Naquele momento desejaria não estar ali. Sentiu, de repente, desejos de não escolher ninguém, de retirar-se e esquecer aquele pequeno reflexo de sua consciência. Mas isso seria impossível! Seria uma afronta à benevolência do soberano.

De repente, disse quase que instintivamente:

— Como te chamas?

— Solimar.

Sua voz era musical, sussurrava apenas, mas ele emocionou-se esquisitamente.

— Se vossa majestade me conceder esta escrava, decididamente ficarei satisfeito.

Ao que respondeu o Faraó:

— Seja, ela é tua.

— Agora, senhores ilustres, procederemos ao sorteio de uma escrava "a escolher" entre todos os presentes.

O entusiasmo foi geral e manifesto. Quando a algazarra cessou, transformada em expectativa, Potiar ordenou aos escravos que recolhessem dos presentes, as pequenas tabuinhas onde estavam desenhados seus nomes e que marcavam os lugares dos convivas. Colocaram-nas em enormes salvas e depois em uma bolsa de couro misturando bem seu conteúdo.

As pobres mulheres, ofendidas em sua dignidade, em tudo que possuíam de melhor em seus sentimento, realizavam um esforço tremendo para não chorar. Nalim tremia de raiva e de sofrimento. Ainda estava revoltada com a separação de Solimar. Tanta serenidade havia naquela criatura, que Nalim sentia não poder resistir sem ela. Sua presença carinhosa lhe proporcionava paz para enfrentar a situação sem abater-se. Muitas não podiam conter as lágrimas, ela não! Seu coração se fechara pela revolta e só podia sentir sede de vingança!

Solimar compreendia o que se passava com ela. Seu coração sofria pelas companheiras e, se pudesse, daria a vida para libertá-las, devolvê-las ao convívio dos seus!

Os seis escravos pareciam feras acuadas e certamente se os soldados não estivessem bem próximos, não se teriam contido.

O Faraó, a quem fora dada a bolsa, nela introduziu a mão a fim de retirar a tábua do felizardo. A expectativa era grande!

O silêncio se fez. O Faraó, ao ler o que nela estava escrito, sorriu com malícia, passando-a para Potiar.

— Ilustres, decididamente Hórus favorece com a fortuna o homem do dia! O prêmio coube ao nosso grande herói, Pecos.

Um oh! de decepção fez-se sentir no ambiente. Pecos, surpreso, ficou interdito sem saber o que dizer.

— Pode escolher, nobre Pecos, é tua a escrava.

Novamente ele adiantou-se indeciso. Olhou para Solimar, sem saber porquê. Os olhos dela estavam fitos em Nalim, esperançosa. Pecos aproximou-se de Nalim, olhou-a. Ela era maravilhosa! Seus olhos negros fulgurantes, seu rosto alvo, seus cabelos também negros, seus lábios vermelhos, tudo era realmente tentador. Seu porte ereto, sua altiva fronte, não condiziam muito com a submissão de uma escrava. Ele sentiu-lhe o orgulho e a consciência de sua fascinação. Embora pressentindo o esforço que teria para dominá-la, ou talvez um pouco por isso mesmo, ou ainda pela súplica muda de Solimar, escolheu Nalim para seus serviços.

As duas moças olharam-se aliviadas e uma momentânea alegria brilhou-lhes nos olhos.

A festa prosseguiu com mais algumas disputas em leilão das belas mulheres e dos valorosos escravos. Era uma vergonhosa afronta ao direito que a vida concede a cada um de viver sua existência, usufruindo do mundo o que Deus lhe concedeu para um único fim: a evolução. A experiência terrena consiste na harmonização do ser com o semelhante, a fim de conseguir viver em planos melhores, sem dor e sem sofrimento. No entanto, eles, quebrando a harmonia das leis universais de fraternidade, muito teriam que suportar no futuro, colhendo os resultados dos seus atos.

O Faraó, a quem tal comemoração entediava, retirou-se por fim, deixando Potiar para comandar a festa.

Cansara-se com o dia exaustivo que tivera, não bebera quase e alimentara-se frugalmente como de costume, e embora desejasse repouso, suportara tudo até o fim.

Pecos, também excitado com as emoções indefiníveis que sentira naquele dia, cansado ainda da viagem, despediu-se por fim, ordenando aos seus pajens que conduzissem as escravas para sua comitiva, a fim de seguirem para seus domínios, aliás, pouco distante dos domínios de seu senhor.

Durante o trajeto, tentava recordar-se das sensações experimentadas, mas, embora o conseguisse, não podia compreender-lhes o sentido. De repente, quis relembrar o rosto de Solimar, mas teve uma estranha sensação exasperante ao ver que não o conseguia. Irritado consigo mesmo, com tudo e todos, sem precisar os motivos, fustigou o cavalo para chegar mais depressa. Assim, dentro de poucos minutos, seguido pelos escravos e sua comitiva, penetrava em seus espaçosos domínios.

Era uma casa magnífica, de pedra, solidamente construída com seu teto baixo, sustentado por duas colunas quadradas na entrada, mais alta no interior. Estava rodeada por magníficos jardins e possuía numerosos pátios. Seus vastos aposentos, mobiliados com gosto e alto luxo, demonstravam a finura de seu dono. Pecos, exausto, desejoso de estar só para repousar, despediu sua comitiva, ordenando aos escravos que conduzissem as suas novas aquisições para as habitações femininas, lá aguardando as tarefas que lhes destinaria. Isto feito, retirou-se para seus aposentos, preparando-se para dormir.

Apesar de extenuado, não conciliou logo o sono, tomado de uma sensação enervante. Um vago pressentimento de que algum novo acontecimento envolveria sua vida, incomodou-o por muito tempo. Mas, pensou ele, sendo um leal cumpridor de seus deveres, fatalmente seria favorecido de Hórus, e nada de mal lhe aconteceria. Era muito tarde já, quando adormeceu num sono pesado, angustioso, quase asfixiante.

CAPÍTULO II

A proteção da velha serva

Decorrida uma semana, Pecos, envolvido por uma série de compromissos sociais e militares, não tornara a recordar-se das duas escravas que singularmente ganhara, nem determinara suas funções.

Enquanto isso, elas aguardavam, servindo apenas em delicados serviços, condizentes com seu conhecimento doméstico. Embora nada as diferenciasse na maneira de proceder, a forma pela qual sentiam a situação era bem distinta. Solimar, magnânima, resignada, sofria em silêncio, procurando dar o que possuía de melhor a todos que a cercavam. Nalim, recalcada, orgulhosa, esforçava-se por acalmar-se perante os que eram agora seus iguais, sem demonstrar o que lhe ia na alma. Era como uma calmaria que precede as tempestades. A qualquer momento esta poderia irromper, atirando-a a conseqüências imprevisíveis. Solimar sentia o pensamento de Nalim, lastimava-lhe sinceramente a falta de compreensão e humildade, temerosa pelo seu futuro.

As escravas mais antigas, principalmente as mais jovens, não gostaram das novas companheiras. Sentiam ciúmes, por serem forçadas a reconhecer-lhes a formosura. Pecos não era como a maioria dos seus contemporâneos abastados, que mantinham relações amorosas abusivas com as escravas; repugnava-o sobremaneira tal proceder, não por princípio de moral, mas de categoria; julgava-se superior a elas. Muitas, porém, eram vencidas pelo seu fascínio pessoal e não perdiam as esperanças de lhe despertar um interesse amoroso mesmo que momentâneo.

As duas moças não encontraram um ambiente

sincero, mas, pessoas cheias de ódio, inveja e recalques violentos. Suas maneiras distintas e fidalgas, principalmente as de Nalim, haviam despertado nas outras a consciência de sua inferioridade, e isto raramente as mulheres perdoam. Fossem elas menos bonitas e o acolhimento teria sido mais amistoso. Esse ambiente uniu ainda mais aquelas almas que já se estimavam. Uma grande e sincera amizade nasceu entre elas.

Jertsaida, homem de confiança de Pecos e administrador de seus domínios, supervisionava os serviços de Cortiah, encarregada das tarefas femininas da casa. Ela sentiu desde logo pena das duas moças. Ela compreendia, porque havia passado pela mesma experiência, e esforçava-se para suavizar-lhes os momentos. Contudo, a princípio, sua boa intenção não foi entendida pelas duas moças, retraídas pela acolhida francamente hostil das demais. Entretanto, aos poucos, perceberam que contavam com a sua simpatia e benevolência. Um dia Cortiah lhes dissera:

— Tenho observado os vossos serviços. Tendes as mãos delicadas. Nesta casa falta a orientação de uma dama, assim como escravas competentes para esses serviços delicados. Falarei com o nosso valente senhor, para que vos confie uma tarefa de acordo com vossos conhecimentos. Assim, também podereis me auxiliar nas determinações mais difíceis.

As duas agradeceram sinceramente. Elas não possuíam nenhum conhecimento dos serviços grosseiros e ser-lhes-ia muito penoso sujeitar-se a eles.

Dias depois, a ocasião fez-se sentir, quando Jertsaida a avisou de que o nobre Pecos a chamava. Cortiah, pressurosa, foi ter com ele que a recebeu com a condescendência que lhe permitia a consciência de sua superioridade.

— Para o que me quer, meu senhor? — perguntou a escrava curvando-se.

— Preciso de ti, para um caso muito especial. Meus parentes chegam dentro de um mês, quero remodelar tanto quanto possível as decorações domésticas, principalmente as que foram de minha mãe, para minha prima Otias, que passará juntamente com meu tio a residir conosco. Recorro a ti porque como mulher, ainda com a lembrança de tua passada posição em tua pátria, deves conhecer os caprichos femininos. Mandarei tapeceiros e tudo o mais que ser fizer necessário para a remodelação. Espero de ti uma orientação sobre o que ficaria mais próprio para os 18 anos de minha prima. Quanto aos aposentos de meu tio Osiat e de meu irmão Jasar, também de regresso, eu escolherei os adornos.

— Farei tudo o que estiver ao meu alcance para bem servi-lo, meu senhor, mas desejaria falar-vos sobre um assunto que há dias está me preocupando.

— Fala.

— Nobre Pecos, há já alguns dias trouxestes duas novas escravas e ainda não lhes designastes os serviços a desempenhar. Por se tratar de duas mulheres que conhecem altas posições sociais, estão a par dos pormenores que desejais, melhor do que eu, que de há muito passei da idade dos sonhos bonitos; permiti que elas me auxiliem na tarefa, e tenho a certeza de bem servir-vos.

— Seja. Tens a minha autorização. Findo este trabalho, designarei para elas outros, conforme se fizer necessário na ocasião. Agora vai-te e assim que idealizares as modificações, vem comunicar-me, mas sê breve, porque temos somente um mês de prazo.

Cortiah correu como uma criança feliz a dar a boa nova às duas jovens.

Imediatamente resolveram por mãos à obra. Solimar, como era natural, recebia todo trabalho que lhe era exigido, procurando desempenhá-lo bem. Nalim esmerava-se na esperança de agradar a seu senhor. Ela, desde que perdera a liberdade, não fizera outra coisa senão arquitetar planos de vingança, mas, como se encontrava em situação inferior, sem meios para executá-los abertamente, contava com a dissimulação e a astúcia para levá-los a termo.

Cortiah levou-as imediatamente aos aposentos onde deveriam trabalhar.

— Antes de mais nada, desejamos que nos descrevas a personalidade da jovem que deverá ocupar estas peças, para podermos idealizar um ninho adequado aos seus gostos pessoais — pediu Nalim — tu a conheces, Cortiah?

— Sim, eu a vi muitas vezes ainda pequena. Faz precisamente 8 anos que deixou Tebas em demanda da Nícia. Seu pai, irmão mais novo do pai do nobre Pecos, depois que perdeu a mulher, desgostoso, retirou-se para lá, estabelecendo-se e fazendo educar a filha por grandes professores durante esse tempo todo. A jovem Otias deve andar pelos 18 anos. Tinha 10 quando se foi, seu temperamento era arrebatado e ardente como o de sua mãe. Gostava das fortes sensações e nasceu para mandar e ser obedecida. Já aos 8 anos, castigava com rudeza os escravos que ousavam desobedecê-la nas menores coisas, embora fosse bondosa para os que a serviam bem.

— É bem pouco o que dela sabemos, Solimar, mas ainda assim, idealizaremos algo que lhe agrade.

As duas moças, entretidas naquele trabalho onde seus gostos artísticos se manifestavam, esqueceram-se por momentos de sua situação naquela casa, pondo todo seu esmero na escolha da ornamentação, recordando-se do passado que parecia distar não dois meses, mas dois séculos.

As reformas idealizadas provocaram exclamações entusiásticas de Cortiah, que pressurosa acatava-lhes as sugestões. Elas estavam em seu elemento, principalmente Nalim, no meio daqueles tecidos finíssimos, retirados das velhas arcas para sua escolha. Seus olhos brilhavam satisfeitos e sorria com prazer como há muito tempo não fazia.

Assim, decorreram mais alguns dias. Os preparos por toda a casa iam animados. Escravos iam e vinham, carregando objetos, auxiliando o serviço. Nalim, esquecida quase de sua posição atual, comumente repreendia as escravas e freqüentemente lhes ordenava quando necessitava de algum auxílio. Isto lhe valeu não poucos arrufos e um ódio cada vez maior. Estas, por despeito, sentindo inveja de sua segurança, de seu gosto apurado, tendo que reconhecer-lhe a superioridade. Nalim, desprezando-as na certeza de sua nobre origem. Só Solimar as compreendia e lamentava.

Uma noite, falou com Nalim sobre o assunto, ao que ela, dando de ombros, respondeu:

— Que queres? A nobreza, embora escrava, não se mistura com a ralé. Eu, apesar das circunstâncias, não esqueço minha família, honrando-a como fizeram todos os meus antepassados. Sou assim e dificilmente mudarei. Tenho intentado esforços sobre-humanos para poder viver na mesma ala com elas, utilizando-me das acomodações em conjunto. Já isto representa um sacrifício enorme para mim.

— Nalim, sei que te esforças, porém, nós agora não podemos pensar como antes. Talvez o orgulho haja atraído para nós esta situação. Pode ser que para sairmos dela, tenhamos que aprender a ser humildes, sabendo que somos todos humanos, com as mesmas necessidades físicas e o mesmo destino quando nossa alma deixar o corpo em busca do alívio das mansões celestiais.

— Mas lá certamente haverá separação para as hierarquias de nobreza. Não concebo uma mansão de felicidade sem as posições definidas de cada um.

— Pensas como muitos, mas eu acredito, segundo as lições que recebi de meu pai, que nos igualamos na morte, sendo apenas mais bem colocados os que melhores ações tenham praticado no mundo, dentro da pureza, bondade e tolerância.

— E pensas tu que uma escrava ignorante poderá ter estes sentimentos? Eu não creio.

— E nós, acaso não teremos? Não somos

escravas?

— Mas nosso caso é diverso, bem o sabes. — Nalim fez um gesto de enfado. Estava longe de compreender o significado do elevado pensamento da amiga. Solimar compreendeu e calou-se. Uma onda de tristeza invadiu-lhe o amoroso coração. Desejava ofertar à companheira toda a compreensão que sentia da vida e das coisas, mas ela não conseguia compreender.

— Sentes o mormaço do verão inclemente? Não queres, Solimar, respirar um pouco da brisa noturna?

— Vamos, assim conversaremos mais um pouco. Ainda bem que podemos andar livremente pelos jardins quando desertos. Sentir-me-ia muito triste se não pudesse respirar o suave aroma das flores, sentindo a vida que nelas se manifesta.

— Pelo menos, temos certas regalias que outras não têm. Temos momentos de folga proporcionados pelas nossas funções.

As duas, abraçadas, caminhavam ao longo das alamedas floridas. A noite estava maravilhosa. Era tarde já e o meio da noite se fazia sentir, embora o ar quente e parado do verão rigoroso convidasse ao convívio das árvores e dos lugares mais amenos. Continuavam o passeio trocando idéias sobre o passado, confidências dos tempos felizes.

Nalim contava de sua casa, de seus pais, de seus familiares, de sua infância. Solimar falava do pai, a quem amara profundamente e que lhe ensinara tudo quanto sabia. Ele era de nobre estirpe, mas dedicara-se ao ocultismo, e desapegara-se completamente das riquezas terrenas. Sua mãe, inexperiente, dirigia tudo, pois que o pai ausentava-se constantemente em viagens de estudo. Assim, acabaram perdendo a maior parte de seus haveres. Enquanto o pai fora vivo, não se haviam preocupado, mas depois de sua morte quase súbita, elas viram-se envolvidas pela miséria. Venderam a propriedade e compraram uma casa pequena. Pela condescendência de sua mãe, os escravos foram libertados, conservando apenas os serviços de sua velha ama e o velho jardineiro que se negaram a deixá-las.

Solimar, em virtude das circunstâncias, havia recorrido ao trabalho para auxiliar nas despesas. Copiava hieróglifos nos longos papiros para os nobres e ainda tecia à mão finos véus para suas antigas amizades. Iam vivendo resignadas, quase felizes, até que um dia, quando voltava de entregar um trabalho, fora agredida e subjugada. Quando acordou, já se encontrava na expedição que se apressava para o regresso. Debalde implorava a liberdade, alegando as necessidades de sua mãe, inutilmente chorava de medo e de angústia, pensando no golpe que atingiria o coração amoroso de sua progenitora.

À noite, sozinha em uma tenda escura, chorou dolorosamente e adormeceu exausta. Acordou em um lindo jardim florido e sentou-se num banco, esperando algo sem saber o quê. De repente, viu surgir a figura veneranda de seu amado pai. Rejuvenescido e feliz, ele lhe sorriu abraçando-a carinhosamente.

— Filha, não chores. Sabes que nascemos na Terra para aprendermos a viver bem. Tua experiência, no setor que vais iniciar, ser-te-á proveitosa no futuro e podes conseguir muito progresso dessa tua passagem terrena.

Ela pensou na mãe e novamente se entristeceu; ele, porém, sentindo-lhe o pensamento, disse:

— Ninguém fica só no mundo. Deus não desampara a ninguém. Volta às tuas obrigações carnais resignada e procura cumprir bem tua missão. Tu mesma a solicitaste anteriormente. Faze tudo para evitar o fracasso. — Dando-lhe um suave beijo na testa escaldante, desapareceu.

Solimar despertou com uma repousante e confortadora sensação. Quando se recordava daquele sonho venturoso, seus olhos se marejavam. Não é fácil transformar emoções em palavras. Os sentimentos que tocam nossa alma, perdem substância quando transformados em linguagem comum.

Solimar gostaria de contar à companheira o que sentia. Todavia, aquelas emoções eram intraduzíveis. Percebia que Nalim não teria condições de entender.

Calaram-se ambas. Caminharam em silêncio. A brisa noturna, suave e aromática, provocava nelas sensibilidade e romantismo. As estrelas faiscavam na laje imensa do infinito... De repente, rasgando o véu daquele silêncio encantado, ergue-se nos ares um canto ardente e apaixonado. Uma voz dolente e harmoniosa cantava, revelando toda sua sensibilidade de artista.

As mulheres pararam fascinadas. Solimar deixou-se embalar suavemente pelo fascínio daquele instante de calma e de feliz emoção. Nalim sentiu-se extremamente surpresa reconhecendo a voz e a canção que a atraíra, ocasionando sua prisão. Era a mesma voz, embora mais pura, mais emocionada, a mesma canção de lamento, de chamado amoroso. Apesar das pungentes recordações trazidas ao seu espírito por aquele canto dentro da noite, o mesmo fascínio que sentira anteriormente renovou-se naquele instante. Mudas, sem sentir quase, trocaram um olhar surpreso, depois cautelosamente se dirigiram para o local de onde provinha a melodia. Guiando-se facilmente pela direção do som, avançaram mais alguns passos, parando admiradas.

Sentado num banco, próximo ao pátio externo dos aposentos do dono da casa, este cantava completamente alheio ao resto do mundo. Seus dedos percorriam o alaúde com maestria, e seus olhos fixos em um ponto indefinido, revelavam aspectos de sua alma sonhadora. Seu espírito, cansado das aventuras fáceis de salão, buscava na música alimento para sua alma.

As duas mulheres, paradas, observavam-no escondidas. Então era ele! Fora ele, pensou Nalim, que com a magia de sua voz a atraíra para a vergonha e a escravidão. Mas ela haveria de vingar-se, fosse como fosse. Jamais o perdoaria!...

Seu corpo esbelto tremia pelo enorme esforço que

fazia para controlar-se e não avançar para ele, dizendo-lhe tudo o que lhe ia na alma. Seus lábios se cerraram com força e foi entredentes que ela murmurou imperceptivelmente:

— Ele não perde por esperar! Ele me pagará!

Solimar nem a ouviu sequer, elevada pela cena que presenciava. Aquele homem, másculo, de uma beleza e atração extraordinárias não podia ser mau. Não podia ser completamente empedernido, uma vez que sua alma conseguia vibrar com tanta delicadeza, na interpretação de uma canção amorosa. Sentiu uma vontade infinita de fazer algo em benefício dele, prometeu a si mesma auxiliá-lo a encontrar-se a si mesmo, estimulando seu lado bom. Seria uma pena, pensava ela, que um homem possuidor de tantas vibrações amorosas na voz, passasse pela vida iludido, ignorando seu verdadeiro significado.

As emoções daquelas duas formosas criaturas, frente ao mesmo acontecimento, eram muito diferentes. Uma servindo revoltada pensando somente na vingança, a outra acariciando a mão que a ferira.

Qual das duas seria mais feliz? Aquela que se recordava constantemente da agressão sofrida, revivendo e alimentando as sensações daqueles terríveis momentos, ou aquela que, esquecendo o que sofrera, libertara-se das penosas recordações? Aquela que sofria por ver-se nivelada com pessoas que julgava inferiores, ou a que não se julgando superior a ninguém, se sentia rica o bastante para ajudar os que a feriram?

Certamente Solimar era muito mais venturosa. Ocultas atrás de alguns arbustos, esperaram que a canção terminasse. Pecos permaneceu alguns instantes em muda contemplação. Momentos havia em que sentia um vazio interior. O desejo de algo que não sabia precisar, uma saudade indefinida. Aquela noite, não conseguira conciliar o sono. Inspirado por um desejo vago, tomara do alaúde e dirigira-se ao jardim. Seus dedos percorreram o instrumento ao acaso, seu pensamento divagava.

Olhava o céu cheio de estrelas e pensava: que mistérios se ocultavam naqueles pontículos distantes? Que poderosa força os engastava no teto celeste? Certamente Osíris lhe havia destinado uma companheira. Nunca amara mulher alguma. Suas conquistas eram ocasionais e superficiais. Deixava-se amar por elas displicentemente, certo de que nunca amaria. Julgava-se insensível ao amor e sentia-se frustrado por isso. Era como se estivesse perdendo algo precioso. Então seus lábios se abriram para cantar aquela canção, num lamento ardente e apaixonado:

Vejo no negro manto da noite,
a sombra esvoaçante de teus cabelos.
No brilho das estrelas cintilantes,
O apelo amante de teus olhos belos...

Sinto, no vento acariciante que passa,
a magia de teu ser envolvente...
No ruído das folhas sussurrantes,
O eco de teus passos macios, leves...
No entanto procuro-te, oh! forma florescente,
gritando ao eco teu nome inexistente,
Buscando nas mulheres teu vulto fascinante,
Não o reconhecendo neste meio ambiente...

Oh!... ser etéreo e lindo que adivinho perto,
Que sentes meu anseio de amoroso enleio
Revela-te aos meus olhos no caminho certo,
Para que eu possa entregar-me sem receio.
Bendizendo a vida na musa inspiradora,
Bendizendo a morte que conduzirá à vida!...

Depois de alguns momentos de muda contemplação, Pecos, mais reconfortado, recolheu-se aos seus aposentos. As duas, ainda silenciosas e abraçadas, retornaram rumo à sua habitação. Embora pelo mesmo caminho, iam muito distantes pelo pensamento.

CAPÍTULO III

Orgulho e humildade

Naquela tarde, elas estavam ocupadas na ornamentação do maravilhoso leito que haviam idealizado. Sobre uma escada redonda de mármore rosa, colocaram uma cama de jade, simétrica e lisa, como uma mesa de pernas curtas, ligeiramente côncava no centro. Sobre ela descansava um macio colchão de penas de ganso, que agora estavam cobrindo de púrpura. Haviam encomendado no mercado os alvos lençóis de puro linho e outras miudezas. Estavam tão entretidas que não ouviram o ruído de passos, abafados pelos grossos tapetes.

— Vê, Solimar, que tecido maravilhoso!

Os olhos de Nalim brilhavam como pérolas ardentes, de volúpia e ambição. Não podendo resistir à tentação, enrolou o tecido que era uma preciosidade importada do Oriente, em seu corpo de linhas perfeitas e provocantes.

— Mesmo em minha terra, jamais possuí um igual!

Estava realmente bela!

De repente, reparou que Solimar, surpresa, olhava para a porta. Voltando-se, Nalim estremeceu ao reconhecer a figura de seu senhor. Como se dominava com certa rapidez, permaneceu imóvel a contemplá-lo. Sua atitude era respeitosa, mas em seus olhos havia o mesmo brilho insolente.

Tal atitude espicaçou-o. Dirigindo-se a ela, com certo desdém na voz, disse:

— Estas fazendas finas não te assentam bem. Aliás, nem poderia ser de outra forma, porque elas foram tecidas para as senhoras e não para as escravas.

Compenetra-te desta verdade e procura não cobiçar o que não foi feito para ti.

Nalim sentiu a garganta ressequida e as mãos gélidas. Aquilo era demais. Suas narinas arfavam nervosamente falando da perturbação de seus nervos. Suas palavras doeram mais do que um castigo físico, porque atingiram o que ela possuía de maior: a vaidade.

Ele, calmamente, sem parecer notar nada, deu alguns passos negligentemente pelo aposento, observando as alterações sofridas.

— Senhor, — objetou serenamente Solimar — infelizmente nós, mulheres, somos muitas vezes dominadas pelos adereços que nos tornam mais belas. Desculpai nosso entusiasmo. Como escravas, temos a possibilidade de vestir nossas almas com uma roupagem mais linda, que nem o tempo, nem ninguém poderá nos arrebatar. Creio mesmo, senhor, que algumas das senhoras que usam com prazer um vestido como este, um dia sentirão também a necessidade de vestir a própria alma de escrava dentro da vida para servirem às exigências de sua consciência!

Pecos olhou surpreendido. Nalim, com sua beleza e arrogância, tinha o dom de irritá-lo e fasciná-lo ao mesmo tempo, mas Solimar era como um bálsamo para seus olhos. O imprevisto da resposta desarmou-o. Aproximando-se dela, disse:

— Talvez tenhas razão, mas precisamos reconhecer que nem todas são escravas humildes e dedicadas. A maioria ainda alimenta grandes pretensões conservando ilusões do passado. Mas, falando sobre o que aqui me trouxe, onde está Cortiah?

— Saiu, senhor. Foi aviar algumas encomendas para o andamento do serviço. Ela quis ir pessoalmente, para melhor efetuá-las — respondeu Solimar serenamente.

— Bem, então ouve tu: precisamos terminar tudo no máximo dentro de dez dias. Se preciso, requisite mais escravas, contanto que terminem dentro deste prazo. Isto parece-me muito bom. Espero que façam tudo para bem servir à minha prima, como se fora a dona e senhora desta casa.

Nalim conservara-se muda, mas seus olhos negros ocultavam ameaças. Aquele homem que tudo lhe roubara covardemente, ainda julgava-se no direito de escarnecer a sua beleza e fidalguia! Nem sequer parecia olhá-la como mulher. Havia guardado a peça de tecido e simulava continuar o trabalho interrompido, porém, não tinha a consciência do que suas mãos teciam. Apenas seu pensamento trabalhava à sombra de sua vaidade ferida de mulher.

Depois de lançar mais alguns olhares sobre o aposento, Pecos retirou-se sem dizer palavra.

As duas mulheres entreolharam-se. Nalim, sem poder conter-se por mais tempo, arremessando longe de si a peça que simulava coser, acercou-se da amiga, dizendo:

— Vês tu que tenho razões de sobra para odiá-lo! Parece que implica comigo sentindo enorme prazer em torturar-me. Ele conheceu minha casa, meus escravos, minha linhagem, sabe que mereço respeito e consideração. Ainda não satisfeito em haver-me reduzido e transformado no que sou hoje, possui requintes de perversidade, me diminuindo dessa forma. Eu não tolero mais este estado de coisas! Preciso arranjar um jeito de avisar os meus. Com certeza não me deixarão permanecer aqui por mais tempo. Tudo farão para libertar-me.

Nalim calou-se angustiada. Suas mãos nervosas estavam banhadas de suor. A fronte queimava pela afronta recebida.

Solimar, achegando-se mais à amiga, abraçou-a, dizendo-lhe docemente:

— Acalma-te, Nalim. Não teças loucos projetos para o futuro. Estamos em terra estranha e seria difícil por agora conseguirmos alguém de confiança para nos prestar tal serviço. Esperemos pois com calma, porque se alguém descobrir tuas intenções, certamente perderemos até a pouca liberdade e condescendência que desfrutamos. A ofensa que recebeste foi do tamanho do teu orgulho. Se fosses menos vaidosa, o que chamas de insulto não te atingiria. Sempre estamos inclinadas a julgar muito grande a ofensa que sofremos, mas nunca nos perguntamos por que atraímos isso para nós. Se não procurares te resignar à nova situação, teu sofrimento será muito maior.

— Não sei como podes falar assim, não te compreendo! Pareces destituída de carne e sangue como eu. Aceitas a situação com tal passividade que eu não posso admitir. Dize: se nos surgisse uma oportunidade para fugir, irias comigo?

— Não sei, dependeria das circunstâncias, mas não creio que conseguíssemos ir para muito longe sem que nos encontrassem. Depois, como atravessar o deserto? Quantas vezes, Nalim, iludidos por uma miragem, nos precipitamos a uma fuga inconseqüente e ao invés da alegria, nos surpreende a dor. Perdidas no deserto árido e causticante, fatalmente nos lembraríamos de que estávamos protegidas aqui, sendo preferível termos continuado escravas no corpo, com o respeito que temos sido tratadas até agora, do que encontrarmos a morte sob o sol ardente do deserto. A liberdade, creia, é relativa. Ninguém no mundo a possui inteiramente. O que chamamos liberdade é justamente o poder fazer tudo o que nos agrada e muitas vezes em seu nome nos escravizamos. A verdadeira liberdade é a do nosso espírito que pode, conhecendo as leis que regem a vida, tornar-se livre. Esta liberdade, Nalim, é a única que ambiciono e embora me escravizem o corpo, ninguém poderá arrebatá-la de mim.

Solimar falava pausadamente. Era tal a convicção que havia em sua voz, que Nalim sentiu-se mais calma. Desejaria possuir a serenidade da amiga, aquela forma de ver as coisas tão diferente de todos os que havia conhecido. Mais sossegada, ela disse:

— Está bem, Solimar. Farei o possível para resignar-me, por ora não pensarei mais na fuga, mas somente por ora. Assim que surgir uma oportunidade, eu não a perderei. Então, a minha vingança será realizada.

Solimar, pensativa, não respondeu, voltando ao trabalho interrompido. Nalim, maquinalmente, também reiniciou sua tarefa, mas não conseguiu recuperar o entusiasmo de antes. O dia para ela estava estragado.

Pecos, ao sair da sala onde as duas moças escravas trabalhavam, ia apreensivo. As palavras de Solimar o haviam impressionado mais do que gostaria de confessar.

Dirigiu-se ao seu gabinete e sentou-se em um macio coxim perfumado, reclinando-se para repousar. Mas aquela tristeza vaga, aquela sensação de insegurança lhe voltara. Não sabia explicar o que sentia.

Solimar parecia-lhe a figura de alguém que tinha conhecido... mas, onde? Solimar... Sua pele clara como o sol, e seus olhos verdes como o mar, cujas ondas mariscavam em seus lindos cabelos... Belo nome para tal criatura! Interessante como sendo tão jovem, já possuía tão profundo conhecimento das coisas! Seria mesmo conhecimento ou seriam algumas frases decoradas no sentido de bem impressionar? De repente sentiu uma vontade imensa de conversar com ela para verificar até que ponto iam seus conhecimentos sobre a vida.

Sorriu contrafeito! Que prazer ele poderia encontrar na palestra com uma de suas escravas? Evidentemente nenhum.

Inesperadamente, o rosto belo de Nalim surgiu em sua memória. Ele estremeceu. Ela era realmente bela. Talvez uma das mulheres mais belas que já conhecera. Seu corpo perfeito, seu rosto, sua fileira de dentes alvos e bem distribuídos, seu porte de princesa casava-se bem com o orgulho que transparecia no lampejar de seus olhos negros.

Pecos sentiu a boca seca. Levantou-se servindo-se de um pouco de vinho, que ingeriu de um trago.

"Não sei o que se passa comigo", — pensou — "com certeza é esta maldita calmaria que nos envolve, fustigando os meus nervos. Se ao menos houvesse algumas lutas para distrair-me... Creio que estou doente por deixar-me assim a fascinar por minhas próprias escravas, como se me faltassem belas mulheres em toda a corte do Egito. O que eu preciso é sair um pouco. Esta inatividade me consome."

Levantou-se, dirigindo-se aos seus aposentos ligados à alcova, preparando-se para sair. Nestes preparativos gastou meia hora, depois, insatisfeito consigo mesmo, com a vida e com todos, saiu finalmente, dirigindo-se ao palácio do Faraó.

CAPÍTULO IV

A chegada de Otias

O tempo corria célere. Os preparativos já estavam prontos. A mansão sofrera muitas alterações. Tudo quanto havia de moderno e luxuoso em Tebas fora utilizado pelo nobre Pecos. O ambiente rebrilhava com um fulgor festivo.

Pecos, naquela manhã de sol, preparava-se com esmero. Deveria esperar pelos seus parentes que, segundo o emissário da véspera, chegariam dali a poucas horas.

Ele pretendia encontrá-los na estrada, às portas da cidade, para oferecer-lhes as boas-vindas. Estimava sinceramente seu velho tio, homem bondoso e honesto, soldado, hoje dispensado pela idade avançada. Mas sua preocupação era mais pela prima. Ele sabia que seu tio pretendia casá-los e até já haviam conversado francamente a este respeito. Como estaria ela? Fazia oito anos que não a via, mas recordava-se de que era uma linda menina. Deveria estar agora uma bela mulher no esplendor das suas 18 primaveras.

A ele, não desgostava tal união, porque, além da estima que os unia, a grande fortuna do tio unida à sua, torná-lo-ia invejavelmente rico.

Depois, ele nunca amara verdadeiramente e nem acreditava em tal possibilidade. Suas aventuras haviam-no tornado experiente com as mulheres, mas nenhuma havia conseguido impressioná-lo seriamente.

Esperava sinceramente que unindo-se à prima, a quem respeitava e estimava, pudessem viver felizes e tranqüilos, realizando assim seu grande sonho de possuir um herdeiro para seu nome e haveres.

Por vaidade, Pecos pretendia vencer a morte, continuando a viver através do seu descendente. Como tantos outros, não refletia se estava preparado para ser pai, ou se a mulher que escolhera para mãe de seu filho, exerceria bem essa missão. Sonhava torná-lo rico, poderoso, dar-lhe todas as coisas que desejara ter e não conseguira. Arquitetava planos para o futuro, sem indagar se seu filho seria feliz em realizá-los.

Aprumado, vestido com sua túnica de gala, chamou Jertsaida, dando-lhe as últimas ordens referentes aos hóspedes. Depois tomou de seu cavalo, acompanhado por Tetânio e Martus, seus oficiais de confiança. Atravessaram a cidade, que àquela hora matinal regurgitava.

Tebas era uma cidade ativa e febricitante. As caravanas iam e vinham, descendo e subindo o Nilo rumo a outras terras, negociando ervas aromáticas, tecidos, especiarias, peles etc... Seu comércio era livre, somente devendo pagar em espécie, ou seja em mercadorias, o preço da travessia para atingir as cidades baixas.

Tebas possuía um mercado, situado na praça de Nectéa, em um grande pátio onde os mercadores expunham suas mercadorias que trocavam pelo que necessitavam ou vendiam, mas em sua maioria preferiam peles ou gêneros. Era um mercado curioso e alegre pelas suas bizarras e tradicionais figuras esculpidas ao longo das paredes, simbolizando seres dotados de poderes estranhos, pela variedade de cores dos tecidos e bugigangas para os enfeites femininos, pela fumaça que envolvia o ar e até pela poeira que misturada com o odor das ervas utilizadas em pequenas bombas, muito semelhantes aos cachimbos dos chineses quando saboreiam ópio, eram aspiradas pelos homens daquele tempo com imenso prazer. Também pela música enervante das fanfarras e os tipos curiosos que se viam negociando.

Pecos e seus amigos seguiam indiferentes ao burburinho das ruas, habituados com o aspecto sempre regurgitante da capital de um país que dominava o mundo com seu poderio. Tebas, com suas graciosas e elegantes casas de pedra, de mármore colorido no chão e nos pórticos, de ruas estreitas, mas simétricas, era bem o resultado de um luxo que o povo ostentava pelo poder de seu país.

Pecos atravessava agora as enormes muralhas de pedras que fechavam a cidade. Ele e seus companheiros haviam trocado poucas palavras. Estando engolfado em pensamentos profundos, seus companheiros por sua vez o imitavam. Caminharam por mais algumas milhas; depois, escolhendo um sítio agradável, Pecos ordenou:

— Alto! Esperemos aqui. Os viajantes não devem demorar-se.

Desmontaram e assentaram-se à beira do caminho, sobre uma grande pedra a fim de aguardá-los pacientemente. Decorridos longos minutos de expectativa, vislumbraram ao longo da estrada um cortejo que avançava lenta, mas regularmente.

— São eles — bradou Pecos com alegria — à sela, meus amigos, vamos recebê-los!

Juntando o gesto à palavra, montou garbosamente de um salto seu animal e depois de bem aprumar-se com elegância, dirigiu-se rumo aos viajantes, seguido pelos companheiros.

Chegando mais perto, verificaram que à frente vinham alguns escravos, mais atrás e montados, dois cavalheiros, sendo um moço e outro mais idoso, respectivamente irmão e tio do nobre Pecos, ao lado de elegante liteira. Mais atrás, a bagagem conduzida por muitos escravos e jumentos.

Ao avistar os três soldados, o cortejo parou a uma ordem de seu chefe. Pecos avançou para o tio, sorridente e emocionado. Ao aproximar-se, desmontou rápido, correndo a abraçá-lo, pois que este também já estava no chão.

— Tio querido, sê bem-vindo à tua terra e à minha casa! Foi com infinito prazer que recebi tua sábia decisão de regressar! Mais uma vez, sê bem-vindo!

Os dois abraçaram-se efusivamente, trocando palavras cordiais.

— E tu, caro Jasar, como estás? Há muito não nos vemos e já estás homem feito. Abraça-me e sê bem-vindo!

Os dois irmãos confundiram-se em amistoso abraço.

Jasar era um rapaz alto e forte, mas, apesar disso, sua aparência era muito delicada, não assemelhando seu rosto aos rudes traços fisionômicos de seus conterrâneos. Seus cabelos negros, a pele tostada pelo sol, os alvos dentes, seus olhos mansos e opalinos, a boca fina e bem desenhada, seu nariz reto e bem torneado, o corpo esbelto e bem proporcionado, tudo isso o tornava extremamente simpático. Não possuía o fascínio pessoal de Pecos, mas quase sempre conseguia o que almejava pela perseverança e pela doçura. Era, apesar disso, franco e tolerante, embora irredutível em suas decisões.

Após haverem-se abraçado efusivamente, o velho tio de Pecos, descerrando as cortinas da liteira dourada, disse:

— Otias, vem receber os cumprimentos de teu primo, que deseja rever-te.

Imediatamente as cortinas foram abertas por mão diáfana, e um riso encantador de mulher apareceu à janela.

Pecos sorriu entusiasmado, feliz, contemplando a beleza da prima. Otias era realmente bonita. Trazia os cabelos penteados à grega, vestia alvíssima túnica de puro linho, toda entremeada de arabescos em branco brilhante. Suas jóias luziam ao reflexo do sol. Seus olhos brilhavam também metalicamente, refletindo o falso brilho das jóias.

Pecos avançou para ela, inclinando-se reverentemente em gentil cumprimento.

— Sê bem-vinda, encantadora prima! Realmente

pareces uma deusa imolada a Osíris! — e voltando-se para o tio, continuou: — Tio Osiat, realmente tornou-se uma jovem, a pequena Otias!

O pai de tanta formosura sorria feliz, refletindo no rosto bondoso a alegria de sua alma. Otias sorriu por sua vez e disse orgulhosamente, cônscia de sua beleza:

— Realmente, primo, me crês bonita? Pois se assim é, quando chegarmos a casa, terás oportunidade de demonstrá-lo renovando tua opinião. Agora continuemos. Estou exausta e não vejo a hora de repousar.

Assim, cada um retomou seu lugar no cortejo e este pôs-se novamente a caminho.

— Tio — perguntou Pecos, que agora cavalgava entre seus dois parentes — a viagem deve ter sido penosa e muito longa assim por terra. Por que não vieste pelo Nilo?

O tio sorriu e foi Jasar quem esclareceu:

— Nós, de fato, realizamos parte da viagem através do Nilo, mas Otias a certa altura adoeceu, embora não gravemente, e nos forçou a uma parada em uma pequena aldeia. A seu pedido, resolvemos vencer por terra a pequena distância que nos separava de Tebas.

— Compreendo, — volveu Pecos — apesar dos inconvenientes de alongar a viagem, principalmente levando-se em conta minha impaciência em rever-vos, nunca se deve desrespeitar os desejos de uma formosa mulher.

Os três sorriam alegres. A princípio a palestra entre eles seguiu animada, mas, depois de certo tempo, cada um enterrou-se nos próprios pensamentos e a viagem continuou em silêncio. Somente o bater cadenciado dos cascos, tangendo as pedras do caminho, se ouvia. Ao chegarem frente às muralhas, penetrando as portas da cidade, Osiat parou emocionado. Um mundo de recordações invadiu-lhe o peito arfante pelo cansaço da viagem. Tebas!... sua terra, sua gente!...

Como embebido em suas reminiscências, penetrou na cidade, ignorando a presença dos companheiros, revivendo o passado! Parecia-lhe, ao atravessar aquelas ruas, ser novamente jovem, com seus projetos, ilusões, anseios, garboso em pleno vigor de sua mocidade. Lembrou-se, em um instante, dos penosos problemas que o atingiram e haviam ocasionado sua partida. Envolvido por fortes emoções, seguia calado.

Percebendo-lhe o estado de espírito, os dois irmãos conversavam reservadamente, trocando idéias sobre acontecimentos do momento.

— Diga-me, Jasar, pretendes continuar teus estudos aqui em Tebas?

— Sim, Pecos. Para mim, estudar é uma necessidade. Ainda agora que estou empenhado em experiências muito importantes.

— Mas... acredito que sejas quase um sábio, a julgar pelo muito que tens estudado. Sou mais velho do que tu, no entanto, desde que me conheço, habituei-me a ver-te indagando, investigando, inquirindo os sacerdotes de Osíris e Amon, ao mentor das ciências hieroglíficas, enfim, já deves saber tudo quanto havia para saber. Não estás satisfeito?

— O conhecimento, meu irmão, que podemos obter das coisas é muito pobre. Com todos os meus esforços consegui muito pouco e principalmente compreendi o muito que ignoro. Já tentaste, por exemplo, descobrir de que é composto o ar que generosamente respiramos? A terra, que inclemente pisamos, apesar de ser dela que emana a nossa sobrevivência? Qual a força que vibra nela fazendo a semente gerar, brotar, florescer, dar frutos? O que movimenta nosso corpo, o que somos nós, o que fazemos e para que estamos aqui? Deves convir que estamos em um mundo virgem, onde existem inúmeras verdades por desbravar, maravilhas por descobrir.

Pecos estava surpreendido. Seu irmão viajara durante aqueles anos pelo mundo, na sede de angariar conhecimentos, ilustrar-se e voltara diferente!

— Mas... creio, Jasar, que os sacerdotes explicam

claramente os teus problemas no tabernáculo. Não há motivos para dúvidas.

— Sim, as explicações que eles nos oferecem satisfazem o povo que via de regra caminha preguiçosamente e não sabe pensar por si, deixando que os outros pensem por ele, mas todo aquele que sente a grandeza e a majestade da vida, das formas da natureza, não pode aceitar o ambiente estreito que nos oferecem.

— Duvidas então dos ensinos de nossa crença? Crês que não estamos aqui para deleitarmos a Deus, que nos dirige e nos manda outros deuses para cumprir suas determinações? Não está ele no grande sol, atrás do teto celeste a nos dirigir?

— Depois te explicarei com mais vagar minhas idéias a respeito, por agora, falemos de ti. Pelo que me disseram amigos teus que encontrei em Nicéia, ocupas posição de destaque junto ao nosso grande rei.

— De fato, tenho conseguido algo em minha carreira, mas naturalmente deves ter mais interesse em conhecer as jovens casadoiras do que as minhas atividades. A vida social aqui é intensa. Logo que repousares, iremos ao palácio e apresentar-te-ei ao grande rei.

— Certo, mas, se não me engano, estamos chegando em casa. Começo a vislumbrar seus pórticos.

De fato, estavam chegando. A casa apresentava um aspecto festivo. Os escravos, a postos para recolher a bagagem e os animais. Cortiah, diligente e respeitosa, esperava à porta, tendo ao lado o fiel Jertsaida. Pecos, com um gesto solene e cativante, tomando a delicada mãozinha de Otias e o braço do tio, conduzindo-os para o interior, disse:

— Mais uma vez, sois bem-vindos à minha casa que doravante também será a vossa.

Assim, iniciava-se uma etapa diferente para todos e que mudaria o rumo de suas vidas.

CAPÍTULO V

O encontro

A noite estrelada de Tebas refletia-se mansamente em todo seu mistério profundo, no lago azul que enfeitava o jardim exuberante da casa de Pecos. Quebrando, porém, o silêncio cadente da noite, numerosas pessoas caminhavam por suas aléias floridas e perfumadas, palestrando animada e alegremente. Todo o aspecto era festivo. Nos salões que há muito não se abriam, reunia-se a fina flor da sociedade daquela época, em uma comemoração verdadeiramente bem lembrada.

O motivo daquela noite engalanada na luxuosa mansão era bem compreensível. Pecos, como de praxe, levara seus parentes à corte para renderem homenagens ao Faraó. Este, que já os conhecia, recebera-os cordialmente e depois dessa cerimônia regular, convidara Pecos as melhores famílias da corte para uma recepção em sua casa a fim de apresentar oficialmente a prima, proporcionando também ocasião ao irmão e a seu tio, de reatarem velhas amizades.

A festa ia em meio. Tudo estava bem preparado, demonstrando perfeitamente o bom gosto dos donos da casa.

Sentado em um banco rústico de pedra, Jasar descansava, de olhos semicerrados, imerso em seus pensamentos íntimos. De repente sentiu alguém bater-lhe levemente nos ombros. Sobressaltou-se, saindo abruptamente de seu mundo interior. Sossegou ao fitar o rosto de Otias e ouvir seu riso cristalino.

— Então, gato selvagem, não quiseste permanecer junto aos convivas e te escondeste aqui? Descobrite apesar de tudo! — Otias falava sem poder disfarçar o tom emocionado de sua voz.

— Não importa, cara prima. Apenas tu sabes que prefiro estar só com meus pensamentos que bem conheço a abandoná-los para enfrentar a hipocrisia humana.

— És impiedoso, Jasar. Não creio que sejam tão maus como pintas. Inúmeras moças devem estar lamentando tua ausência — havia na voz de Otias um quê de despeito ao pronunciar tal frase.

Jasar fitou-a sereno:

— Otias, bem sabes que não tenho interesse em conhecer mulher alguma. Sinto-me bem assim como sou, meio selvagem. Muitas vezes, as mulheres, atrás de belos olhos e doces sorrisos, encobrem o negror de sua alma, — parou, notando o embaraço da prima e ajuntou — existem pérolas que não são falsas, mas somente um perito pode reconhecê-las. Assim, abstenho-me de adquiri-las porque mais vale não as possuir, admirando-as em outros, do que descobrir-lhes o pouco valor com o correr do tempo.

Otias sentara-se ao lado do primo. Seu sangue fervia. A alusão velada do moço feria seu orgulho. Mas ela não reagiu. Desejava reconquistá-lo a qualquer preço. Sua indiferença era exasperante. Poderia tê-lo aos pés, mas não soubera agir para conquistá-lo. Quando o rapaz hospedara-se em sua casa, a fim de regressarem juntos, notara seu interesse. Certa da vitória fácil, abusara, mostrando-se tal qual era. Ele mudou tornando-se indiferente. E quanto mais ele demonstrava isso, mais ela se interessava por ele. Fizera o propósito de conquistá-lo de qualquer modo. Estava disposta a usar todos os recursos para tal. Respondeu sorrindo:

— Não pensei que fizesses tal juízo das mulheres. Gostaria de ajudar-te a descobrir tua pérola verdadeira.

Os belos olhos de Jasar brilharam com ironia e prazer. Divertia-o um pouco a atitude da prima. Não que sentisse prazer em contrariá-la, mas não acreditava que ela o amasse como deixava transparecer. Conhecia-a melhor do que ela poderia imaginar e acompanhava suas reações com interesse puramente experimental. Percebera seu caráter frio, orgulhoso, sua vaidade que não queria admitir seu desinteresse.

A princípio, quando a tornara a ver, depois de tantos anos, sentira-se um pouco impressionado pela sua beleza física e o demonstrara, mas os dias que convivera com ela o haviam desiludido. Profundo observador, seguira-lhe os movimentos, embora aparentando entreter-se com outras coisas e pudera notar a maneira pela qual tratava suas escravas, as pessoas de suas relações e mesmo o velho pai. Assim, o pouco entusiasmo que ela havia despertado em seu coração desaparecera. Ela, coquete, mulher consciente de sua beleza, sentira-se a princípio vagamente inquieta, depois, deprimida e depois ainda, interessada vivamente em reconquistá-lo.

Não haviam conversado francamente a esse respeito, porém havia qualquer coisa no ar sempre que conversavam. Ela, procurando envolvê-lo com sua sedução, recordando-lhe o passado interesse, ele, divertido e indiferente, encarando a situação como um capricho da moça.

— Otias, acho que melhor farias regressando ao salão. Devem esperar-te para as comemorações. És a deusa que hoje irradia suas graças aos pobres mortais! A festa é tua! Os muitos trovadores galantes devem estar à tua espera, tecendo madrigais. Não seria bonito que te chamassem selvagem, como o disseram de mim ainda há pouco!

A moça viu o brilho malicioso do olhar de Jasar e não se conteve:

— Queres que eu vá embora, porque te importuno. Irei. Com certeza lá encontrarei teu irmão, que talvez não seja tão mal-educado como tu e sinta prazer em minha companhia.

Com as faces em fogo, Otias levantou-se e voltando-lhe as costas, retirou-se nervosa.

Jasar suspirou. Afinal fora rude para com ela, mas seria melhor que não tivesse ilusões a seu respeito. Nunca seria capaz de amá-la. Levantou-se um pouco entediado. Não gostava do barulho e da agitação das festas. Procuraria um lugar onde pudesse meditar à vontade.

Começou a caminhar a esmo, perdido em meditações profundas. Necessitava de luz, de conhecimentos. Não descansava com o incontável número de perguntas que formulava a si mesmo a cada instante. Precisava trabalhar, estudar, observar.

Estava tão embebido que não notou que se distanciava muito dos salões. Enveredou pelo parque, situado atrás dos grandes celeiros e da enorme estrebaria. Caminhou mais um pouco, até chegar a um adorável recanto, onde a natureza tecera um aprazível espetáculo. Sentou-se em um pedaço de pedra, colocado ao pé de uma árvore, com certeza por alguém que deveria gostar daquele lugar.

— Creio que alguém tem vindo aqui constantemente — pensou ele — e esse alguém tem muito bom gosto, o lugar é realmente agradável.

Seus pensamentos divagavam no mundo exuberante do seu conhecimento.

De repente, passos apressados fizeram-se ouvir, quebrando o fio de suas meditações. Alguém arfando, soluçante, deixou-se escorregar mansamente ao lado do moço, sem ainda o ter visto. Era um vulto de mulher e evidentemente escondia-se de alguém que a perseguia. Ao vê-lo, engoliu a custo um grito assustado. Transida de pavor, impôs-lhe silêncio com um gesto.

Ouviram-se passos e uma voz praguejando na sombra:

— Tu não me escapas, pequena! Hei de alcançar-te de qualquer forma! Quem está aí? — berrou — saia. Não adianta, porque já te encontrei.

— Que queres tu, Solias, e a quem procuras? —

perguntou tranqüilamente Jasar, levantando-se, saindo por detrás da grande árvore, medindo a figura do subalterno de seu irmão. Tratava-se de um soldado de Pecos que, sendo de sua escolta pessoal, morava na casa.

— Perdoai-me, senhor! Perseguia uma escrava ladra. Furtou-me três ânforas de óleo preciosamente aromatizado. Apanhei-a no momento exato em que cometia o roubo, mas escapou-me.

— Está certo, Solias, vai em paz; aqui não passou ninguém! Com certeza, foi pelo outro caminho que conduz à estrada.

— Desculpai-me, senhor. Vou procurá-la novamente. Talvez eu não tenha visto bem, mas o vinho, a festa, puseram-me entontecido.

Assim, um tanto inseguro, Solias retirou-se.

Quando o rumor de seus passos perdeu-se nas sombras da noite, Jasar retornou ao seu lugar, procurando com os olhos o vulto da moça. Ela encolhera-se a um canto e conservava-se calada. Apenas uns estremecimentos nervosos a percorriam de quando em quando, demonstrando seu estado de espírito.

Jasar, levemente tocado por um sentimento de piedade, sentou-se a seu lado indagando:

— Conta-me a verdade, pequena.

Ela olhou-o. Seus grandes olhos verdes exprimiam gratidão profunda. Quando falou, sua doce voz sussurrava apenas:

— Senhor, grande é vossa bondade. Nunca esquecerei a delicadeza que tivestes para comigo. Sou escrava, senhor! Cumpro o meu destino traçado por uma vontade que nos é superior, mas jamais manchei minha alma com um furto. Nem sequer meu pensamento jamais cometeu tal crime!

— Pobre pequena! Tens febre!

Tomando-lhe o pulso delicadamente, sentiu-lhe o latejar das veias.

— Tuas mãos estão geladas. Precisas repousar, renovar o ânimo. O que aconteceu? Conta-me, como te chamas?

— Chamo-me Solimar, senhor. Faz três meses que fui capturada e trazida da Tebaida e como sabeis, sirvo como escrava. Mas, se soube habituar-me à vontade do Senhor que dirige nossos destinos, não posso tolerar sem revolta atentados contra a pureza de minha alma, como acaba de acontecer!

À medida que sua voz trêmula discorria sobre suas tristezas, Jasar enternecia-se ao conhecer o drama daquela criaturinha. Ele não podia admitir a escravidão de forma alguma. Reprovava intimamente a conduta do irmão, admirava ao mesmo tempo o estoicismo da moça.

— Há muito, vinha notando os olhares de Solias sempre que de mim se aproximava. Por isso, preveni-me contra ele, chegando mesmo a evitá-lo. Esta noite, porém, ele bebeu muito vinho e descobrindo-me em um recanto obscuro donde observava a festa, quis abraçar-me à força tapando-me a boca com uma das mãos. Nem sei como consegui desvencilhar-me dele e corri desesperadamente para aqui, pois sempre tenho me refugiado neste recanto para meditar e repousar um pouco de minhas obrigações. Tenho receio! Solias é mau. Será capaz de tudo para obter o que deseja.

— Nada receie, Solimar! Falarei com meu irmão e pedirei a transferência de Solias para outro setor. Por ora, receio pelo teu estado de saúde. Talvez possa fazer algo por ti. Um dia, quando viajava para as grandes muralhas de Amedas, às margens do grande mar, senti-me muito mal. O sol fora muito forte e minha cabeça estalava de dor. Sentei-me à beira do caminho, apertando a cabeça entre as mãos. Então, ouvi uma voz a meu lado, dizendo:

— O sol do deserto fez-te mal. Não devias ter abusado da tua resistência. Mas és jovem e teu sofrimento me oprime, vou curar-te!

Olhei o velho que assim me falava tão estranhamente. Ele então ensinou-me um método seguro com o qual me curou. Agora vou experimentá-lo contigo. Já o tenho feito muitas vezes quando em visita aos doentes, sempre com bons resultados.

Olha para mim, bem nos olhos. Não penses em nada, em nada... Não tens pensamento, não existes... Apenas és uma centelha de energia em contato com as vibrações da vida... Teu espírito pede paz, repouso, sossego...

Jasar falava pausadamente, enquanto os olhos, fixos nas verdes pupilas de Solimar, ordenavam com firmeza. A cabeça da moça pendeu para o lado. Jasar amparou-a com o braço, repousando-lhe a cabeça sobre seu ombro. Comoveu-se diante daquele lindo rosto banhado pela luz envolvente do luar.

— Quase uma criança — pensou. Depois, colocando a mão direita sobre sua fronte, disse:

— Dorme, Solimar. Quando acordares, tudo terá passado. Foi um mau sonho que esquecerás. Defender-te-ei de agora em diante, nada temas.

Os lábios dela entreabriram-se em um doce sorriso. Dormia. Ele continuava a sustê-la delicadamente.

Dali a alguns instantes, Solimar despertou. Um tanto surpresa, mas sentindo-se bem. Ruborizou-se em seguida, com a proximidade do moço, que retirou seu braço prontamente.

— Estás melhor? — indagou.

— Sim. Oh! senhor, jamais poderei pagar-vos tanta bondade!

Depois, de um impulso tomou-lhe uma das mãos, levando-a aos lábios com reconhecimento e antes que Jasar voltasse a si da surpresa, fugiu a correr.

Ele permaneceu ainda preso ao solo, olhando as costas da mão que recebera tão eloqüente agradecimento. Emocionado, compreendendo a delicadeza profunda daquele gesto nobre de mulher, sentia na mão a umidade de uma lágrima que a noite encobria.

Permaneceu por mais algum tempo preso ao fio de seus pensamentos inesperados. Depois, retornou à sala onde deveriam ter-lhe já notado a prolongada ausência.

— Hórus vos proteja, caro Jasar!

— És tu, Primatur, que desejas?

— Está aí uma dama que vos deseja falar, — anunciou-lhe o escravo, respeitosamente.

— A estas horas? Não lhe disseste que temos convivas?

— Sim, nobre senhor, mas ela insistiu dizendo que tem urgência em ver-vos — retornou ele.

— Que aspecto tem ela? Por que não me procura amanhã como seria mais conveniente?

— É uma mulher de meia-idade, senhor, vestida decentemente. Não lhe vi o rosto porque o cobre espesso véu. Apenas consegui vislumbrar parte de seus cabelos já grisalhos.

— Está bem, Primatur. Onde está ela?

— Conduzir-vos-ei, senhor.

Jasar, extremamente intrigado, seguiu o escravo. Ele mal regressara e não possuía relações que justificassem tal visita. Seus conhecidos estavam, em sua maioria, na festa. O escravo conduziu-o a um agrupamento de pequenos arbustos que marginavam a estrada.

Esperava-os um vulto de mulher.

— Podes ir, Primatur — ordenou Jasar, e dirigindo-se à mulher:

— Que desejas para que me procures dentro do avançado da noite?

— Senhor, minha vida corre perigo, mas nada temo. Apenas sei que se trama uma conspiração contra a pessoa do grande Pecos — balbuciou ela, trêmula.

— Mas o que dizes é grave! Por que não o procuraste diretamente?

— Senhor, o nobre Pecos é muito tolerante, mas... confio mais na vossa compreensão! Com certeza mandaria prender-me e tudo estaria perdido, para todos.

— Explica-te, mulher, com clareza.

— Senhor, Rabonat... fugiu! Até agora os guardas não conseguiram encontrá-lo!

— Quem é Rabonat?

— É um dos escravos do grande Faraó. Odiava de morte o nobre Pecos, porque ele o capturara. Chegou mesmo a atentar contra sua vida uma vez, logo que aqui chegaram. O Faraó condenara-o à morte na ocasião, porém, o grão-chefe Potiar pediu clemência para ele, visto ser um belo homem que poderia prestar muitos serviços no futuro. Foi condenado a trabalhar nas construções dos monumentos e do templo que o grande Rá se empenha em construir. Depois de servir lá dois anos de uma forma pacífica, conseguiu ser removido para cá. Meu filho, que guarda o pátio onde trabalham os escravos, ouvira-o contar a um companheiro que pretendia vingar-se do nobre Pecos. Meu filho julgou ser um desabafo do odioso escravo, mas mesmo assim preveniu vosso irmão, que sorriu da ameaça. Hoje Rabonat fugiu inesperadamente. Meu filho, que se encontrava de guarda, nada viu. Temeroso, e como estava de serviço, pediu-me que vos prevenisse porque suspeitamos ter Rabonat vindo para cá.

— Está bem, mulher. Podes ir sossegada, prevenirei meu irmão.

A mulher afastou-se rapidamente e Jasar, inquieto, pôs-se a pensar nas coisas estranhas que lhe aconteceram naquela noite.

Voltou sobre seus passos para conversar com o irmão, prevenindo-o. Atravessava o jardim, rumo ao salão, quando um grito estridente de mulher rasgou a serenidade da noite.

— É Otias — reconheceu Jasar. — Vem daquele canto!

Correndo, acercou-se do local de onde partira o grito. Ao vislumbrar o quadro que se oferecia, exclamou emocionado:

— Cheguei muito tarde!

CAPÍTULO VI

A vingança

Pecos estava particularmente alegre naquela noite. A festa estava realmente maravilhosa! Havia no ar influxos estranhos, embriagantes, que o predispunham às aventuras, ao romantismo.

Tudo corria a contento. Cortiah, Solimar e Nalim tinham sido as organizadoras da brilhante recepção, e ele não podia deixar de reconhecer todo o bom gosto das três mulheres, que há muito se haviam recolhido. Como era costume na época, as escravas ocultavam-se aos convivas, e somente os escravos serviam.

Pecos, orgulhosamente, apresentava a prima aos amigos, envaidecido pela sua elegância, formosura, pela sua maneira altiva e ao mesmo tempo gentil de receber os convivas, revelando-se uma grande dama.

À certa altura, procurou a prima com o olhar e não a encontrando, saiu à sua procura. Precisava falar-lhe, como era de seu intento, sobre as possibilidades de um futuro próximo entre eles.

Não conseguindo encontrá-la, impaciente, chamou Jertsaida que o informou ter visto Otias dirigir-se aos seus aposentos. Resolvido a procurá-la, alegre e entusiasta, ajudado em parte pelo vinho, dirigiu-se aos aposentos da prima. Ao invés de ir pelo interior da casa, como sentia muito calor, circundou o pátio externo que dava para os aposentos que buscava.

Quando se aproximava da porta, teve a atenção desviada para o pátio vizinho, separado por uma sebe florida e onde ficava a habitação das escravas. Este, àquela hora da noite estava deserto, porém, uma figura de mulher deslizava por ele, executando um bailado esquisito e sensual, utilizando-se da música que vinha do interior dos salões.

Extático, amigo das artes e da beleza, observou alguns instantes as ondulações daquele corpo perfeito; depois, quase sem perceber, caminhou para lá, esquecendo de tudo, fascinado por aquele quadro estranho.

Sob a luz bruxuleante de uma tocha, permanentemente colocada em uma pira no centro do pátio, ela rodopiava, com os pés nus e a túnica rutilante luzindo, cintilando aos reflexos da lua.

Ele permaneceu observando, reconhecendo nela sua escrava Nalim. A moça, amante das festas e de luxo, vestira sua velha túnica luzidia e sonhava com a grandeza de sua gente e de seu passado. Ao ver-se observada, reconheceu-o e dirigiu-se a ele, continuando a dançar ao seu redor.

Ele olhava-a surpreendido e fascinado, sem poder desviar seus olhos dos dela, que expeliam chispas.

Nalim, rodopiando em círculos, estava cada vez mais perto!

Pecos sentia seu hálito quente roçando-lhe as faces. Ela não parecia real, com os lábios entreabertos em um sorriso vago. As mãos curvas tecendo arabescos no ar, envolviam-no numa rede de tentações perigosas!

Quando ela apertou o círculo, ele sem poder conter-se, agarrou-a com força, beijando-lhe a boca rubra e perfumada. Ela retribuiu-lhe o beijo, porém, quando ele ia fazê-lo de novo, inesperadamente fugiu-lhe, esgueirando-se por entre as inúmeras portas da habitação.

Pecos ficou um instante interdito. Sentia nos lábios o sabor daquele beijo, no corpo, a proximidade daquela mulher fascinante! Sentia ímpetos de procurá-la para repetir aquela sensação inebriante.

Mas, de repente, caiu em si. Ele fraquejara a ponto de deixar-se fascinar por uma escrava! Suspirou fundo. Talvez fosse o vinho, pensou, tentando desculpar-se perante a própria consciência, mas logo recordou-se de tudo e da fascinação daquela mulher. Reconheceu que ninguém poderia ter-lhe resistido e ele muito menos, ainda que não estivesse sob o efeito do vinho.

A fuga de Nalim o exasperava e, ao mesmo tempo, o convencia de que havia sido muito melhor assim. Caminhou novamente para o salão, já sem vontade de conversar com a prima.

Momentos depois, Otias foi quem o procurou com um sorriso, pedindo que lhe fizesse um pouco de companhia. Ele aquiesceu e juntos caminharam pelos jardins. Pecos já não sentia vontade de fazer projetos com a prima e estava imerso em profundos pensamentos.

Ela, porém, não desejava vê-lo calado. Resolvera conquistá-lo a fim de enciumar Jasar. Pensava provar-lhe que era atraente e poderia conquistar mesmo o inconquistável Pecos. Fora essa fama do primo que a induzira a criar tal plano. Quanto mais experiente e indiferente ele fosse com as mulheres, mais valorizaria sua conquista. Jasar haveria de suplicar-lhe seu amor de joelhos. Otias analisava Jasar de acordo com sua própria forma de sentir.

Assim, errou completamente formulando tal plano, porque Jasar, mesmo que viesse a sentir algum interesse por ela, nunca a disputaria com seu irmão. Ele sabia que o amor deve ser espontâneo e nunca fruto de um exclusivismo egoísta. A disputa sempre envolve uma demonstração de egoísmo, seja ela sob que motivo for, e Jasar tinha uma forma mais clara e elevada de analisar as coisas do que a prima.

— Desejo agradecer-te, Pecos, tudo quanto tens feito por nós. Acolheste-nos em tua casa e ainda nos honras com uma festa tão maravilhosa! Somente um homem como tu poderia conhecer e adivinhar os desejos do meu coração de mulher. És um primo perfeito.

Ela sorria e havia um mundo de promessas em seu olhar! Caminhavam ao longo das aléias floridas balsamizadas pelo aroma das flores abundantes.

Ele sorriu envaidecido pela lisonja da prima e respondeu:

— Tudo me é fácil desde que seja para ti e para agradar-te. Sabes, preciso falar-te sobre um assunto muito sério. Vem. Senta-te aqui ao meu lado.

Conduziu-a para um dos bancos rústicos que marginavam a sebe florida. Ela seguiu-o, cedendo ao fascínio que Pecos irradiava na voz e no olhar.

Sentaram-se ambos. Tomando-lhe uma das pequeninas mãos entre as suas, disse-lhe ternamente:

— Lembras-te de quando éramos crianças e tu moravas na velha casa onde nasceste? Nós nos reuníamos aqui para nossos folguedos.

— Sim — disse ela.

— Pois bem, naquele tempo já eras uma linda menina e lembro-me bem que brincávamos de lanceiros, sendo que tu...

De repente, um vulto saltou sobre a sebe que os ladeava. Pecos sentiu que algo frio lhe trespassava o peito e logo uma golfada quente manchava-lhe a túnica.

Otias, apavorada, gritava por socorro, amparando Pecos que perdia as forças. O agressor misterioso, tão rápido como viera, desaparecera.

Pecos, atordoado, com uma dor fina a pungir-lhe o peito, os olhos enevoando, disse fracamente:

— Desta vez, acertaram-me! Creio que vou morrer...

Seu corpo arquejou e pendeu sem sentidos no instante exato em que Jasar, atraído pelos gritos de Otias, chegava ao local. O moço, auxiliado pela prima que embora branca e trêmula mantivera-se firme, colocou Pecos ao comprido sobre o banco, tomando-lhe o pulso.

— Bate, mas precisamos salvá-lo. Ajudem-me a transportá-lo — pediu ele aos escravos que já agora os cercavam.

E dirigindo-se a alguns convivas que também assistiam à cena estarrecidos, disse:

— Meu irmão foi vítima de um atentado, mas espero que não seja grave o ferimento. Rogo-vos nos desculpeis e podeis continuar a festa. Vou cuidar dele prestando-lhe os socorros urgentes que se fazem necessários. Peço-vos, não alarmeis nossos amigos, que nada sabem, pelo menos por enquanto, depois, se for preciso e se houver gravidade, irei prevenir-vos. Jertsaida, chama a Martus, que preciso falar-lhe.

Conduziram Pecos aos seus aposentos, e Otias retirou-se a fim de refazer-se e mudar a túnica alva, agora salpicada de sangue.

Jasar, depois de deitar o irmão cuidadosamente no leito, abriu-lhe a túnica, desatando as faixas que a prendiam. Depois, ordenou a um escravo que fosse buscar água fervente e panos de medicina. (Os egípcios conheciam a microbiologia e possuíam umas folhas especiais cuja fibra era esterilizada e tecido com ela um pano próprio para pensar ferimentos.) Ele mesmo, dirigindo-se ao grande jarro de água que havia no aposento, lavou cuidadosamente as mãos, enxugando-as em toalha de puro linho enrolada ao redor do lavador. Depois, cuidadosamente lavou a ferida para conhecer-lhe a profundidade. Pedindo a Jertsaida, — que já voltara dizendo que Martus aguardava na antecâmara, — que tomasse conta do ferido, foi rapidamente ao seu quarto de onde trouxe uma caixa de madeira.

Abriu-a e tirou um frasco escuro que derramou sobre a ferida. Dali a poucos instantes, cessou a hemorragia. Jasar sorriu satisfeito. Tomou novamente o pulso do irmão. Estava muito fraco, perdera muito sangue. Continuando a examinar o ferimento e a cosê-lo com um fio especial, feito de tripa de ovelha, pediu a Jertsaida que fizesse entrar Martus.

— Martus, preciso dos teus serviços — foi dizendo Jasar.

— Já diligenciei meus homens. A estas horas procuram o covarde agressor.

— Deve tratar-se de Rabonat, que fugiu e certamente pretendeu vingar-se.

— Tudo farei para apanhá-lo e desta vez posso afirmar-te que nosso grande Faraó não será condescendente. É grave o ferimento?

— Sim, Martus. A ferida foi muito profunda. Atravessou todo o corpo. Felizmente, porém, socorri a tempo e creio que se ele resistir aos próximos dois dias, estará salvo. Utilizei-me de um novo processo. Aprendi-o com os homens de saber no vale de Darda-Seir. Confio em Amon, que tudo sairá bem.

— Permita-me agora sair, pois que vou continuar buscando o fugitivo.

Uma vez só, Jasar velou o enfermo o resto da noite, que prometera alegrias e terminara em sangue.

Os convivas, cientes do sucedido, despediram-se, deixando a Osiat votos de melhora para Pecos.

Depois de ver o sobrinho e sossegar a filha, fazendo-a beber o calmante que Jasar lhe dera, Osiat, vendo recusado pelo sobrinho seu oferecimento para velar o enfermo, retirou-se pesaroso para seus aposentos, embora não conseguisse conciliar o sono.

Jasar velava o enfermo. Este estava ainda envolto em uma modorra própria de sua extrema fraqueza e da grave natureza do ferimento.

— "Felizmente o punhal não tocou nas principais artérias e nem no coração" — pensou Jasar.

Quando amanheceu, uma manhã radiosa e linda, Jasar pediu a Jertsaida que chamasse Cortiah.

Assim que a velha escrava chegou, disse-lhe:

— Necessito de teus serviços junto ao teu amo. Preciso de escravas para velarem por ele e ministrarem-lhe as poções de remédio. Como certamente tens muitas obrigações, gostaria que me mandasses uma por agora que preencha as qualidades necessárias e que seja de confiança.

— Senhor, para bem servir-vos, se me permitir, tenho a escrava de que necessitais. Mandá-la-ei quando determinardes.

— Está bem. Diga-lhe então que venha ter comigo aqui imediatamente.

Cortiah retirou-se e minutos depois, batiam timidamente as palmas convencionais à porta.

— Entre — ordenou Jasar.

Uma jovem escrava apareceu à sua soleira. Ele surpreendeu-se:

— Tu és a pequena Solimar!

Corando ligeiramente, ela disse:

— Sim, senhor. Cortiah mandou-me para cuidar do enfermo.

— Muito bem. Agrada-me que ele fique em tuas mãos. Confio em ti. Sabes alguma coisa sobre a tua missão?

— Creio que sim. Meu pai cuidava também dos enfermos e muitas vezes o assisti nos trabalhos.

Jasar surpreendeu-se. Ela falara simplesmente e com voz firme.

— Muito bem. Senta-te ao lado da cama. Ele dorme sob o efeito do sedativo que lhe ministrei para poder curar a ferida. Ficarei descansando um pouco ali ao lado, na cama de Corafat. Se ele acordar, chama-me. Fica atenta à ferida, se sangrar, avisa-me imediatamente.

— Sim, senhor.

Solimar postou-se ao lado da cama, sentando-se em um pequeno coxim, comumente utilizado pelo nobre Pecos para pousar os pés, quando se sentava ao leito para levantar-se.

Jasar recostou-se para repousar. De onde estava, vislumbrava perfeitamente o perfil puro da moça, emoldurado pelos primeiros raios de sol que penetravam pela grande janela ao lado do leito.

Ela era realmente bela. Seus traços irradiavam uma nobreza de alma excepcional.

Apesar de estar compenetrada na execução da sua tarefa, sentia pesar sobre si o olhar franco do moço. Por alguns instantes sentiu-se um tanto enleada, depois, ele pareceu repousar e ela pôde enfim observar o ferido mais à vontade. Pecos estava muito pálido; dois círculos arroxeados sulcavam seus olhos, dando-lhe uma expressão cadavérica. Seus lábios cerrados, também algo arroxeados, deixavam transparecer a gravidade do seu estado. Um suor pegajoso banhava-lhe o corpo e Solimar, penalizada, enxugava-lhe a fronte suavemente com uma toalha de linho.

Seu estado era mesmo grave. Somente a esperança de uma reação potente da força vigorosa de sua mocidade restava.

A certa altura, porém, seus lábios moveram-se ligeiramente e suas mãos apalparam o local do ferimento. Seus olhos se abriram e vislumbraram o meigo rosto de Solimar, ainda meio toldado pela fraqueza de sua visão.

— Procurai não vos esforçar, senhor. Assim é preciso para o vosso pronto restabelecimento — disse-lhe docemente a bela escrava.

Pecos abriu novamente os olhos e por um instante pareceu meio aturdido. Depois, soltou um débil gemido ao tentar mover-se no leito.

— Senhor! — tornou Solimar — é grave vosso estado. Deveis ajudar-nos se desejais realmente ficar curado.

Desta vez ela falara firmemente, em tom quase maternal. Jasar os observava furtivamente, sem querer intervir, para melhor observar as reações da moça. Admirou-lhe a serena firmeza com que soubera impor-se ao doente, ao mesmo tempo acalmando-o. Por fim levantou-se, dirigiu-se ao enfermo, examinando-o cuidadosamente. Pecos ensaiou um sorriso para o irmão a fim de demonstrar sua solidariedade, com intenção de lhe parecer melhor, mas seu olhar era vago. Por fim balbuciou:

— Diga-me, como foi?

Jasar sorriu a fim de tranqüilizá-lo e respondeu:

— Parece-me que um dos bichinhos que costumas caçar, resolveu vingar-se. Rabonat, penso eu. Teu estado foi muito grave. Agora tudo já passou. Procura repousar, que logo ficarás bom. Quanto ao autor do atentado, está sendo perseguido pelos teus homens e talvez já o tenham agarrado. Descansa e procura dormir, quando despertares, teu estado será melhor.

Pecos baixou os olhos em sinal de assentimento e logo recaiu em profundo sono.

— Solimar, vou agora sair um pouco. Creio que ele vai dormir por muito tempo, mas, caso necessites de mim, estarei em meus aposentos, chama-me.

Jasar voltou-se e já ia perto da porta quando a suave voz da moça o deteve:

— Senhor, é grave o estado de vosso irmão?

— Ainda está muito fraco, não sei se resistirá — respondeu o moço suspirando tristemente. — Peçamos a Amon que nos auxilie neste transe doloroso.

Como Solimar nada dissesse, Jasar retirou-se suavemente, deixando a moça com o coração em prece por aquele que a escravizara.

Pecos, imerso num letargo, permaneceu imóvel no leito por algumas horas. Solimar velava incessantemente. Em dado momento, Otias, penetrando no aposento, manifestou o desejo de tomar conta do enfermo, mas Solimar docemente convenceu-a, aliás com certa facilidade, de que o cheiro dos medicamentos e o estado do enfermo, que era grave, a molestariam acabando por fazê-la adoecer. Osiat permanecera por algum tempo no quarto com a filha, depois retiraram-se indo procurar Jasar para falarem sobre o estado de Pecos.

Otias comentava com o pai que deveriam buscar um sacerdote para tratar do enfermo, pois que não julgava os conhecimentos do primo à altura de exercer tal função.

— Como poderá ele conhecer as ciências dos sacerdotes? De que meios lançará mãos para salvar Pecos?

— Filha, Jasar muito aprendeu em suas excursões pelos templos de Mênfis e Tebara. Confio nele. Esteve lá por muitos anos. Depois, é muito nobre de coração, se duvidasse de sua medicina, teria chamado o médico do templo pois que muito preza a vida de seu irmão.

Osiat era franco. Acreditava sinceramente em Jasar, sua consciência estava tranqüila. Assim não era porém Otias, que de alguma forma desejava desvalorizar a sabedoria do rapaz. Chegava mesmo no íntimo a desejar que Pecos não sobrevivesse para melhor poder responsabilizá-lo.

Os dois, caminhando, chegaram aos aposentos de Jasar e bateram suavemente. O próprio rapaz veio atendê-los. Repousara um pouco, mas seu sono preocupado fora leve, sempre atento ao ruído exterior. Suspirou aliviado ao vê-los, murmurando:

— Ah! Sois vós!

— Queremos falar-te, se não importunamos, caro Jasar... — começou por dizer Osiat.

— Pois não. Queiram entrar.

Jasar afastou-se, elegante, abrindo o grande reposteiro com uma das mãos, tendo a outra estendida designando a pequena saleta que servia de antecâmara.

Ambos entraram. Acomodaram-se confortavelmente, estendendo-se nos coxins macios que, dispostos em círculo, tornavam acolhedor e agradável o aposento. Uma pequena mesa ao centro, com frutas e alguns pães, demonstrava que o rapaz ainda não tomara a primeira refeição.

Otias, apesar da indiferente gentileza do moço, tomara uma atitude provocante, tendo às mãos um cacho de uvas rosadas que seus dentes alvos trincavam preguiçosamente.

O moço, porém, fingindo não notá-la, disse:

— Para o que me quer, caro tio?

— Apenas tomamos a iniciativa de incomodar-te para falarmos sobre teu irmão — o velho parecia enleado, não encontrando palavras para prosseguir. Por fim, perguntou: — qual é seu estado na realidade?

— Bem, tio, seu estado é gravíssimo! O punhal

perfurou-lhe o peito de um lado a outro. Felizmente consegui deter a hemorragia, fiz a sutura, agora só resta esperarmos que seu organismo reaja. A ferida, apesar de perigosa, não atingiu os pulmões nem o coração, o que teria causado já a sua morte. Resta-nos somente esperar.

— Mas... caro primo, terás tu conhecimentos que autorizem a julgar e examinar o caso, principalmente para curar teu irmão?

Otias falara intencional e pausadamente, havia malícia em sua voz. Continuou:

— Talvez por teres realizado algumas experiências e conhecido alguns sacerdotes, não estejas à altura de curar Pecos. Tens a certeza de não falhar?

— A vida de meu irmão é muito preciosa para que eu me permita malbaratá-la, somente para demonstrar meus pobres conhecimentos médicos, minha prima. Porém, se estás preocupada, podes chamar algum sacerdote do templo para examinar o enfermo, que só me dará prazer. Chego a admirar o teu interesse tão louvável pela vida de Pecos.

O rapaz falava serenamente e em sua voz não havia nenhum resquício de mágoa ou rancor. Ele percebera o mesquinho alcance das palavras da moça, sabia que ela pouco se interessava pela saúde do primo, mas que apenas desejava oferecer uma satisfação para sua vaidade ferida. Compreendia e a perdoava. Ela, porém, irritada por não atingi-lo com sua mordacidade, retrucou mais incisiva:

— Creio que o farei! Deves convir que se ele morrer, sentirei remorsos em pensar que talvez a culpa tenha sido minha por confiá-lo somente aos teus cuidados.

— Faze o que quiseres, bela prima, que acatarei com prazer.

— Talvez não seja necessário, filha! — interveio o pai. — Creio que exageras. Não conheces o valor do nosso rapaz! Eu confio inteiramente em ti, Jasar. O que não conseguires, eles também não conseguirão.

Permaneceram mais alguns instantes em palestra, tio e sobrinho. Otias, em silêncio, procurava colocar-se em posição provocante, apesar de aparentemente conservar-se alheia aos dois homens.

Enquanto isto, nos aposentos de Pecos a situação ainda era a mesma. O silêncio reinava no aposento, somente entrecortado pela respiração irregular do enfermo.

Solimar velava; passava-lhe pela fronte a toalha, enxugando-lhe o suor.

De repente, alguns passos leves se fizeram ouvir. Solimar voltou-se. Era Nalim.

— Solimar, vim ver-te. Sabia-te a sós aqui com ele e vim trazer-te a refeição.

— És muito bondosa, Nalim. Agradeço-te o interesse.

Solimar não sentia fome, mas percebendo o zelo com que a amiga preparara a bandeja que lhe trouxera, calou-se. Não querendo decepcioná-la, escolheu uma magnífica maçã, trincando-a com gosto, para satisfazer a amiga.

— Como vai ele? — perguntou Nalim, designando Pecos com o queixo.

— Seu estado é grave. Precisa de muitos cuidados.

— Ainda bem que não me escolheram para ser sua enfermeira, porque senão talvez eu me sentisse tentada a terminar a obra que aquele pobre diabo não conseguiu.

— Como podes falar assim? Acreditas que tal gesto melhoraria tua situação? Se agora teu corpo é escravo da força dos poderosos, sofrerias mais depois, porque serias escrava de tua própria consciência. Teu espírito, apesar da tua situação atual, é livre, pode, quando repousas à noite, divagar com pensamentos bons, com lembranças de um venturoso passado, onde as nódoas não são grandes, porém, se cometesses um tal crime, traindo a confiança dos que agora são teus senhores, à noite quando estivesses só, teu espírito libertando-se do ambiente onde teu corpo vive escravo, cairia em uma torturante escravidão, em constante pesadelo revivendo sempre a cena do crime. Creia, Nalim, prefiro mil vezes que me escravizem, que me mortifiquem, até que me espanquem, a ser eu que o faça a outrem. Porque, se eles me ensinam a ser tolerante e humilde, eu, se os atingisse, me tornaria igual a eles.

Como sempre acontecia quando Solimar falava, Nalim ouvia calada. Era enorme a influência que ela exercia sobre a amiga.

— Talvez tenhas razão, Solimar. Embora planeje vingar-me, não sei se teria coragem para cometer um crime.

— Perdoa, Nalim, e esquece! Teu perdão sincero o tornará duplamente culpado perante a própria consciência, e para que maior castigo?

— Eu não sei como, mas ainda me vingarei. Mas agora tenho que ir. Deixarei aqui a bandeja, para que não sintas fome.

Nalim retirou-se pensativa. Seu coração navegava entre sentimentos estranhos. Recordava-se de que poucas horas antes, aquele homem estava cheio de vida, exuberante de mocidade. Ela não sabia explicar o fascínio do que acontecera na noite anterior. Ela dançava, lembrando-se de sua vida passada, deixando-se levar pelo prazer da música. Quando ele aparecera, sentira um desejo louco de tentá-lo, de obrigá-lo a apaixonar-se. Sabia que era bela. Aproximara-se dele, envolvendo-o com a sua tentação de mocidade e beleza. Depois, sentira-se também atraída, esquecendo tudo o mais. Aqueles olhos faiscavam, ardentes. Sua atitude máscula, seu rosto moreno e forte, tudo tão perto... ela somente se recordava da sensação inebriante daquele beijo. Depois, consciente de sua fraqueza, fugira, sentindo que ele renovaria o beijo. Jamais sentira tal emoção. Estendera-se no leito, o peito arfando e as mãos geladas. Não poderia nunca esquecer aquele rosto vibrante, forte, apaixonado, bem próximo ao seu. Agora ele estava quase morto! Tão diferente da noite anterior... Nalim cerrou os punhos. Se ele se salvasse, ela saberia vingar-se. Não se deixaria dominar mais pela beleza da noite, nem pela fascinação do rapaz. Haveria de trazê-lo a seus pés para depois obrigá-lo a libertá-la, recusando-se a amá-lo, desprezando-o. Assim se vingaria!

Solimar continuava serenamente velando. Pouco depois de ter saído Nalim, Jasar penetrou no aposento.

Ficou por alguns instantes parado, contemplando a beleza do quadro. Por fim, acercando-se do leito, perguntou:

— Então, Solimar, como passou ele?

— Na mesma, senhor. Continua dormindo, mas seu estado não é bom.

— Por que pensas assim?

— Porque está muito debilitado e sua pulsação é muito fraca. Tem muita febre, seus pés estão gelados, seus lábios arroxeados. Creio que seria bom esquentarmos seus pés com sacos quentes de areia.

— Muito bem. Demonstras conhecimento em tuas funções. Alegro-me em ter-te ao lado de meu irmão. Por agora vou ministrar-lhe novos medicamentos e já ordenei os pequenos sacos de areia. Apenas queria saber tua opinião.

— Desculpai se fui precipitada... — volveu a moça um tanto acanhada, recordando-se de sua condição de escrava. Mas o sorriso franco do moço quando a encarou, deixou-a novamente à vontade. Sentia-se bem ao lado dele, mais confiante, alegre mesmo.

— Pelo que observo, não é a primeira vez que desempenhas tal função.

— Não, senhor. Minha mãe estava muito doente e eu precisava constantemente tratá-la.

Ao lembrar-se de sua mãe, a voz de Solimar tremeu e seus olhos se marejaram. Jasar compreendeu-lhe a mágoa e perguntou:

— Ela ficou só?

— Sim. Eu era seu único arrimo. Meu pai falecera há alguns anos quando me vi forçada a tratá-la sozinha. Talvez a estas horas ela já esteja morta.

— Não creio, Solimar. Se estivesse, teria vindo ver-te para despedir-se. Estimava-a muito, não é?

— Ela sempre foi uma boa mãe. Nós nos estimávamos reciprocamente. Credes que ela me avisaria? Não iria sem ver-me?

Solimar indagava trêmula e emocionada, ao que Jasar respondeu:

— Creio! Depois, o grande Deus não deixa ninguém só na viagem pela Terra. Se foste chamada a outra missão, ela não ficou desamparada, creia. Se morreu, virá ver-te, tenho certeza, porque onde estiverem seu pensamento e seu coração, aí se projetará após a morte.

Solimar sorriu mais confortada, um sorriso ameno, sem amargura, sem revolta.

— Não estás cansada? Se quiseres, Cortiah te substituirá e eu ficarei aqui.

— Senhor! Permiti que eu também fique. Deixai-me aqui até que ele esteja fora de perigo, por favor! Apenas peço que me deixeis cuidá-lo. Sei que outras talvez não o fizessem como é necessário. Não vos incomodarei.

— Agradeço-te o nobre interesse, Solimar. Aprecio a tua dedicação. Podes ficar até quando quiseres e quando te cansares, te substituirei.

Naquele momento, Jertsaida entrou no aposento, reverenciando-se e disse:

— Senhor. Aí estão o nobre Martus e dois sacerdotes do templo a mando do grande Faraó. Desejam visitar o enfermo.

— Irei recebê-los.

Jasar retirou-se, voltando logo mais acompanhado de Martus e dois homens de cabeça raspada, vestidos de alvo linho. Eram os sacerdotes de Amon, que se dedicavam à medicina. Acercando-se do enfermo, começaram a examiná-lo cuidadosamente. Solimar discretamente se retirara para a antecâmara.

Quando os velhos sacerdotes saíram, nada necessitando acrescentar ao eficiente tratamento que Pecos recebera, Solimar retomou o posto.

Jasar e Martus, sentados na antecâmara, trocavam idéias sobre os últimos acontecimentos.

— No entanto, Jasar, a pista só pode ser aquela. Haveremos de encontrá-lo com toda certeza. Quando o pegarmos, certamente pagará com a vida tal afronta!

— Talvez fosse melhor deixá-lo ir. A vida se encarregará de justiçá-io melhor do que nós poderíamos fazer.

— Como? Então serias capaz de perdoar tal afronta? E a vida do meu nobre chefe e teu irmão, nada vale? Como podes pensar tal coisa? Ele iria rir-se de nós e o descrédito nos atingiria. É preciso que ele pague pelo seu crime!

— Ou pela ofensa à vossa vaidade, não é? Enfim, não creio que estejamos em condições de ministrar justiça, mas sim de aprendermos com as lições que recebemos. Rabonat foi covarde, ferindo meu irmão à traição, mas não devemos esquecer de que ele também foi assaltado pelas costas e capturado por meu irmão. Estão os dois errados, mas deixemos a justiça do grande Deus atuar, porque é mais perfeita do que a nossa.

— Não te compreendo, sinceramente. Se não te conhecesse bem, diria que não estimas teu nobre irmão. Ele aprisionou Rabonat para servir à glória do nosso país, e Rabonat esfaqueou seu senhor, o que é muito diferente.

— Bem, nós vemos por olhos diversos, caro Martus. Em todo caso, desejo-te boa sorte no empreendimento.

Algo contrafeito ainda, Martus retirou-se, deixando Jasar envolto em profundos pensamentos.

CAPÍTULO VII

A dedicação de Solimar

As horas daquele triste dia para os que estimavam o enfermo, escoaram-se monótonas e pesadas.

A escuridão desceu sobre Tebas, absorvendo pouco a pouco a claridade solar. Era uma noite esplêndida! O calor persistia, convidando as pessoas que procurassem a aragem fresca dos jardins perfumados e agradáveis. Porém, na casa de Pecos, a atmosfera de expectativa era quase dolorosa. O rapaz não obtivera melhora, seu estado era quase desesperador.

Jasar, preocupado, não abandonava mais o quarto do irmão, vigilante, medicando-o, temeroso de uma crise fatal.

Solimar velara todo o dia incansavelmente. Seu olhar ansioso percorria de quando em quando o rosto do enfermo e o de Jasar, com um aperto no amoroso coração.

A situação era sufocante. Jasar, a certa altura, levado pela incerteza do momento, preocupado com Pecos, sentou-se ao lado da moça, esquecido da diferença de suas posições naquela casa. Seu gesto foi espontâneo. Ela compreendeu, olhou-o e sorriu procurando infundir-lhe coragem.

— Não sei — disse Jasar de repente — tenho a impressão de que nós três aqui estamos repetindo a mesma cena, há muitos anos. Parece-me, neste instante, que já estivemos anteriormente em uma tal situação. É uma sensação estranha que não sei explicar!

— Talvez que em uma existência anterior nos tenhamos reunido, como agora.

Jasar não pôde disfarçar o prazer que lhe causaram as palavras da moça.

— Certo, Solimar. É possível que nos tenhamos encontrado anteriormente. Crês na pluralidade das existências?

— Senhor, meu pai foi iniciado nas ciências ocultas. Estudou muito tempo, posso mesmo dizer que toda sua vida. Costumava passar de quando em quando anos inteiros internado em mosteiros nas grandes montanhas. Quando ele se encontrava em casa trabalhando, tinha eu acesso livre ao seu laboratório e o auxiliava em certas experiências. Sempre fui muito curiosa e ele me esclarecia da melhor boa vontade. Assim, pude compreender a maravilha das leis que obedecemos, nascendo, morrendo, tornando a nascer e a morrer, sempre em busca da perfeição espiritual, sempre em busca de Deus.

Jasar estava agradavelmente surpreendido. Ele não esperava encontrar na escrava a única pessoa que poderia compreendê-lo naquela casa, onde todos pensavam superficialmente, sem alcançarem as profundezas dos seus sentimentos mais sutis.

— Não sabes, pequena, o prazer que sinto em conhecer-te. Nós possuímos o mesmo ideal comum, a mesma crença.

Suspirou profundamente e começou a contar:

— Certa vez, eu caminhava pelas longas e poeirentas estradas que levam a Tebara, marginando o Nilo, quando a noite surpreendeu-me só e cansado. Havia saído de casa rumo ao desconhecido, ávido de saber, guiado mesmo por uma força interior. Embora habituado às pequenas excursões que realizava freqüentemente, não havia ainda empreendido uma tão longa viagem. Exausto, divisei uma gruta, muito pequena, circundada por pequeno bosque, à beira do caminho. Uma vez lá, preparava-me para repousar em seu duro solo quando percebi que não estava só. Um homem ali repousava. Ao ver-me, levantou-se, vindo ao meu encontro. Era idoso mas forte ainda. Seu aspecto, embora coberto de poeira e vestido pobremente, denotava espiritualidade e nobreza de sentimentos.

Murmurei vagamente umas desculpas por incomodá-lo e já ia retirar-me quando ele, tomando-me pelo braço, disse:

— Fica, filho. O teto que nos abriga é suficiente para dois. Repousa porque vens de longe e estás cansado. Mas teu cansaço não é só do corpo, mas sim do espírito que tateia nas sombras e procura a luz.

Deixei-me cair ao chão, admirado. Quando o vi sentado ao meu lado, perguntei:

— Como soubestes que vim de longe e estou cansado?

— Facilmente. Pode-se notar pela poeira que te cobre, pela maneira que caminhas!

— Mas... e a minha sede de conhecimentos, como a descobriste?

— Pela expressão do teu rosto. O corpo, meu filho, é o espelho onde se reflete o espírito. Assim como ele me contou pelo aspecto de tuas vestes tua procedência, teus olhos, teus gestos, tua expressão, refletem o que te vai no íntimo. Existem muitas maneiras de estudarmos um homem e sempre suas obras falarão do seu coração, mas ao observador mais atento, será fácil devassar-lhe o íntimo, pela aparência exterior. Se um homem é escravo da vaidade, fatalmente se trajará com apuro, se usurário, terá vestes cuidadas, porém surradas. Se pobre, além da roupa surrada, terá também a vergonha e assim por diante. Poderemos conhecer um homem à primeira vista. Um simples gesto, em conjunto com seu aspecto exterior, nos revela sua história e sua personalidade.

Conversamos ainda longo tempo. Eu me sentia deslumbrado com tanta compreensão das coisas e das pessoas. Permaneci ao seu lado durante dois anos, aprendendo sempre de seus exemplos naquela pequena gruta. Vivíamos felizes, alimentando-nos exclusivamente de frutos e pão que trocávamos duas vezes por semana com mercadores em trânsito pela estrada.

Jasar calou-se, descerrando as pálpebras que cerrara para melhor evocar o passado. Olhou para a moça e observando-lhe o interesse, continuou:

— Certo dia, Silas, assim se chamava ele, chamou-me e disse:

— Filho, quando aqui vieste naquela noite, há muitos sóis e luas eu te esperava. Sabia que seria procurado por ti e que ficarias comigo até este tempo. Meu guia familiar mo havia predito, antes de conhecer-te. Ordenou-me instruir-te sobre as verdades espirituais e te preparar para tua futura missão. Em passada existência, falhaste como sacerdote de Hórus e não cumpriste bem tua tarefa. Devo prevenir-te, porém, que apesar desta vez não te ser permitido seguir a missão sacerdotal, terás oportunidades melhores do que no passado, se souberes escolhê-las e segui-las. Deves partir rumo à Ásia, hoje mesmo. Lá, onde permanecerás percorrendo as aldeias durante seis anos, terás oportunidades enormes de aprendizado. Depois, será necessário que retornes ao lar. Assim que puderes, volta aqui para ver-me e o resto dir-te-ei quando vieres.

Parti como me ordenara e senti muito a despedida. Voltei-me muitas vezes para acenar-lhe, emocionado. Ainda agora parece-me vê-lo pálido, forte, mais no espírito do que no corpo, com os olhos marejados a dizer-me adeus. Tudo quanto ele me disse sobre os conhecimentos, realizou-se. É-me grato recordar o homem que iluminou meu entendimento com a luz do seu espírito lúcido e esclarecido.

— Nunca voltaste lá conforme lhe prometera? — indagou Solimar algo curiosa.

— Ainda não. Esperava fazê-lo brevemente. Agora naturalmente, serei forçado a esperar.

Ainda trocaram mais algumas palavras sobre o assunto. Uma amizade real e franca despontara entre eles. Suas almas estavam unidas pelos mesmos ideais de espiritualidade, embora estivessem muito longe um do outro pelas posições que ocupavam.

Solimar sentia-se feliz porque já não se encontrava só. Desde a morte do pai, vitimado por uma febre maligna, nunca mais encontrara quem a compreendesse. Sua mãe era muito boa, mas não entendia os seus princípios. Parecia-lhe haver encontrado o pai, na bondosa compreensão do moço Jasar. Assim as horas foram passando lentas, porém reinava no ambiente mais conforto, mais serenidade.

Oito dias se passaram sobre os acontecimentos descritos. Pecos, abatidíssimo, estava estendido no leito, imóvel. Dormia. Seu estado era agora melhor, mas ainda o perigo não fora totalmente afastado.

Ele havia saído do estado letárgico para cair na exaltação da febre. Durante aqueles oito dias, ardendo em febre violenta, delirara, evocando a cena do atentado, misturando-a com batalhas, voltando ao seu passado sem compreender ou raciocinar.

Solimar fora incansável. Velara dia e noite, demonstrando sua vontade e dedicação.

Jasar também permanecera ao lado do irmão, atendendo-o solicitamente. Essa convivência, auxiliada pela angústia de uma preciosa vida em perigo, estreitou ainda mais a amizade que os unia, removendo barreiras que em outras circunstâncias seriam intransponíveis. Jasar representava para ela o amigo, o confidente, o pai que perdera e talvez mesmo o sonho secreto de sua mocidade. Solimar para ele não era a escrava, mas um espírito culto e elevado que ele admirava e que o compreendia. Haviam conversado sobre muitos assuntos e cada vez mais ele a admirava.

Agora, Pecos dera sinal de melhora e Jasar aceitara a indicação de Cortiah, designando Nalim para auxiliar Solimar no tratamento do ferido.

A princípio, Solimar receara deixar sua amiga velar o doente, mas esta prometera-lhe desempenhar desveladamente sua missão, assegurando que não seria covarde a ponto de prevalecer-se da fraqueza de um homem quase morto e indefeso para concretizar sua vingança.

A tarde ia em meio. Jasar retirara-se para seus aposentos, Solimar repousava na antecâmara, enquanto Nalim velava.

A presença daquele homem exangue, estirado no leito adormecido, a deixava um tanto emocionada. Lutando contra a piedade e a emoção, ela pensava:

— Hei de vingar-me! Mas não será no corpo que hei de fazê-lo. Seria muito pouco. Devo arrebatar-lhe tudo quanto me roubou, devo feri-lo nos sentimentos, como ele me feriu.

Como que sentindo a influência dos pensamentos de Nalim, Pecos agitou-se no leito, despertando, parecendo um pouco melhor.

Olhos curiosos, fitou Nalim com certo prazer. Era-lhe agradável a presença da moça tão exuberante de mocidade, e sentia-se muito feliz, após tantos sofrimentos, em contemplar a escrava cuja beleza despertava-lhe o desejo de viver.

Murmurou algo, mas tão baixo que Nalim não ouviu. Com um gesto chamou-a para mais perto. Ela aproximou-se. Pecos, cansado pelo esforço, fechou os olhos por alguns segundos. Quando os abriu, o rosto de Nalim estava bem próximo ao seu. Mais uma vez ele sentiu-se feliz com essa proximidade. Pediu um pouco de água e ela, pressurosa, o serviu. Depois, fechou os olhos para repousar. Seus olhos de quando em quando abriam-se para observá-la melhor.

Jasar pôde enfim declará-lo salvo, com alegria. Otias passou a visitar o primo com freqüência. Pecos estava ainda muito fraco, mas não podia deixar de sentir prazer na companhia das três formosas mulheres. Chegava mesmo a desejar o prolongamento da enfermidade para não mudar o estado das coisas.

Nalim afastava-se sempre que Otias chegava. Antipatizavam-se reciprocamente. Somente Solimar não se deixava envolver pelas impressões do momento. Percebera o disfarçado interesse de Otias pelo primo Jasar, o calculado plano para conquistar Pecos e também a gentil indiferença de Jasar para com a prima e o despeito desta. Sentia que ela se deixava arrastar pelas paixões perigosas e torturantes, sem nenhum controle. Perguntava-se que recursos a vida usaria para quebrar seu temperamento orgulhoso e manipulador.

Pecos tinha para cada uma, em particular, um forma de tratamento. A Otias, tratava com gentileza, com galanteria, apesar de seus sentimentos para com ela não irem além da amizade familiar. Porém, baseado na crença íntima de que futuramente a desposaria, demonstrava um interesse fictício e mundano.

Solimar era para ele não mais uma escrava, pois naqueles dias esquecera-se desse pormenor, mas alguém à parte, um anjo bom em quem reconhecia uma grande superioridade moral pouco comum nas mulheres de seu tempo. Sua presença era-lhe reconfortante, benéfica. Por diversas vezes, quando a fitava, sentia um incômodo sentimento de insegurança e de tristeza ao recordar-se de seu procedimento para com ela, que ao invés de odiá-lo, desvelara-se em curá-lo. Era já uma leve ponta de remorso que lhe chegava ao coração, de quando em quando, e que ele se encarregava de disfarçar, procurando desviar o pensamento.

Quanto a Nalim, sempre que podia, procurava ferir sua vaidade de mulher. Seus olhos adquiriam um brilho irônico e divertido ao dirigir-lhe a palavra, e ela nunca conseguia desvendar-lhe os reais pensamentos. No entanto, era ela quem mais o perturbava. Nunca haviam conversado sobre o beijo trocado, mas ele estava constantemente no pensamento de ambos. Por diversas vezes, Pecos sentira o desejo ardente de beijá-la outra vez, mas ela nunca o notara apesar de ser muito perspicaz. E era isso que mais a irritava. Não podia compreender, orgulhosa como era de sua beleza, que ele não desejasse beijá-la novamente, que não desejasse renovar o encantamento daquela noite.

Os dias foram passando. Pecos estava em franca convalescença, recostado em almofadas e, mais refeito, podia manter uma conversação. Seu rosto embora abatido, emagrecido, conservava toda a atração que lhe era característica. Não dispensara as escravas apesar de não mais necessitar dos seus serviços, pois seu escravo de câmara seria suficiente. Costumava palestrar horas inteiras com Solimar, sentindo enorme prazer. A moça, de boa vontade, procurava manter a harmonia da palestra.

Certa tarde, quando o sol despedia-se daquela parte da terra, Pecos, conversando com Solimar, dizia:

— Martus esteve aqui hoje. Deu-me boas notícias. Jasar ainda não chegou?

— Não, senhor. Quando regressa, tem por hábito vir até aqui — respondeu Solimar.

— Mas hoje é um dia especial! Ouviste as notícias de Martus?

— Senhor, confesso que não. À hora de sua visita, quem aqui se encontrava era Nalim; eu auxiliava vossa ilustre prima em certos arranjos.

— Tens razão, não estavas aqui. Mas estou alegre! Conseguiram prender Tilat. Como sabes, ele escapou com Rabonat e certamente foi cúmplice no atentado do qual fui vítima. Agora o forçaremos a falar do esconderijo de Rabonat.

— Isto vos torna feliz?

Pecos ficou algo embaraçado. Olhou Solimar de frente. Havia algo em seu olhar parecido com piedade. Ele pigarreou e respondeu um tanto desanimado:

— Bem, creio que é uma compensação justa poder castigar meu agressor.

— Mas as agressões que sofremos são sempre reflexos de nossas próprias ações! Se não agredirmos, dificilmente seremos agredidos. Desculpai se exponho meu ponto de vista em um assunto que me não diz respeito. — A moça calou-se, embaraçada.

— Não importa, Solimar, agora ordeno que continues. Devido a minha posição, sempre vivi bajulado, cercado da maior hipocrisia e creio mesmo que isso me lisonjeava. Mas sinto necessidade de uma opinião franca. Fala, pois, sem constrangimento.

— Senhor, vossa ordem coloca-me em situação muito difícil. Quero, no entanto, esclarecer que não analisarei a situação como uma escrava que sou pelo vosso desejo, mas como mulher livre que consegui permanecer em espírito. Não vos falo sobre Tilat ou Rabonat, forçada pela solidariedade e compreensão naturais à nossa situação em comum, falo como mulher, repito, que por possuir um pensamento livre não concebe a escravidão. Conheci de meu pai a lição muito cedo, pois que em minha casa, apesar de abastada, não possuíamos escravos. Meu pai os comprava, era certo, mas assim que os trazia para casa, oferecia-lhes a liberdade ou um emprego onde pagávamos pelos seus serviços.

— Mas essa situação não é cabível! Creio que vos causou muitos prejuízos. Como ofertar a liberdade a escravos? É certo que não recusariam.

— No entanto, senhor, meu pai sentia-se mais feliz em dar a liberdade do que em escravizar. A felicidade daquelas criaturas era para nós a maior recompensa. O senhor não pode imaginar o prazer que um tal gesto proporciona!

O rosto de Solimar estava transfigurado. Havia algo nela que impressionava sobremaneira Pecos, impondo-lhe poderoso respeito.

— Lembro-me de um pobre homem, comprado por papai de uns mercadores. Fora escravo durante vinte anos e quando lhe oferecemos a liberdade, tez encanecida, porte ereto, procurava sorrir para nós com os lábios, mas de seus olhos saltavam lágrimas de uma grande felicidade! E, quando ele voltou à nossa casa, depois de certo tempo, foi com a filha e a esposa que o haviam julgado morto, mas permaneceram-lhe fiéis. Eles irradiavam tal felicidade que, enquanto estiveram conosco, também fomos felizes só em observá-los. Depois, senhor, apesar de tudo, nunca ficamos sem colaboradores nos serviços domésticos e nas plantações. Pelo contrário, todos nos haviam bem pago pela felicidade que gozamos em libertá-los. Os mercadores viviam em nossa casa, pois papai era bom comprador. Quase sempre escolhia os escravos mais velhos, mais fracos e mais doentes para comprar. Enfim, senhor, não é minha condição de hoje que justifica meu ponto de vista, pois que ele ontem já existia. Acha que devo prosseguir?

— Continua, ordeno-te!

— Bem. Sou contra a escravidão!

Pecos sobressaltou e perguntou:

— Por quê?

— Porque a escravidão existe no mundo, mas não é a que nós pensamos realizar. Poderemos escravizar o corpo pela força bruta, mas nunca o espírito. Existem escravos que são mais livres do que seus senhores.

— Isto parece um contra-senso, Solimar.

— Mas não é. Depende de onde colocarmos o valor da liberdade. Considero realmente liberdade podermos estar em paz com nossa consciência, realizando sempre o que ela nos impõe. Considero liberdade a pureza dos sentimentos, o saber perdoar, a honra real, não a imaginária. Muitos são os escravos dedicados e resignados que podem estar em paz com a sua consciência, poucos os senhores que possam fazê-lo. Creio ser preferível escravizarmos o semelhante pelo amor, pela gratidão, pela amizade, do que pela força, pelo ódio e pela humilhação. E se os primeiros são sinceros e dedicados, os segundos serão escravos no corpo, mas seu pensamento será livre para odiar e para vingar a afronta sofrida. Quem semeia o mal colhe o mal. É a lei de justiça dos deuses.

— O que me dizes é bem estranho. Mas, dize, és quase uma criança. Que sabes tu sobre as "leis da vida" ou justiça dos Deuses?

— Das leis que regem a multiplicação dos seres,

quase nada, mas das leis que regem os espíritos que nós somos, percebo alguma coisa!

— Dize algo sobre isto, por exemplo: qual é tua concepção sobre nossa vida neste mundo?

— Bem... creio firmemente que fomos criados por uma divindade superior que nos fez sementes, lançando-nos à terra para que germinássemos e déssemos frutos. Somos lançados neste mundo, esquecidos do nosso passado desde a Criação, semelhante ao adulto que não pode recordar-se dos primeiros vagidos, a fim de aprendermos com as experiências necessárias que a vida nos proporciona, a viver em um mundo melhor. Viveremos aqui tantas vezes quantas forem necessárias ao nosso aprendizado, só deixando de fazê-lo quando formos espiritualmente superiores e pudermos habitar em um mundo melhor.

— Crês então que já vivemos outras vidas?

— Creio. Tenho mesmo, neste instante, a impressão de que também mantivemos uma palestra amiga como esta em nossas vidas passadas.

— É possível — murmurou Pecos, algo pensativo — mas, se isto é verdade, por que deveremos esquecer nosso passado? Seria melhor que o recordássemos, uma vez que dele poderíamos melhor aproveitar as experiências para a vida atual.

— Deveremos agradecer ao grande Deus sua bondade, nos ofertando a graça do esquecimento. Somos ainda crianças espirituais. Nosso espírito jovem na criação é ainda dominado pela materialidade. Por isso a sensibilidade é embotada. Somos rudes, grosseiros e maus. Assim, transformamos este mundo tão belo em um mundo triste de dor e sofrimento. Se o sofrimento existe, creia-me senhor, não foi obra de Deus, mas de nós mesmos. As leis que regem a vida são santas, são puras, perfeitas. Sempre que transgredimos seus ditames, ela nos faz colher os resultados para nos ensinar a ter responsabilidade. Protege os homens, que são igualmente irmãos perante a divindade, pois que a todos criou igualmente. Se sofremos, se choramos, é porque nesta vida ou outras passadas foi isso que plantamos. Às vezes valorizamos o mal e com isso atraímos a dor. Quando isso acontece, desejamos ardentemente esquecer e imploramos isso às potências celestes. Credes que suportaríamos o peso de nossas maldades através dos séculos?

Pecos estava pasmo. A moça falara inspirada, fluentemente. Havia algo de estranho em sua expressão, parecendo mais grossa sua voz. Pecos sentia ânsia de perguntar mais.

— Crês que somos tão maldosos assim?

— Sinto que eu sou assim. O esquecimento, senhor, é uma generosa forma de perdão que o grande Deus nos oferece.

— Quer dizer que poderei viver novamente, no futuro, como outra pessoa?

— Nós, ao morrermos, deixaremos o corpo de carne que recebemos ao nascer e retornamos à nossa verdadeira pátria, que é a espiritual, no espaço, em outros mundos. E quando se fizer necessário, voltaremos para colhermos os resultados dos nossos atos e aprendermos a viver melhor.

— Mas se esquecemos o passado, o que poderíamos aprender?

— Esquecemos os fatos em si, mas gravamos em nosso espírito, intimamente, todas as experiências passadas. Eis porque, ao conhecermos algumas pessoas aqui, que já tínhamos conhecido antes no passado, elas nos inspiram simpatia, ódio, ou mal-estar, sem sabermos porquê. Essas sensações indefiníveis vêm do passado. Nossa personalidade atual resulta das nossas experiências passadas, fazendo-nos sentir muitas coisas que não conseguimos explicar apenas pelos acontecimentos de agora.

— Mas, então, se assim fora, tu que libertavas escravos, nunca serias escrava, mas eu talvez o fosse, — lembrou Pecos sorrindo na tentativa de ocultar a profunda impressão que as palavras dela lhe causaram.

— O que me aconteceu mostrou que eu precisava aprender a lição da auto-suficiência. Sempre vivi apegada à família, sem agir por mim mesma. Alardeava humildade, falava em perdão, mas nunca havia sido provada. Esta situação deu-me oportunidade de descobrir que estou conseguindo. Sinto-me feliz por isso. Quanto ao senhor, esse atentado do qual foi vítima talvez esteja preparando, abrindo caminho a que comece a questionar suas idéias quanto à violência e à escravidão. Seria bom que fizesse isso agora. Não sabemos o futuro. Se continuar agindo como até agora, acabareis atraindo para si as mesmas situações em que tendes colocado os outros. Acabareis sendo escravo, nesta ou na próxima encarnação!

As perspectivas eram demais desagradáveis para ele. Se fosse em outro país, talvez pudesse temer, pois que poderia ser vítima de uma caçada, mas ele! Ele era quase chefe no maior país que dominava o mundo! Sorriu seguro de si e foi em tom de brincadeira que perguntou:

— Então achas que deveria libertar meus escravos, tu principalmente, não é?

— Não, senhor — respondeu a moça tristemente. — Sou feliz porque sendo escrava, estou mais a salvo das tentações que a vida social proporciona, mas penso que deveríeis libertar Tilat, para não justificar o motivo do crime que felizmente não se consumou. Se perdoardes, ele terá mais consciência do seu erro. Se o matardes, ele sentirá que seu crime foi justificado. Vos odiará mais e mais e vos perseguirá mesmo depois da morte. Vossos destinos serão unidos pelo ódio e muito sofrimento poderá ocorrer para ambos até que aprendam a perdoar. Suplico-vos, senhor, sede misericordioso para com ele!

Pecos sorriu como o faria a uma criança que desejasse um brinquedo inexistente. Sentiu-se irritado só em ouvir a sugestão de um possível perdão.

Mas, Solimar era tão humilde, tão simples, tão singelamente ingênua que ele não conseguiu zangar-se. Apenas disse:

— És muito jovem e não compreendes estas coisas. Existem certas afrontas que nada pode lavar senão o sangue do culpado.

— Um crime não justifica outro, senhor!

— És mulher e as mulheres se deixam levar pelo seu mundo ilusório. Perdôo-te o conceito que fazes de teu senhor, convidando-o a permanecer agravado perante uma agressão. Agora não falemos mais sobre o assunto, porque ele me aborrece.

Solimar calou-se. Pretextando algo a fazer, foi-se para a antecâmara, sentando-se a um canto, triste e pensativa.

— Não te aborreças assim, nem te preocupes tanto, Solimar.

Ela voltou-se imediatamente e seu belo rosto iluminou-se de satisfação. Jasar estava na sala.

— Ouvi tudo quanto conversaram há pouco. Estava aqui a espera de que tão interessante palestra terminasse. Desculpa-me se fui indiscreto, mas sabes que falavam em voz alta, e eu daqui pude sem esforço ouvir tudo muito bem.

— Nesse caso, senhor, compreende minha tristeza não é?

— Em parte. Sei que estás triste porque sabes da excelência de tuas advertências. Desejavas que os demais dela participassem. Mas sabes muito bem que o trigo semeado não cresce nem dá frutos por igual, apesar da boa qualidade da semente. Ela não é o bastante por si só para responsabilizar-se pela sua fertilidade. Outros fatores concorrem para que isso se dê: terra, clima e até a brisa que passa influi. Talvez o campo que hoje semeaste não esteja ainda pronto, mas tua semente permanecerá embrionária e quando for propício, germinará.

Solimar sorriu mais confiante. Jasar lia em seu coração como em um livro aberto. Comungava no mesmo princípio de crença, portanto, a compreendia melhor.

— Agora, vai-te às tuas ocupações que falarei a meu irmão.

Solimar retirou-se e Jasar, com um bondoso sorriso estampado no rosto penetrou no quarto do irmão. Depois de fraterno abraço, conversaram sobre o assunto que os preocupava, embora o encarassem diversamente. Dizia Pecos:

— Quero pedir-te que vás pessoalmente ao palácio do Faraó para te informares das declarações de Tilat.

— Irei amanhã cedo. Como vês, é quase noite e as atividades no palácio já estão encerradas.

— Dá-me licença, caro primo?

A voz de Otias penetrou no aposento. Pecos sorriu satisfeito e disse:

— Ainda bem que a estrela chegou para iluminar a noite da minha solidão. Aproxima-te, Otias.

— Com prazer, caro Pecos. Então, Jasar, como se encontra o nosso querido doente?

Otias falara com os olhos fixos nas negras pupilas do moço, querendo precisar-lhe as reações para sentir a impressão que sua presença lhe causava.

— Creio que muito bem. Como vês, já está dirigindo galanteios às moças bonitas — respondeu Jasar algo divertido.

Otias corou pela advertência, e tentando aparente indiferença disse:

— Não crês que poderia levantar-se um pouco?

— Talvez. Se o carregarem, poderá ficar um pouco no terraço, estendido em um coxim, gozando as delícias do crepúsculo e da brisa agradável dos jardins. A ferida está quase boa, mas não convém que ele se esforce muito. Fora isto, precisa apenas alimentar-se bem e distrair-se.

Otias, querendo enciumar o moço Jasar, chamou imediatamente pelos escravos, ordenando-lhes que carregassem o enfermo e o instalassem no pequeno pátio que dava para os jardins, instalando-se por sua vez a seu lado, procurando demonstrar-lhe carinhoso interesse.

Jasar, porém, indiferente, preocupado por outros pensamentos para ele mais importantes, nem notou, dirigindo-se para seus aposentos.

Otias sentiu que com Jasar iam toda sua alegria e entusiamo. Pecos, porém, ciente de sua atração pessoal, nem sequer imaginava a realidade, julgando-se já verdadeiramente amado. Isto o tornava mais ousado, chegando a tomar entre as suas, uma das mãos da prima.

Se existia alguém que espreitava a cena com raiva, esse alguém não era Jasar. Nalim, entre os arbustos, seguia cada gesto do jovem par. Lábios cerrados, comprimidos pelo rancor e pelo ciúme. Era para a antipática prima que ele se desvanecia em atenções. Certamente pensaria em desposá-la. Ambos eram da mesma classe e era lógico que a prima não seria uma aventura em sua vida.

Sem perceber que era ciúme o que sentia, decidiu-se naquele mesmo instante a pôr em prática o plano que tinha em mente. Como era noite, necessitaria esperar pelo dia seguinte, mas daria os primeiros passos ainda naquela noite. Teria que esperar porque deveria servir ao seu senhor até a hora em que ele a despedisse. Simulando estar chegando, deu uma volta, entrando onde estava o jovem casal. Após a costumeira reverência, foi postar-se a um canto discreto.

Pecos, naquele breve instante em que seus olhos se haviam encontrado, percebera a chama de fogo que eles irradiavam.

— Dir-se-ia que ela está com ciúmes — pensou, e isto o satisfez. Desejoso de humilhá-la ainda mais, voltou-se sorrindo para a prima, dizendo:

— Estou muito debilitado e portanto não posso ser uma companhia agradável para ti. Gostaria de cantar toda a magia desta noite, porém minha voz ainda é fraca e cansada.

— Tua presença é sempre agradável, Pecos, mesmo quando estás doente.

— Vai tu, Nalim, buscar meu alaúde — ordenou secamente Pecos.

Pouco depois, Nalim voltava com o instrumento, depositando-o ao lado de seu senhor; depois, como ele não a mandasse retirar-se, foi postar-se em seu canto novamente.

Pecos, tomando do instrumento, dedilhou uma música cálida e apaixonada que aprendera do outro lado do deserto. Otias sorria amável sentindo a consciência do seu poder de atração.

Nalim os observava disfarçadamente, olhos tempestuosos, a alma ardente, envolta em pensamentos apaixonados. A música era uma canção de amor da sua terra.

De repente, não resistindo ao desejo imposto pela sua vaidade, quis chamar a atenção do moço sobre si, quis mostrar-lhe que sabia ser mais fascinante do que Otias. Sua voz elevou-se, clara, grave e apaixonada, revelando as profundezas de sua alma cheia da sensibilidade ardente das mulheres de sua raça.

Otias, algo surpresa, pensava no atrevimento da escrava, que além de tão linda ainda possuía outras qualidades que ameaçavam sua segurança. Pecos, enlevado, ouvia a maravilha dáquele canto que parecia gritar, sentir, chorar, sorrir, todo entregue a entrechoques dos contraditórios sentimentos humanos.

Nunca Nalim cantara com tanta alma, tanta sinceridade.

As recordações da pátria distante, os sentimentos contraditórios que não queria ou não sabia definir, toda a sua angústia moral, extravasava-se naquele canto ardente.

Ela sentia repousar sobre si o olhar chamejante do moço enfermo, leu o desejo e a admiração em seus olhos. Isto causou-lhe íntima satisfação.

— Vencerei — pensou — ele há de querer-me e, então, estarei vingada!

Quando a última nota escoou-se, Pecos deu-se conta de que sua boca estava seca e seus olhos úmidos.

Otias, percebendo a atração da moça escrava, elaborou naquele instante a idéia de afastá-la do lado do primo.

Porém, este, dominando sua emoção, desejando mesmo desfazer o encanto que a escrava pusera no ar, chamou-a e disse:

— Não sabia que também cantavas. De agora em diante, cantarás para nós quando te ordenar e quem sabe ainda dar-te-ei de presente ao grande Faraó. No palácio muitos apreciam as escravas que sabem cantar e dançar.

O tom desdenhoso de sua voz fez o rosto bonito e voluntarioso de Nalim tingir-se de um vivo rubor.

Baixou a cabeça reverente em sinal de assentimento, para ocultar suas emoções. Depois, a uma ordem de seu senhor, retirou-se para seus aposentos.

Pecos, depois que a moça se foi, perdeu toda a vontade de ser galante com a prima. Parecia mesmo que a noite tão radiosa tornara-se-lhe de repente escura e triste. Recostou-se mais nas almofadas cerrando os olhos enquanto Otias tirava-lhe o instrumento das mãos.

Pecos pensava: Nalim era fascinante! Emanava dela algo assim como uma seiva de vida, de exuberância e mocidade. Como deveria ser agradável fazer-se amado por tal mulher. Seu amor deveria ser tempestuoso como seus gestos, seu orgulho, mas terno como sua sensibilidade de artista.

Sorriu levemente para si mesmo, pensando:

— Estou muito fraco e por isso me tornando muito sentimental. Assim que me fortalecer, estarei livre de tantos pensamentos emotivos.

Mas ele estava cansado. O esforço, a noite que de

repente se tornara triste e a prima também o enfastiavam agora.

— Estás exausto. Precisas dormir. Vou ordenar que te reconduzam ao leito — observou Otias algo decepcionada.

Depois de o ver instalado, retirou-se para seu quarto.

Nalim, porém, saíra de seus aposentos em comum com as outras escravas, dirigindo-se ao portão do palácio. Lá, um dos lanceiros que a observava, disse-lhe:

— Vem cá, bela deusa. Mais pareces filha de Hórus do que dos homens.

Nalim nada disse, mas apenas sorriu fingindo-se envaidecida pelo galanteio.

Isto animou o soldado que de um passo estava junto dela.

— Até que enfim não foges de mim. Estou doido por ti. Minha pequena, se quiseres posso dar-te muitos presentes. Basta que não te zangues e não sejas orgulhosa.

Assim dizendo, animado pela tolerância um tanto inesperada da moça, passou-lhe a mão pelo rosto. Ela estremeceu levemente ao contato, mas não protestou. Somente desviou o corpo quando ele, impetuoso, quis abraçá-la.

— Assim não conseguirás nada comigo, Omar. Lembra-te que não sou como as outras escravas que conheces. Terás que ser como um cavalheiro comigo se pretendes que eu venha a estimar-te e a consentir em ser tua.

— É verdade então que te interessas por mim? — perguntou ele, incrédulo ainda.

— Sim... creio que começo a interessar-me... — respondeu ela, pausada e intencionalmente.

— Diga-me, Omar, amanhã estarás aqui?

— Sabes que não, Nalim — respondeu ele envaidecido com a pergunta. — Fui transferido para o forte do palácio. Sabes que fui destacado para auxiliar a captura do escravo Rabonat.

— Então, Omar, posso ir ver-te lá amanhã? Tenho que ir ao mercado fazer compras e poderei arranjar uma maneira de ver-te.

— Lá não é permitida a presença de pessoas estranhas, mas tu podes dizer que levas um recado especial do nosso chefe e teu senhor. Conhecem-te daqui e tudo será fácil. Aguardar-me-ás nos jardins e irei ter contigo. Combinado?

— Certo. Eu irei — respondeu a moça.

Quando ele ia agarrá-la entre os braços, ela, sorrindo, prometedora, fugiu-lhe às pressas, deixando-o feliz e entusiasmado.

Ele desejara aquela mulher desde a primeira vez que a vira e não cabia em si de contente só em pensar na possibilidade de tê-la só para si, de ser amado por ela.

Nalim recolheu-se ao leito, satisfeita. Já iniciara seu plano e não poderia falhar. Se a apanhassem, certamente pagaria com a vida, mas esta para ela só tinha valor, se livre. De outra forma não lhe importava morrer.

A noite cobria com seu manto cravejado de estrelas o céu belíssimo de Tebas.

O silêncio reinava na grande mansão. Todos dormiam e ninguém suspeitava que em contraste com a calma preguiçosa e serena do céu, os corações de seus moradores agitavam-se tempestuosos, prenunciando os entrechoques ameaçadores das grandes tormentas.

No dia seguinte, Nalim, acompanhada por Cortiah e duas escravas, saíam rumo ao mercado da cidade. Ele se achava instalado em um grande pátio redondo onde os mercadores gritavam expondo suas mercadorias. Lá chegando, Nalim pediu a Cortiah:

— Cortiah, preciso dar um recado a um lanceiro do forte. É muito importante. Podes dispensar-me por meia hora? Estarei de volta antes que termines tuas compras.

Um tanto intrigada, Cortiah concordou, recomendando-lhe porém que não se fizesse esperar.

A passos rápidos, Nalim atravessou o agrupamento, dirigindo-se ao forte que se via do outro lado do pátio. Lá, procedeu como Omar lhe indicara e logo foi conduzida através de uma galeria de pedra, saindo em formoso pátio ajardinado.

Impaciente, aguardou por Omar.

Este não se fez esperar, alegre e bem-disposto, veio ao seu encontro. Saudou-a com galanteria, depois assentaram-se em um banco onde conversaram por algum tempo.

À certa altura da palestra, Nalim perguntou displicentemente:

— É aqui que se encontra preso o cúmplice de Rabonat?

— É sim. Está bem guardado porque vale muito para o nobre Pecos. Mesmo para o Faraó, rei de todo Egito.

— Pois sabes, Omar, eu tenho certa curiosidade em vê-lo. Como é ele?

— Ora! As mulheres sempre deixando-se envolver pela imaginação! Pois ele é feio, pequeno e bronco — murmurou Omar em tom de gracejo.

— Não creio. Ele deve ser um homem belo e valente, visto o trabalho que deu para deitar-lhe a mão.

Nalim, exagerando seu entusiasmo, suspirou profundamente.

Omar, um pouco picado pelo ciúme, respondeu:

— Pois te enganas. Nada tem de valente, ou de herói. E não nos deu trabalho sua captura. Apenas estava bem escondido, é só.

— Pois eu só acreditarei se o vir. Esta noite, sonhei com ele e acordei impressionada. Era como um verdadeiro filho de Osíris, galante e valente. Começo a crer que queres enganar-me.

A esta altura Nalim adotara um tom desconfiado e lamurioso. Omar então disse:

— Se eu te deixar vê-lo, nem que seja por alguns

instantes, concordarás em sair comigo amanhã à noite? Terei folga e o desejo de estar a sós contigo me abrasa o coração.

— Sim, se me satisfizeres a curiosidade, sairei contigo amanhã às escondidas, mas e se souberem de minha visita?

— Tranqüiliza-te. Sou o chefe da guarda quando estou de serviço. O que faço e ordeno é aceito sem exame.

Logo encaminharam-se rápidos para o interior da grande casa que, além de depósito dos materiais bélicos, era também a prisão de Tebas.

Desceram algumas escadas nas galerias subterrâneas, iluminadas fracamente pela luz bruxuleante dos archotes. Por fim, pararam frente a um escuro e úmido compartimento, cuja porta de madeira grossa rangeu fortemente ao ser aberta.

Nalim, respiração suspensa, procurando vislumbrar o prisioneiro, espiou para dentro.

— Nada receies, que estou armado com este punhal.

Curioso, aproximou-se deles um homem de baixa estatura, cor morena, cabelos hirsutos. Seu aspecto não era de um covarde nem de um malfeitor. Seus olhos brilhavam estranhamente, traduzindo emoções indefiníveis. Parou, fitando o jovem casal por alguns instantes, esperando que eles falassem.

— E então, que achas? — perguntou Omar, satisfeito por reconhecer-se intimamente muito mais bonito e atlético do que Tilat, que de fato nada possuía de extraordinário.

Nalim, jogando para trás sua linda cabeça, desatou a rir alegremente dizendo:

— Tinhas razão, Omar. Para mim ele não passa de um covarde traidor, não soube honrar seu senhor.

Tilat estava surpreso e ruborizado. Como se não bastasse, ainda vinham escarnecê-lo no imundo cárcere. Atirado seis dias naquela masmorra, seu aspecto era repugnante, coberto de piolhos e cheirando ao mofo das úmidas palhas em que dormia.

— Agora vamo-nos, Nalim, já mataste a curiosidade.

Ela assentiu e ambos se retiraram rindo e palestrando animadamente.

Tilat permaneceu por alguns segundos fitando a estreita porta que outra vez se fechara. Estava temeroso, desanimado. Não fora ele quem atentara contra a vida de Pecos. Somente fugira com Rabonat. Fizera tudo para dissuadir o amigo de cometer o crime, mas fora inútil.

Deixou-se escorregar ao chão tristemente e foi quando sentiu que se sentara sobre alguma coisa. Apressado, levantou-se agarrando o objeto estranho, levando-o até a pequena abertura da porta onde penetrava pálida réstia de luz.

— Um papiro! — murmurou.

Febrilmente procurou vislumbrar-lhe os escritos. Após grandes esforços conseguiu ler:

"Espera por mim. Procurarei salvar-te. Nada temas porque em breve estarás livre."

— Com certeza, foi ela — pensou. — Mas que interesse poderá ter em libertar-me? Enfim, sempre é uma esperança. Se contar com amigos influentes, poderá consegui-lo.

Mas depois lembrou-se decepcionado de que ela era uma escrava. Conhecia-lhe as vestes. Também poderia ser que se vestisse assim para passar despercebida nas ruas.

E naquela noite, após pensar o dia inteiro no que lhe sucedera, sob o influxo de uma nova esperança, dormiu serenamente como há muito tempo não fazia.

Nalim, de regresso à casa, ia satisfeita com os acontecimentos. Conseguira mais do que esperava. Pensou que necessitasse ir ao forte muitas vezes para conseguir o resultado almejado; no entanto, Ísis a protegera.

Chegadas à casa, tudo estava em tremenda atividade. Assustadas com o movimento, correram para o interior a fim de tomarem conhecimento do fato.

O caso, a julgar pelo acúmulo de lanceiros, era grave. Pecos, pálido, fraco, assentado em um coxim azul, falava nervosamente.

Nalim, sem saber o que sucedia, correu a procura de Solimar para indagar. Assim que a encontrou, perguntou:

— Que sucedeu aqui?

— Algo incrível, Nalim. Esta manhã, logo que saístes para o mercado, Natia foi como de hábito levar o primeiro almoço ao quarto da nobre Otias. Lá chegando, notou que o quarto estava em desordem, conservando sinais de luta. A cama intacta estava vazia. Deu o alarme e todos iniciamos a busca sem resultados. Por fim, Pecos e o tio concluíram que Otias fora raptada.

— Mas, por quem? — perguntou Nalim.

— Não sei. O nobre Pecos ordenou a busca e está muito nervoso, porque não pode ir com os soldados como seria de seu agrado.

Jasar saíra muito cedo e ainda não estava a par do sucedido. Osiat, temeroso pela sorte da filha, saíra à sua procura, angustiado e pensativo. Havia tal expressão de tristeza em seu olhar que todos se penalizavam.

Para ele, a filha representava tudo o que de mais caro existia no mundo. Era o único consolo que lhe restara de um passado feliz. Se a perdesse, certamente não sobreviveria.

As atividades continuaram até alta noite, sem resultado. Otias parecia ter sido tragada pela terra. Acabrunhado, seu pai não sentia ânimo para mais nada. Dois círculos arroxeados lhe apareceram ao redor dos olhos e envelhecera dez anos naqueles poucos instantes.

O pesadelo torturante de que a filha querida estaria sendo maltratada, ferida talvez em seu pudor, sendo submetida a toda sorte de vexames, não o deixavam serenar um só instante.

Pesarosos com o abatimento do velho tio, os dois sobrinhos intensificavam as buscas, agora mais para acalmá-lo do que pela certeza de encontrá-la.

Noite alta já e os dois irmãos insones conversavam sobre o ocorrido.

— Aquele canalha com certeza foi o autor do rapto. Não satisfeito com o atentado miserável, ainda estendeu a imunda mão sobre nossa prima! — dizia Pecos fora de si — Ah! se eu pudesse montar, certamente os encontraria!

— Acalma-te, Pecos, essa excitação é nociva à tua saúde. Estás febril. Lembra-te de que és um convalescente — respondeu Jasar procurando acalmá-lo.

— Mas eu não posso ficar inativo. Sinto que vou explodir se tiver que forçar um repouso. Se Martus regressar amanhã sem notícias, irei pessoalmente ao palácio e terei o prazer de degolar Tilat. Assim seus cúmplices verão que não brinco.

— Seria um desatino ainda maior. Estou tranqüilo porque tens Tilat em teu poder. Está claro que o rapto de Otias foi para garantir a liberdade de Tilat, que deve ser preciosa para Rabonat. Se matares Tilat, certamente no dia seguinte encontrarás Otias, mas estará sem vida.

— Talvez tenhas razão. O patife nos amarrou as mãos.

— Pois eu creio que em breve teremos notícias de Rabonat sobre Otias, e ele não se atreverá a maltratá-la. Deves interceder junto ao Faraó para que não castigue Tilat com as torturas, porque senão poderemos sofrer represálias em Otias.

— Mas... eu interceder por um miserável?

— É o único meio. Estamos em suas mãos.

— Sabes que o grande rei é voluntarioso. Terei de empregar todo o meu prestígio para conseguir retardar suas ordens com referência a Tilat.

— Bem, mas em todo caso, não nos resta outro recurso. Agora, deita-te que te vou ministrar um calmante e logo estarás dormindo calmamente.

— E tio Osiat, viste como está abatido?

— Sim, Pecos. Agora dorme. Ministrei-lhe um boa dose de calmante.

Jasar retirou-se para repousar. O dia fora agitado e talvez que o seguinte também fosse. Precisaria estar bem-disposto.

Assim pensando, despiu-se para dormir.

A noite era calma e perfumada. O céu, estrelado e argênteo, mas os habitantes daquela casa não puderam dormir tranqüilos como de costume. Um clima de insegurança estava no ar e penetrava seus corações.

CAPÍTULO VIII

Rabonat, o escravo vingativo

Na manhã seguinte, mal raiara o dia, na casa de Pecos se reiniciaram as atividades habituais, porém, o ambiente era pesado e desconfortante.

Cedo ainda, Pecos acordara de péssimo humor. Preocupava-se pela vida da prima e também pelo ridículo a que estava sendo objeto sofrendo os dois atentados. Ele era chefe dos lanceiros do reino.

Vestiu-se vagarosamente, dada a fraqueza que ainda sentia. De repente, teve sua atenção voltada para um rolo de pergaminho que estava no solo, embrulhado com uma pedra. Febrilmente apanhou-o e leu:

"Se quiseres a nobre Otias com vida, solta Tilat dando-lhe cavalo e provisão para uma viagem. Depois que o tivermos a salvo conosco, soltaremos a moça. Dou-te prazo até amanhã à noite.

Pensa bem. Se até amanhã Tilat não vier, Otias pagará.

Rabonat."

Pecos estremeceu de ódio. A audácia daquele escravo fugido era tremenda! Como poderia ele ter entrado na casa para atirar a mensagem, se toda a propriedade estava guarnecida? Isto fê-lo suspeitar da cumplicidade de alguns dos escravos da casa. Passaria a vigiá-los disfarçadamente para apanhar o traidor. E até já antegozava o prazer de castigá-los.

Era impossível que Rabonat sozinho consumasse o rapto — pensava ele. — Os dois escravos que com ele haviam fugido eram seus cúmplices. Rabonat não conhecia bem as dependências da casa, nem sua disposição. Como pudera ele burlar a guarda? Parecia-lhe claro que algum escravo da casa o ajudara.

Resolveu ir sem demora ao palácio do Faraó para salvar Tilat. Obedeceria a imposição de Rabonat, mas depois investigaria tudo muito bem e tendo Otias a salvo, então empreenderia uma verdadeira caçada até trucidá-los a todos.

Depois de vestido, foi ter com Jasar, que estava no quarto de Osiat, o qual adoecera com o choque sofrido. Pai amoroso, abalado ao máximo, não encontrava forças para manter-se em pé. Jasar, à sua cabeceira, aplicava-se em tratá-lo fisicamente e conhecendo a origem moral da moléstia, procurava também reanimá-lo espiritualmente.

Solimar já se encontrava também à cabeceira do velho, pois Jasar lhe solicitara os serviços.

Ao entrar no quarto tendo às mãos o pergaminho, três olhares ansiosos voltaram-se para ele.

— Como vai, caro tio? — perguntou.

— Não muito bem, como vês. Mas, dize-me, tens alguma notícia?

— Sim. Tranqüiliza-te. Otias está bem. Creio mesmo que amanhã estará conosco. Rabonat capturou-a para exigir, em troca de sua liberdade, a vida e a liberdade de seu cúmplice, Tilat. Recebi hoje este escrito dele. Vou agora ao palácio ultimar a liberdade de Tilat.

— Como sabes que Rabonat cumprirá a palavra? — perguntou Osiat ansioso.

— Bem, caro tio, nessa contingência só nos resta correr o risco. Teremos de confiar nele.

— Certamente cumprirá o prometido — interveio Jasar — mas, meu irmão, estás muito fraco ainda, não podes fazer muito esforço. Será uma temeridade saíres de casa. Nem sequer suportas ficar muito em pé.

— Farei um esforço. Não posso ficar inativo. Só eu poderei conseguir do Faraó a liberdade de Tilat. Viajarei em uma liteira.

— Nesse caso, irei contigo. Tio Osiat está mais refeito com a notícia e Solimar cuidará dele até nosso regresso. Receio que te sintas mal durante o trajeto e quero estar contigo.

Assim, pouco depois, os dois irmãos punham-se a caminho do palácio que, aliás, era pouco distante.

O Faraó recebeu-os benevolamente. Estimava Pecos e admirava Jasar. Convidado a expor os motivos de sua visita, Pecos decididamente contou toda a verdade ao seu senhor e chefe.

Este o ouviu, calado e pensativo. Quando ele terminou, disse:

— Teu caso é muito delicado. Não creio seja possível libertar Tilat. Deves convir que tal liberdade iria estimular a rebeldia e as fugas de outros escravos.

— Mas... senhor — insistiu Pecos — trata-se de evitar que eles cometam outro crime na pessoa de minha prima.

— Não posso, meu rapaz — respondeu o Faraó — seria um ato de parcialidade que não posso cometer. Os sacerdotes me criticariam, instigando o povo. Tilat foi cúmplice no atentado contra meu exército na pessoa de seu chefe. Desrespeitou minha autoridade com esse ato. Não posso senão puni-lo para lavar a afronta feita ao decoro do meu país!

Ele parou, cofiando a rala barbicha com uma das mãos, depois, ante a tristeza manifesta dos moços, ajuntou sorrindo intencionalmente:

— Se Tilat tornasse a fugir, por exemplo, a responsabilidade não seria minha! Não é tão difícil escapar das masmorras...

Os semblantes dos rapazes se desanuviaram. Compreendiam a alusão.

— E castigaríeis aos guardas que fossem ludibriados por Tilat na fuga?

— É claro, mas seriam faltas punitivas que ficariam a teu cargo, como chefe, deliberar...

Os dois rapazes estavam satisfeitos. Conseguiram seu objetivo.

Quando saíram, dirigiram-se para outra ala do

palácio, onde estavam situados o forte e a masmorra.

Jasar amparava Pecos que, devido o enorme esforço, sentia-se sem forças para continuar.

Chegando ao pátio interno, Pecos assentou-se em um banco para refazer-se um pouco, mas, de repente, levantou-se de um salto, lívido! Seus olhos lançavam chispas.

Jasar, preocupado com o choque do irmão, seguiu-lhe a direção do olhar e viu a esbelta figura de uma mulher que conversava com um dos jovens soldados. Era Nalim. Seu riso jovial e alegre ecoou no ar, parecendo chasquear da raiva de Pecos.

O jovem par não os vira e prosseguia palestrando, protegido pela sombra de uma árvore frondosa e amiga.

Antes que Jasar pudesse detê-lo, Pecos encaminhou-se para os dois, parando meio oculto atrás de um arbusto para ouvir o que diziam.

— És tentadora, Nalim! Esperava deleitar-me com tua companhia logo mais à noite e vens prevenir-me que não podes manter o compromisso!... Sabes que estou louco por ti. Preciso ver-te a sós!

— És muito impetuoso, Omar! Tens de te contentar com os minutos de que posso dispor. Agora, depois dos últimos acontecimentos há muito por fazer. Tenho que ajudar na cura dos enfermos, mas meu coração estará contigo.

Pecos não mais suportou a cena. Surdamente irritado, abordou-os dizendo:

— Desde quando meus homens induzem minhas escravas a esquecerem-se de suas obrigações para manterem relações amorosas? Aqui não é permitido presença de mulheres, muito menos para práticas vergonhosas.

Nalim, assustada pelo imprevisto, empalidecera, depois seu rosto cobriu-se de intenso rubor provocado pelas palavras ásperas do moço.

— Perdoai, senhor — balbuciou com voz que a raiva tornava trêmula — apenas vos enganais pensando que abandonei obrigações vindo aqui. Vim ao mercado a mando de Cortiah e aproveitei para transmitir um recado a Omar. Ele não é culpado de minha presença. Vim por conta própria. Quanto às nossas relações, nada possuem de vergonhosas, pois poderemos nos casar!

Pecos estava furioso. Não sabia bem se era com Omar, com ela, ou consigo mesmo. Sentia vontade de esmurrá-los. Com voz cortante, olhos brilhando como aço, disse:

— Tu não és livre. És escrava! Devias saber que não permitimos casamentos de escravos. Os escravos unem-se como os animais para a satisfação dos desejos, mas nunca se casam. Agora, retira-te. Estás proibida de sair do meu palácio.

Nalim, altiva, resplandecente de beleza e mocidade, alçou a cabeça e dirigindo um olhar de despedida a Omar, retirou-se, não como uma escrava, mas como uma rainha.

Os três homens, calados, observaram seu porte elegante, altivo, até desaparecer na porta de saída.

Jasar observava surpreso. Por que o irmão se irritara tanto? Afinal, era uma situação corriqueira e muito comum naqueles dias.

Omar tentou explicar-se. Doera-se com a atitude de Pecos, que não podia compreender. Afinal, o caso não era tão grave assim. Eles eram amigos.

— Deveis reconhecer que ela é por demais tentadora. Não pude resistir à sua sedução. Prometo porém, que nossa aventura será fora de suas ocupações e não atrapalharei sua vida.

— Não consinto em tal! Ficas desde hoje proibido de conversar com ela. Não gosto dessas aventuras em minha casa. Deves olhar para moças de tua classe e não para uma escrava. Faço isto para teu próprio bem. Por hoje estás suspenso de tuas funções. Recolhe-te à tua cela, onde permanecerás até amanhã cedo, como punição pela tua leviandade, permitindo aqui a presença de uma mulher.

— Mas... o forte ficará desguarnecido, pois mais da metade dos homens estão de serviço, fora da cidade, em busca de vossa prima.

— Não importa. Não posso deixar passar esta falta. Agora, conduze-nos à cela de Tilat e depois podes te recolher.

Omar ainda esboçou um gesto de protesto. Depois mudou de idéia, assentiu com a cabeça e respondeu:

— Está bem, senhor. Queiram acompanhar-me.

Pecos ainda muito cansado, apoiado ao braço de Jasar, a passos vagarosos, seguiu Omar pelas longas galerias.

Na porta da cela do prisioneiro disse a Omar:

— Bem, Omar, agora vai e cumpre o que te ordenei.

Assim que Omar desapareceu na curva da galeria, Pecos abriu o grosso ferrolho e juntamente com Jasar penetrou na cela.

Tilat, curioso, levantou-se um pouco cambaleante, depois, reagindo, fixou serenamente e de frente os dois irmãos.

— Tilat — começou Pecos — minha vontade seria matar-te com minhas próprias mãos, mas por agora não me é dado este prazer. Infelizmente para ti e teus cúmplices, apesar do golpe covarde que me vibraram, continuo vivo, desafiando vossas vontades.

— Senhor, — disse serenamente Tilat — apesar de ter sido escravizado pelas vossas mãos, perdendo lar, família, amigos, sendo reduzido à miserável condição em que estou hoje, jamais tramei ou desejei vossa morte. Posso desde já jurar-vos que minhas mãos estão limpas do vosso sangue! É verdade que fugi com os outros, mas apenas desejei minha liberdade. Para vós, talvez, eu tenha agido mal, mas poderiam imaginar o que é viver assim? Perder de repente tudo o que era o nosso mundo e ser reduzido à condição de um objeto qualquer que nem pode sequer ter vontade ou opinião? Fugi. Esperava apenas recuperar algo que me fora roubado. Por nada deste mundo desejaria arriscar com um crime, uma liberdade tão preciosa para mim. Por uma ironia da sorte, justamente eu fui capturado. Mas aquele que comete o crime, busca bem esconder-se, porque teme suas conseqüências. Eu, pensando que os escravos fugidos somente são procurados por dois ou três dias e logo esquecidos, facilitei.

Tilat falara com voz trêmula, mas firme. Seu acento sincero feriu fundo os corações dos dois moços. Pecos, porém, recordando-se novamente da agressão e do seu ódio, esforçou-se por reagir contra aquela boa impressão.

— Bem, chega de lamuriar-se. Não foi para isto que me dei ao trabalho de vir até aqui. Tanto és cúmplice de Rabonat que ele, para comprar tua liberdade, cometeu novo atentado na pessoa de minha prima. Raptou-a e exige tua vida pela dela. Vou conceder-te a liberdade, porém, meu ódio perseguirá a ti e a ele por toda parte. Hei de encontrar-vos novamente, ainda que precise revolver o mundo.

Tilat escutava surpreso e com alegria.

— Senhor, apenas desejo retornar a ser um homem livre e abraçar os meus. É tudo quanto ambiciono.

O pobre homem tinha lágrimas na voz.

— Bem, resolvamos tudo rapidamente. Hoje, aproveitarás um descuido nosso para fugir. Devido às circunstâncias que envolvem teu crime, atingindo a um chefe militar do país, o Faraó não pode libertar-te oficialmente. Assim, esta tarde, poderá aproveitar para fugir. Mandar-te-ei umas vestes de mercador e umas barbas. Ninguém te reconhecerá. Meu emissário abrir-te-á as portas do forte. No entanto, deves procurar logo ir ter com Rabonat para que liberte minha prima.

Tilat assentiu alegre, já revigorado com o ensejo de sua liberdade.

Sem dizer mais nada, os dois irmãos deixaram a cela, pondo-se logo a caminho da casa. Osiat os aguardava, impaciente.

Solimar velava o enfermo, e Nalim punha em ordem o aposento.

À chegada dos dois moços, porém, ela, ainda chocada com a cena de pouco antes, retirou-se altiva para o pátio, continuando lá sua atividade.

— Então, meus filhos, que novas me trazem?

— Boas, titio, — respondeu Jasar.

Pecos, extenuado, febril pelo esforço extremo que fizera, cambaleou.

Imediatamente Jasar acomodou-o em delicado coxim. Ele cerrou os olhos por alguns instantes, pedindo depois com o olhar a Jasar, que falasse.

— Tudo arranjado. Tilat fugirá hoje ao crepúsculo. O Faraó oficialmente não pode libertá-lo, mas sugeriu-nos a fuga. Já dispusemos tudo. Necessitamos apenas que um dos nossos homens de confiança faça o serviço. Sossegue, tio, Otias ainda esta noite estará conosco.

— Oh! Que seja esta a vontade de Amon! Até lá não terei sossego.

— Como passou a manhã, tio?

Ao dirigir-lhe a pergunta, Jasar sentou-se no leito, examinando-o.

— Aflito. A grande falta de ar que sinto, sufoca-me. Também sinto um peso enorme no coração.

— Necessitas repouso. Precisas recuperar teus nervos para receber a volta de Otias melhor de saúde.

Nalim não perdera nem uma palavra do assunto que se conversava no quarto. Surpresa com o rumo inesperado que haviam tomado os acontecimentos, pôs-se a refletir. Seus planos haviam sido transtornados, mas ela haveria de estabelecer outros, tirando partido da nova situação. Poderia mesmo aproveitar-se da fuga de Tilat.

Procurou Cortiah e queixou-se de um mal repentino, pedindo-lhe para recolher-se ao leito. Conseguida essa permissão, ficou à espreita dos passos de Jasar para verificar o servo que iria ao forte.

Como não poderia deixar de ser, Jertsaida foi o

escolhido.

Embora não pudesse ouvir o que conversara, Nalim observou que falaram particularmente por algum tempo, depois o escravo saiu, sorrateiro, carregando um pacote embaixo do braço.

Sem perda de tempo, Nalim, lançando um véu à cabeça para disfarçar-se, seguiu-o até o forte. Esperou lá por algum tempo. Depois notou que ele saía novamente trazendo um homem consigo. A princípio não o reconheceu. Depois, porém, percebeu o disfarce, era Tilat!

Como Jertsaida era muito conhecido no forte, entrara dizendo vir buscar um amigo que estava de visita a um prisioneiro por ordem especial do Faraó. Tratava-se de um mercador.

Somente dois homens da inteira confiança de Pecos ficaram sabendo da verdade.

Depois de ajudar Tilat a vestir-se, haviam saído calmamente, sem que ninguém os incomodasse. Caminharam por algum tempo. Nalim seguia-os ocultamente.

De repente, Jertsaida voltou sobre seus passos, e Nalim coseu-se à parede em uma abertura comum (as casas não eram simétricas), para não ser vista. Quando o viu longe, correu até alcançar Tilat, que seguia agora rápido.

Ele, assustado, quis fugir; ela porém falou:

— Sou amiga, Tilat, quero ajudar-te.

Ele, voltando-se, a viu já sem véu e reconhecendo-a, parou surpreso.

— Que queres? — perguntou.

— Falar-te. — Respondeu ela em tom firme.

— Então sê breve. Não posso demorar-me.

— Bem, eu queria fugir contigo. Sou escrava e não posso permanecer por mais tempo nessa condição.

— Não posso levar-te. Nem sequer sei o que me aguarda. Estou livre da morte e da prisão, mas não do ódio do nobre Pecos. Ele jurou perseguir-me e o conheço bem. Ele o fará. Somente temos por enquanto a nosso favor seu estado de saúde. Agora, deixa-me, preciso ir.

— Tilat, não podes ir sem me levares contigo. Eu desejo ser livre. Não suporto mais a escravidão. Tu sabes como é difícil agüentar isto. Eu era nobre em minha terra. Se não me levares, me matarei, juro que me matarei.

Nalim sacudia a cabeça com raiva, e lágrimas de revolta sulcavam abundantes suas faces.

Antes que pudesse responder, um homem surgiu das sombras da noite que já começava a descer e parou junto deles.

— Tilat!

— Rabonat!

Ao ouvir tal nome, Nalim involuntariamente estremeceu. Era ele o chefe do movimento. Precisava dele. Vencendo a repulsa que sentia por ele, recordando o atentado praticado contra Pecos, disse:

— Senhor, sou escrava. Sirvo no palácio do nobre Pecos. Fui escravizada por ele. Não suporto mais, quero ir convosco. Levai-me, por favor!

— Tu a conheces, Tilat?

— Tentou salvar-me na prisão.

— Eu o teria libertado não fora esse desejo realizado por outros meios.

— Escuta. Nós, por enquanto, estamos sendo muito procurados. Vigiados mesmos. Portanto, eu e meus amigos nos espalhamos. Possuímos um esconderijo que muito nos tem ajudado. Por enquanto não sairemos de Tebas porque cercam os caminhos, mas tu podes nos ser valiosa dentro da casa do teu senhor. Podes informar-nos de tudo quanto se passar por lá. Temos já lá alguém que nos tem ajudado, mas assim tudo poderá ser mais fácil.

— Quereis dizer que não vos posso seguir?

— Por ora, não. Tu, Tilat, vai-te para um bom esconderijo. É possível que te sigam. Tem cautela. Aqui tens este saco de provisões e uma bolsa de ouro. Vai-te à casa de Mirta, que depois mandarei um mensageiro te avisar sobre os nossos planos.

E voltando-se para Nalim:

— Tu, por enquanto, ficas na casa. Procura saber de tudo e serás procurada oportunamente por um de nós. A senha é a palavra "pobre" ou "escravo". Se tiveres porém notícia de urgência, vai até o mercado e procura por Serta, o mercador, dá-lhe a senha e podes confiar nele.

Depois de Nalim e Tilat manifestarem seus agradecimentos, separaram-se, cada um tomando uma direção.

Nalim ocultava-se receosa de ser reconhecida, pois estava proibida de sair do palácio. A passos rápidos, valeu-se da noite que descera, para deslizar sem ser vista.

Tilat, por sua vez, rumou para a casa de Mirta cautelosamente, embora estivesse ainda se utilizando do disfarce.

Rabonat, alto e forte, espaduado, disfarçado também em estrangeiro, caminhante do deserto, a passos rápidos dirigiu-se a uma rua escura e estreita que conduzia à estrada. Pôs-se a caminho e depois de andar por algum tempo, seguiu por um atalho pouco visível, coberto de vegetação.

Chegando a uma choupana humilde feita de tronco de árvores, entrou, após haver dado três toques à porta. Dentro, à tosca luz de um pálido archote, estavam três homens rudes. Sentada, encolhida a um canto, estava Otias com os olhos vendados por um pano negro. Estava pálida. Nada nela lembrava a costumeira arrogância e o domínio que exercia sobre os que a cercavam. Aprendera naqueles dois dias que ali ela nada valia. Compreendera astuciosamente que toda resistência seria inútil. Sabia que estava à mercê daqueles homens.

Rabonat lhe havia dito que nada temesse. Sua liberdade seria concedida a troco da de Tilat. Caso se negassem a libertá-lo, eles a levariam como prisioneira por outras terras.

Apesar da enervante expectativa, confiava plenamente no amor do pai e na amizade dos primos. Sabia que fariam tudo para salvá-la. Já antegozava a vingança que tiraria daqueles homens se pudesse tê-los cativos. Haveriam de pagar pela injúria.

Apesar destes raciocínios, não se pôde furtar a um estremecimento de pavor ao sentir a chegada de Rabonat. Seu destino estava por um fio! O que iria acontecer?

— Tudo bem, chefe? — perguntaram os homens da cabana.

— Sim, amigos. Tilat está salvo. Fizeram tudo como ordenei?

— Sim. Saímos do esconderijo ao anoitecer, tendo antes vendado os olhos da presa, depois, aqui permanecemos à espera.

— Está bem. Agora tratemos de ultimar o final da história. Partiremos para bem longe, mas antes devolveremos a moça.

E dirigindo-se a Otias:

— Estais salva, nobre Otias. Conduzir-vos-emos a um lugar de onde podereis ir para casa.

Ela, já de posse de sua serenidade, com um gesto altivo aquiesceu e levantando-se respondeu:

— Estou pronta.

— Bem... pela pressa vejo que não apreciastes nossa hospitalidade, — respondeu Rabonat com um riso escarninho, no que foi secundado pelos demais. — Mas, vamos.

Tomando o braço da moça, tentou conduzi-la, mas ela, com um gesto de repulsa, recusou, dizendo:

— Sei caminhar muito bem, não preciso de ajuda.

— Como queira. Quis ajudar-te, porque só lhe tirarei a venda em outro local. Já que recusas, caminha como puderes.

Ela mordeu os lábios e procurou, tateando, sair da cabana, mas tropeçava a cada passo.

Rabonat, impaciente, pegou-lhe novamente o braço, dizendo:

— Queiras ou não, vou ajudar-te senão não chegaremos hoje à cidade.

Ela desta vez nada disse, limitando-se a sacudir os ombros.

Caminharam assim durante algum tempo. Depois de terem atingido a estrada, andaram mais um pouco, penetrando por fim em uma ruazinha estreita. Pararam.

Rabonat, largando o braço da moça, com um gesto, tirou-lhe a venda dos olhos e desatou-lhe as mãos.

Ela suspirou aliviada.

— Agora adeus, bela dama. Se um dia precisarmos, iremos buscar-vos — pilheriou Rabonat, rindo galantemente.

E, rápidos, desapareceram nas sombras da noite.

Otias ficou interdita. Não sabia onde estava, nem o rumo a tomar. Em todo caso precisava atingir um local mais central e movimentado da cidade para conseguir informações e chegar à casa.

Caminhou por algum tempo, informando-se do forte e para lá foi conduzida, sendo depois levada à casa por dois lanceiros.

Na casa de Pecos tudo era expectativa. Osiat, o ouvido apurado, excitava-se ao menor ruído.

Pecos, também visivelmente nervoso, procurava acalmar o tio.

Jasar era o único que aguardava serenamente.

Nalim chegara ao palácio sem que lhe notassem a ausência. A expectativa era grande em torno de Otias, para que observassem o procedimento de uma escrava.

Mais esperançosa com a cumplicidade de Rabonat, a moça dirigiu-se ao quarto de Osiat onde os três homens se reuniam e lá, sob pretexto de que Solimar devia alimentar-se, tomou-lhe o lugar à cabeceira do velho enfermo. Precisava vigiar tudo para melhor informar seus novos amigos.

— Creio que o patife não cumprirá o prometido, — disse a certa altura Osiat — temo por minha filha!

— Pois eu creio que nada lhe acontecerá, caro tio. Está claro que Rabonat não viria trazê-la aqui. Talvez a deixe em um local distante e melhor seria mandarmos nossos homens à sua procura — sugeriu Jasar.

— Certo! -- respondeu Pecos batendo com a mão na coxa esquerda — como não pensamos ainda nisto? O tratante sabe que se cair em minhas unhas, não o pouparei. Agora mesmo vou dar as ordens necessárias para que a procurem nos lugares mais distantes. Chama Jertsaida, por favor.

Ele estava ainda muito fraco devido ao esforço realizado naquele dia. Não podia levantar-se.

Depois de haver ordenado a seus homens que saíssem procurando pelas ruas da cidade, a situação de expectativa continuou.

À certa altura, porém, um ruído no pátio se fez ouvir. Chegavam algumas pessoas. Jasar levantou-se às pressas. Pecos e Osiat permaneceram com a respiração suspensa, atentos.

Logo a voz de Otias encheu a casa, arrancando três suspiros de alívio ao mesmo tempo.

Jasar saíra ao corredor para receber a prima que ao vê-lo, esquecendo tudo o mais, arrojou-se em seus braços, chorando nervosamente.

Ele, calmo, disse-lhe:

— Folgo em ver-te de volta a salvo. Agora vai, abraça teu pai, que adoeceu de zelos por ti.

Um pouco magoada pela frieza do moço, onde não havia mais do que a amizade de primo, ela precipitou-se para o quarto do pai, atirando-se em seus braços. Choraram juntos.

Depois, ela dirigiu-se a Pecos que se levantara e a abraçou ternamente.

Passado o primeiro travo de emoção, Osiat, de novo abraçado à filha querida, disse:

— Deves tua vida e liberdade à generosidade de

teus primos, principalmente Pecos que, embora enfermo, sem poder ainda esforçar-se, foi pessoalmente ao palácio do Faraó e conseguiu tudo. Fez um enorme sacrifício e jamais lhe poderemos pagar.

— Oh! tio, apenas fiz o que era meu dever. Principalmente em se tratando de quem verdadeiramente estimo — respondeu Pecos, sorrindo agora mais calmo.

Lançando um furtivo olhar a Jasar, que de volta ao aposento conservava-se calado, Otias disse docemente:

— Pois eu, querido primo, creio nossa dívida contigo tão imensa que nem a dádiva de minha vida inteira será o suficiente para pagá-la.

Pecos, aproveitando o ensejo, respondeu:

— Talvez eu exija essa dádiva, mas não como pagamento de uma dívida inexistente, mas como retribuição de uma grande amizade.

Osiat sorriu, embalado em suas esperanças de pai. Sempre sonhara para a filha um casamento com o rapaz.

Ela, fingindo-se emocionada, procurava esconder a raiva pela indiferença de Jasar, que assistia à cena com naturalidade.

Pouco depois, começou Pecos a falar, expondo um plano de ação para a perseguição de Rabonat.

Nalim, a um canto, ouvia com dissimulada atenção.

Pecos procurou interrogar a prima sobre tudo quanto se passara. Ela contou que na noite do rapto, depois que deixara o primo, fora para seu quarto. Depois de despedir a escrava, preparava-se para dormir, quando um homem surgiu não sabia de onde.

— Quis gritar, mas ele, rápido, tapou-me a boca com a mão. Depois ainda me debati, mas ele amordaçou-me bem. Envolvendo-me em um pano grande, carregou-me às costas como se fora um fardo. À certa altura parou para vendar-me os olhos. Depois, conduziu-me às costas por muito tempo. Soube mais tarde que era Rabonat. Quando tiraram a venda, eu estava em lugar estranho, numa sala parecendo subterrânea. Deram-me de comer e beber, embora eu recusasse. Depois, levaram-me logo ao anoitecer, de olhos vendados, para um local que desconheço. Enfim, soltaram-me em uma rua da cidade. Dali, caminhei pedindo informações sobre o forte e dois lanceiros me conduziram até aqui.

— Sabes quantos eram?

— Creio que uns oito, embora me tivessem trazido somente quatro.

— Não sabes nada em particular que possa orientar-me em sua captura?

— Bem, eu ouvi Rabonat dizer que iam para o estrangeiro, para bem longe, o quanto antes.

— Nesse caso não me escaparão. Já mandei os homens vigiarem todas as portas da cidade e as margens do Nilo. Mesmo sob disfarce serão reconhecidos.

Pecos passou nervosamente a mão pelos cabelos. Não descansaria enquanto não castigasse o escravo que o ridicularizara daquela forma.

Nalim, sabedora da permanência de Rabonat e seus homens na cidade, compreendeu que ele fornecera uma pista errada. Intimamente ficou satisfeita com a astúcia do seu cúmplice.

Depois de conversarem muito tempo ainda sobre os últimos acontecimentos, cada um retirou-se para seus aposentos.

Pôde aquela noite ser uma noite de calma e de repouso para todos, embora em seus pensamentos existissem um turbilhão de idéias de vingança e ódios.

CAPÍTULO IX

O julgamento de Pecos

Muitos dias haviam se passado após os últimos acontecimentos e o suave outono de Tebas principiava a descer sobre todos os seus habitantes.

Naquela manhã límpida e serena, Jasar, montando seu cavalo, troteava pela estrada poeirenta.

Seus pensamentos eram de ansiedade e prazer. Caminhou por algumas horas, finalmente parou, reconhecendo a gruta onde durante dois anos vivera com o velho eremita.

Saltando do animal, dirigiu-se apressadamente para a caverna. Lá entrando, porém, não encontrou ninguém.

— Deve estar fora — pensou.

Sentou-se numa pedra que lá havia a fim de esperá-lo. No entanto, suas pálpebras cerraram-se em um sono estranho. Parecia-lhe que o lugar se transformara e que podia enxergar através das paredes da gruta. Viu logo após, que algo se aproximava, como uma nuvem e aos poucos assumia a forma do velho amigo que viera visitar.

Olhou-o surpreso. Ele falou:

— Escuta. Quando te pedi que aqui viesses, sabia que estaria já morto para o mundo. Sabia também que poderia falar-te como agora. Esperas que te declare tua missão. Não me é dado revelar os desígnios do Alto. Sua prova será de renúncia, paciência e amor. Sabes que peregrinamos na Terra em inúmeras existências, sabes também que tudo quanto nos acontece aí é temporário. Para haurir experiência e desenvolver teus potenciais de espírito eterno, precisas aceitar as determinações da vida. Ela é Deus em ação. Não coloques a felicidade nas ilusões do mundo mas nas verdades espirituais do universo. Elas te levarão ao estado de felicidade interior que nada poderá destruir.

Lembra-te, oh! Jasar, que carregas compromissos não resolvidos do passado. Atende-os agora, para que te libertes deles definitivamente e possas então realizar tuas aspirações de progresso e luz.

Agora, meu filho, vai em paz, lembrando sempre que Deus ampara o caminhante da senda do bem, colocando a seu lado os amigos, os espíritos bondosos que lhe suavizarão a passagem terrena e depois, vencida a etapa, estaremos todos juntos na pátria espiritual. Posso afirmar-te que tudo quanto conheces sobre as leis da vida e da morte é absolutamente certo. Espero futuramente poder dar-te maiores detalhes. Agora, adeus! Quando quiseres procurar-me, faze uma prece a Deus e ao Espírito Superior que rege todas as coisas no mundo. Chama-o por Celeste Amigo, que será como todos o chamarão quando mais tarde habitar a Terra. Boníssimo como é, nos ajudará. Concentra depois o pensamento e a vontade em mim e virei ver-te.

Antes que pudesse dizer algo em resposta, o velho amigo já desaparecera, diluindo-se na claridade que o circundava. Depois a nuvem desfez-se e Jasar despertou emocionado. Sonhara? Não, ele não dormira propriamente. Fora subjugado por uma força superior que o mantivera como que magnetizado. Mas, então, seu velho amigo morrera!

Curioso, circunvagou o olhar pela gruta. Como não notara? Ela parecia abandonada já há tempos; havia teias de aranha em todos os cantos. Somente restava do velho amigo uma cabaça velha atirada a um canto. Jasar, com carinho e respeito, tomou o objeto tão seu conhecido, acariciando-o pensativo. Permaneceu por mais algum tempo na caverna, deixando-se arrastar pelo torvelinho de suas recordações.

Como fora feliz durante os dois anos em companhia do eremita! Quanta simplicidade, sabedoria, vida, alegria, soubera ele fazer penetrar em sua alma. Por fim, suspirando tristemente, saiu da gruta, montando novamente seu cavalo para regressar à casa.

Durante o trajeto ia preocupado com as palavras do velho amigo que não o esclareceram como esperava. Porém, lembrando-se delas sentia o peito oprimido, angustiado. O que lhe reservaria o futuro? Pressentia que seria submetido a uma prova difícil. Por outro lado, vencê-la lhe daria o progresso que buscava. Ele firmou intimamente o propósito de fazer tudo para conseguir.

Mais calmo, sua curiosidade de estudioso falou mais alto. Quem seria esse Celeste Amigo de quem ele nunca ouvira falar? Seria um grande profeta que viria ao mundo, talvez o esperado, mencionado pelos sacerdotes do Ganges? Com certeza, tratava-se de alguém muito poderoso e elevado, pois que Silas o respeitava e o mencionava com amor! Ele prometera voltar, então far-lhe-ia as perguntas que agora lhe queimavam o cérebro.

Quando chegou em casa, era já noite. Se por um lado estava um tanto temeroso, por outro sentia-se confortado. Estava preparado para esperar pelos acontecimentos. Deitou-se, extenuado pela caminhada, caindo logo num sono profundo e reparador.

O tempo foi passando normalmente. Na casa de Pecos, tudo parecia haver retomado seu rumo normal. Osiat restabelecera-se, porém, Jasar prevenira Otias e Pecos que ele sofria de grave moléstia cardíaca. Deveriam evitar-lhe grandes emoções.

A moça, assustada, pois que estimava o pai, cercava-o de carinho. Quando ele voltou a viver normalmente e com ótima aparência, esqueceram-se de sua moléstia.

Dos escravos fugidos, naqueles três meses não fora encontrada nenhuma pista e eles desistiram da busca intensiva. Só Pecos, que reassumira suas atividades, ainda acariciava a secreta esperança de encontrá-los.

Naquela noite de fim de outono, um vento fresco já soprava, mas ainda assim o céu de Tebas era límpido e sem nuvens.

O luar de Tebas era realmente maravilhoso. Quem já teve a oportunidade de vê-lo ao menos uma vez, jamais o esquecerá. Tebas, cidade gloriosa, imponente, majestosa!

Tebas, cidade de luxo, dos prazeres, onde a vaidade e a beleza das mulheres dominavam a magnificência dos homens.

Tebas, onde o luar é mais prateado, onde o céu é mais límpido, onde miríades de estrelas são mais numerosas, onde o ar é balsamizado pelo aroma agradável de seus jardins maravilhosos.

Jasar, recostado em um banco, admirava a magia da noite. Seus pensamentos divagavam por um mundo distante. Otias aproximou-se dele, quebrando o suave encanto que o envolvia.

— Posso sentar-me a teu lado? — perguntou.

— Com prazer, prima.

— Desejaria falar-te por alguns instantes.

— Podes dizer. Sou todo ouvidos.

— Bem, não sei se estás a par de que teu irmão ontem pediu a meu pai, minha mão de esposa — começou Otias, meio indecisa.

Jasar abanou negativamente a cabeça. Ela, encorajada, prosseguiu:

— Fiquei de decidir esta noite, porém, ainda não sei realmente o que fazer...

— Por quê? Teu casamento com ele parece-me que é coisa decidida.

— Mas não crês que para uma união é necessário existir amor?

— Sim, eu penso que sim. Mas se estás receosa, posso dizer-te que Pecos parece querer-te realmente.

— O caso não é bem esse. Oh! Jasar, por que finges não compreender?

Otias, angustiada, torcendo nervosamente as mãos, procurava os olhos do moço, que conservou-se silencioso. Aquela cena o desagradara imensamente.

Ela, entretanto, deixando-se levar por um impulso desenfreado, aproximou seu rosto do moço, procurando tentá-lo. Ele levantou-se.

Otias ergueu-se também e esquecendo tudo o mais, aproximou-se dele, envolvendo-lhe o pescoço com seus braços roliços e morenos.

— Jasar, eu te quero! Por que teimas em desprezar-me? Quisera ser tua de qualquer maneira! Não deixes que eu me case com teu irmão! Serei tua escrava se quiseres, mas dize que também me queres!

Seu rosto colara-se ao do moço. Seus lábios murmuravam doces palavras bem junto aos lábios dele e um estremecimento nervoso lhe percorria o corpo.

Jasar, tentado pela proximidade, abraçou-a por um instante, mas depois brandamente soltou-lhe os braços do seu pescoço e afagando-lhes os cabelos como faria a uma criança, disse:

— Otias. Sei que não me amas realmente. Estás apenas desejando o único brinquedo que não pudeste conseguir. Se me casasse contigo, não seríamos felizes, sei. Teu temperamento mais se harmoniza ao de Pecos do que ao meu. Depois, sou um esquisitão, não gosto da corte, nem de festas. Vivo da vida nômade e não paro muito tempo em um lugar. Nunca me casarei. Certamente faria infeliz minha mulher.

Otias, percebendo que sua última cartada falhara, deixou-se dominar pelo rancor. Empalideceu mortalmente ao responder:

— Eu te ofereci meu amor, minha vida, recusaste. Um dia ainda te farei arrepender por isso. Ainda te verei chorar a meus pés e será então a minha vez. Casar-me-ei com teu irmão, porém, tu pagarás pelo desprezo que me deste.

Sem querer ouvir mais nada do que o moço tentava explicar, voltou-lhe as costas entrando em casa, pálida e transtornada. Foi imediatamente ao encontro de Pecos e do pai que se encontravam palestrando no pátio e disse:

— Primo, vim dar minha resposta. Serei tua esposa.

Pecos, com alegria, levantou-se abraçando-a com ternura. O velho pai sorriu feliz e não viu as lágrimas que Otias procurava vencer.

Nalim, que ouvira a palestra a um canto da sala, sentiu o rosto em fogo. Um sentimento de raiva a dominou. Ela era mais bela, mais atraente do que Otias, no entanto, ele a preferia. Para ela Pecos somente tinha palavras de desprezo e humilhação. Precisava ultimar a vingança. Iria ver Rabonat e com ele tramaria tudo. Tinha um plano em mente, precisava pô-lo em prática e então tudo mudaria.

Procurou acalmar-se e prestar atenção ao rumo que tomava a palestra.

Dizia Pecos:

— Daremos uma grande festa para comemorarmos o contrato de casamento. E marcaremos a cerimônia o mais breve possível.

— Mas uma coisa quero bem clara, — falou Otias altivamente — jamais permitirei que desposes outras mulheres e que tomes escravas da casa. Quero tua palavra de honra que nunca farás tal.

Pecos, corado ligeiramente pelas palavras duras e inesperadas da moça, respondeu prontamente:

— Seja. Tens minha palavra. Podes ter certeza de que serás a única em minha casa e em meu coração.

Otias sorriu satisfeita.

Nalim, aproveitando-se da distração dos três, dirigiu-se para seu quarto. Estava de mau humor. Detestava aquela habitação em comum com as outras escravas. Chamava-as de sujas e mal cheirosas. As outras por sua vez, ironicamente, a chamavam de "princesa".

Deitou-se logo, porém, as outras zombavam dela, imitando-lhe o andar, os gestos, as palavras.

Sem querer brigar, pois que não conviria a seus planos, Nalim levantou-se e saiu novamente para o pátio.

— Solimar, ainda bem que te encontro. Aquelas harpias me estavam provocando. Se eu lá permanecesse, certamente as castigaria.

— Nalim, a culpa é toda tua... Não vês que a mim elas respeitam?

— Mas eu não posso tolerá-las como tu.

— Por quê?

— Porque são escravas de baixa origem. Eu, não. Sou nobre de nascimento, não me misturo.

— Quisera convencer-te da realidade. Todos somos iguais perante a justiça divina. Há uma nobreza que existe realmente e que deveremos levar em conta: a nobreza dos sentimentos e da alma. Quanto ao mais, são coisas que os homens criaram e estabeleceram, são como seus corpos que morrem, temporais, passageiros. Existem dentre elas ótimas criaturas que deverias conhecer melhor. Afinal, Nalim, somos agora iguais a elas em condição. Não poderemos nunca exigir-lhes reverência.

— Não sei, pensas tão diferente! Para mim, são escravas e continuarão sendo. Mas eu não. Eu não me considero igual a elas. Para mim, a nobreza do berço tem muito valor.

— Pobre Nalim! Tu não sabes que quando somos chamados a uma experiência na vida, quase sempre contra nossa vontade, a melhor maneira de a abreviarmos, principalmente quando ela nos é penosa, é procurarmos pôr todo nosso empenho em bem realizá-la, tirando dela tudo o que ainda não temos e que necessitamos para nosso progresso espiritual? Terminando sua função, ela nos abandona espontaneamente. No entanto, se te rebelas e buscas fugir ao destino que a vida traçou em teu próprio benefício, estarás ainda pela tua necessidade unida a ela e quanto mais quiseres fugir, mais serás envolvida. Trata, pois, de resignar-te com teu destino. A vida na Terra é um breve instante que passa logo.

— Não sei, Solimar. Quando falo contigo, vejo as coisas de forma diversa. Mas, ainda assim não posso ter esse conformismo que possuis. Que fazer? Não posso mudar!...

As jovens estiveram pensativas por alguns instantes. Cada uma imersa nas profundezas de seus pensamentos íntimos. Nalim quebrou o silêncio:

— Sabes, o casamento do nobre Pecos com a prima será realizado em breve.

— Isto te contraria?

— Por quê?

— Pelo tom rancoroso de tua voz...

— Sim. Já pensaste que teremos de suportar as ordens daquela antipática criatura como dona da casa?

Solimar fitou Nalim com olhos límpidos e calmos.

— Serão estes teus únicos motivos?

Nalim perturbou-se.

— Que outros motivos poderia ter?

Solimar sorriu compreensivamente. Um sorriso amoroso de mãe para com a filha. Nalim perturbou-se ainda mais.

— Ouve. Certa noite, percebi que estavas triste. Vi quando saíste do nosso quarto e vieste aqui, neste mesmo pátio. Vim também com a intenção de conversar contigo, para encorajar-te se o pudesse fazer. Mas parei à porta surpresa pela tua dança. És magistral quando danças... Queres que te conte o resto?

Nalim ruborizou-se. Nunca poderia supor que aquele seu segredo fosse compartilhado.

— Não te envergonhas de me ter espionado? — respondeu Nalim, meia picada pela vergonha.

Solimar, longe de ofender-se pela brusca frase da amiga, fitou-a serenamente e respondeu:

— Sabes muito bem que não era minha intenção. Apenas não quis interromper tua dança. Depois vi o que houve entre tu e ele, sem intenção de crítica ou bisbilhotice. Quero falar-te sobre este assunto francamente. Sou tua amiga, bem o sabes. Estimo-te verdadeiramente.

— Desculpa-me, Solimar. Seria injusto de minha parte zangar-me contigo. És a última pessoa com quem eu seria capaz de me encolerizar.

— Sou eu quem te deve desculpas pela involuntária indiscrição. Mas escuta-me com atenção. Deves afastar-te o mais possível da presença dele. Eu pressenti o perigo desde o começo. Tens tudo para agradar a um temperamento como o do nosso nobre senhor, ao passo que ele é o tipo de homem que conseguiria te roubar o coração. Logo que aqui chegamos, notei a atração que sentem um pelo outro, embora façam tudo para mascará-la com rancor e orgulho. Deves abrir os olhos, antes que estejas completamente presa e fascinada por ele. Tudo os separa neste mundo e este amor só poderia trazer-te o sofrimento.

— Quanto a isto, estás enganada, Solimar. O que se passou naquela noite foi influência da magia do luar e da música. Qualquer homem naquela situação, ter-me-ia fascinado assim. Eu o odeio! Nunca seria capaz de amá-lo!

— Um excesso de ódio pode significar amor!

Nalim trincou os dentes. De seus negros olhos saíam chispas de rancor quando respondeu:

— Nunca! Um dia verás a força do meu ódio cair toda sobre ele para arrasá-lo. Então, reconhecerás teu engano.

— Ouve. Se o amor no teu caso é perigoso pelo teu temperamento impulsivo e arrebatado, o ódio é muito mais. Se o amor te levasse a entregar-lhe tudo quanto tens, teu corpo, teu coração, teus pensamentos, também te ensinaria a renúncia, e o perdão te adoçaria a sensibilidade. Em compensação, o ódio só poderia lançar-te em abismos tenebrosos de dor e sofrimento, de amargura e revolta! Se um dia provares o sabor amargo da vingança, verás que ela queima mais do que a ofensa recebida e que quando pensamos em justiçar os outros, estaremos justiçando a nós mesmos, escravizando a consciência sobre o peso do remorso, mil vezes pior. Pensa, Nalim. Perdoa... Sê boa! É tão bom poder sentir a alma repleta de paz, de ternura, de amor por todos que nos cercam! Ele fez o que fez, mas não com deliberação para o mal. Apenas cumpriu seu dever de soldado. Criado nesse ambiente, não raciocina sobre o verdadeiro sentido de tal ação. Deixa-o em paz, porque ele talvez venha a sofrer muito mais do que lhe desejas, quando os resultados das suas ações o atingirem. Não há crime sem castigo, mas não é a nós que compete punir. As sábias leis da vida que o grande Rá, criador do Universo, nos deixou, se encarregarão disso. Dá um pouco de paz ao teu espírito tão atribulado. Perdoa!

— Quando me falas assim, Solimar, sinto-me transformada em outra criatura, mais calma, mais leve. Mas perdoar é contra minhas forças. Não posso! Deves ter razão, pois considero-te como uma sacerdotisa de Ísis pelo muito que sabes sobre todas as coisas, mas não posso fingir perante tua amizade o que não sinto. Perdoa-me ser tão má e tão egoísta. Não possuo teu coração!

— Somos todos iguais, minha querida, — respondeu Solimar passando carinhosamente o braço sobre os ombros da amiga. — Apenas eu vivi um pouco mais do que tu. Talvez seja isto.

— Como pode ser? Tu és um pouco mais nova do que eu!

— Não falo da idade de nosso corpo, mas do espírito.

— Então, crês mesmo nas reencarnações como me tens ensinado?

— Diga-me, Nalim, qual seria outra explicação para a diversidade de temperamentos, de situações físicas e financeiras, senão a reencarnação?

— Não sei...

— O grande criador da perfeição Universal não

haveria de proteger a uns e maldosamente maltratar a outros. Uns nascem na opulência, na pobreza, na beleza, no poder; outros, na miséria, escravizados, às vezes aleijados, estropiados, horrendos e famintos. Os senhores de hoje que não souberem agir com justiça e amor para com seus subalternos, serão certamente em sua próxima existência os escravos de amanhã!

— Tudo que me expõe parece ter lógica, mas recuso-me a crer. Tua doutrina eliminaria a base do nosso sistema social. Não posso admitir que eu, nascida na nobreza, venha amanhã nascer na miséria ou doente, feia ou cega! Eu não posso crer.

— É isto que os homens dizem quando não conhecem as coisas do espírito. E é por isto que vêm sofrendo há muitos séculos e sofrerão ainda mais até aprenderem a respeitar as leis espirituais. Elas não mudarão, não te iludas, Nalim, os homens é que terão de mudar. É disto que a vida se encarrega durante as encarnações de cada um.

— Não sei...

As duas moças, silenciosas, cada uma imersa em seus íntimos pensamentos, entraram na habitação para dormir.

Em Tebas tudo era calma. Tudo era paz. Em casa de Pecos tudo era alegria, felicidade e prazer. Grande festa. Muitas luzes, muito vinho, o brilho luxuoso das pedrarias, o riso ruidoso dos convivas.

Era noite de gala. Festejava-se por toda a cidade o contrato de casamento do nobre Pecos com sua prima Otias.

As pessoas aglomeravam-se na rua, frente aos portões da casa, esperando a distribuição de trigo e vinho como era costume em tal ocasião. Muitos permaneciam até a manhã seguinte esperando pelas sobras do banquete.

Como os preparativos estivessem prontos, a festa inicial era realizada naquela noite, e os esponsais seriam somente oito dias depois, porque como era costume, a noiva ficaria três dias recolhida ao convívio das sacerdotisas do templo e o noivo, por sua vez, deveria visitar o templo durante três dias seguidos, a fim de preparar-se para a cerimônia. Este tipo de casamento era costume entre os nobres da corte. O povo não gozava tais regalias.

Depois vinham os banhos preparatórios durante mais três dias seguidos e por fim o casamento, no fim do segundo dia de festa.

Naquela época do ano, o serviço dos lavradores era irrisório, porque com o nível do Nilo muito baixo, a seca se fazia sentir e não havia muito serviço a não ser a criação dos animais, grande comércio de Tebas.

Otias estava radiante. A vaidade de mulher sufocara nela todo sentido mais nobre de amor e de amizade por Jasar ou Pecos. Sentia-se invejada, admirada!

Ela conquistara o grande guerreiro Pecos, que todas admiravam e muitas amavam sem esperanças. Ela seria a rainha de Tebas no luxo e na beleza. Brilharia onde surgisse, ostentando a fortuna do pai, acrescida à do marido. Seria feliz.

Pecos, no entanto, não se sentia feliz. Aquele vago sentimento de apreensão, de mal-estar, lhe voltara naquela noite mais do que em outra qualquer. Sentia-se invadir por uma tristeza singular e não conseguia alegrar-se por mais que tentasse.

À certa altura da festa, Solimar viu Nalim. Esta chamava-a com insistência. Aproximou-se dela:

— Vem comigo, Solimar. Preciso falar-te.

— Estava espiando a festa, Nalim. Mas noto que estás vestida com este manto! Onde vais?

— Psiu! Venha, preciso falar-te! — repetiu tomando-lhe a mão e levando-a até um recanto ermo do jardim.

— Ouve, devo dizer-te adeus. Vou partir. Mas nunca poderia ir sem tentar convencer-te a ir comigo. Conto com amigos influentes que me ajudarão na fuga. Vem, Solimar, partamos!

Solimar, surpresa, olhava a amiga sem saber o que dizer.

— Solimar, sinto deixar-te, vem comigo. Fujamos deste inferno.

— Não posso, Nalim. Sinto que devo permanecer aqui. O que iria fazer em outra parte? Não tenho ninguém!

— E tua mãe?

— É morta, Nalim.

— Como sabes?

— Ela veio ver-me. Eu a vi. Faz dois meses que morreu.

— Isto é ilusão tua! Sonhaste com certeza. Como poderia ser? Vem comigo!

— Não. Sinto a tua partida, mas não posso ir. Peço-te que fiques, não cometas tal loucura.

— Não posso, Solimar. Se um dia a vida nos unir outra vez, seja em que circunstância for, jamais te esqueças que sou tua amiga sincera. Se não mais te encontrar, lembra-te que estarás sempre em meu coração, como gênio bom que me amparou nas horas mais amargas de minha vida! Agora é tarde, adeus!

As duas, sentindo a voz embargada pelos soluços, abraçaram-se ternamente. Depois, Nalim, jogando o véu sobre a cabeça, foi-se a passos rápidos, perdendo-se nas trevas da noite.

Solimar ficou parada, coração opresso, pensando no destino incerto da amiga impulsiva e orgulhosa. Seu coração amoroso temia pela segurança daquela moça que aprendera a estimar profundamente. Suspirando pesarosa, a passos lentos, retornou à casa.

A festa prolongou-se até a madrugada, embora os noivos, como de praxe, se retirassem logo, pois que no dia imediato, deveriam sair cedo para ingressarem nos templos respectivos, cumprindo os rituais programados.

Ninguém, na azáfama da festa, notara a ausência da escrava Nalim.

Na manhã seguinte, Solimar, interrogada por Cortiah, disse que a amiga fora ao mercado como de costume. Cortiah zangou-se, pois sabia da proibição do seu senhor a esse respeito, mas temerosa do castigo que seria ministrado à escrava que estimava, calou-se aguardando sua volta, porém, pronta para uma reprimenda.

Pecos já mais bem-disposto, levantou-se cedo, esquecido de seus temores da véspera e preparou-se alegremente para sua estada no templo.

O sol já despontava, e ele saía de casa, pronto, rumo ao pátio onde o aguardavam um escravo e dois lanceiros. Com um gesto de surpresa, perguntou:

— Por que Omar e Martus não vieram?

— Senhor, — respondeu-lhe um dos lanceiros — divertiram-se muito ontem festejando vossa ventura e hoje encontram-se ainda acamados. Dormem e nada pôde despertá-los. No entanto, viemos para escoltar-vos ao templo a mando do grande Marmuth.

Contrariado intimamente, mas não querendo irritar-se naquele dia tão alegre, montou rapidamente. Afinal, quando se recolhera, bem notara que seus amigos estavam saboreando muito seu bom vinho.

— Vamos então — ordenou — a caminho.

Atingiram a estrada e caminharam por algum tempo silenciosamente. Pecos ia à frente, pensativo e distraído. À certa altura porém, sentiu forte pancada na cabeça, tombando ao solo pedregoso desacordado.

Imediatamente os dois que o acompanhavam, desmontaram e debruçaram-se sobre ele.

— Ainda bem — disse um — penso que fizemos bom trabalho.

Satisfeitos, levantaram o corpo de Pecos, colocando-o sobre a sela do seu animal e amarraram-no bem para que não caísse.

Caminharam assim mais algum tempo, depois enveredaram por um atalho estreito indo dar à cabana em que estivera Otias prisioneira. Carregando o corpo desacordado de Pecos, entraram na casa.

Ao vê-los, um brado de alegria se fez ouvir por todos que esperavam. Eram em número de trinta entre homens e mulheres. Estas eram apenas cinco.

Rabonat, como chefe, quis ouvir a narrativa dos dois falsos lanceiros e sorria satisfeito. Depois disse:

— Agora nada mais nos falta, poderemos seguir. Descobri um lugar ideal e lá estaremos seguros. A presa é rara. Será procurada como nunca. A caminho, pois!

Cada um tomou o que lhe competia e saíram.

Rabonat à frente, os outros em fila indiana, pois o caminho era estreito, seguiam-no silenciosamente.

Eram todos em sua maioria escravos, mas alguns poucos eram prisioneiros fugidos graças ao auxílio de Rabonat.

Nalim, presa de um sentimento contraditório, caminhava entre eles, calada.

A insegurança de seu destino a amedrontava, porém, a certeza da aventura, da liberdade, embriagavam-na.

Contava atingir sua casa na terra distante. Haviam combinado que, quando em lugar seguro, cada um seguiria seu próprio destino.

Caminharam durante muito tempo. Agora já marginando o Nilo. À certa altura, à hora quase crepuscular, resolveram parar para descansar.

Pecos despertara e embora lhe doesse a cabeça terrivelmente e a sua posição fosse muito cansativa, já se inteirara da sua condição de prisioneiro.

Reconhecera Rabonat apesar do seu disfarce de mercador, assim como alguns dos escravos e os dois falsos lanceiros.

Seu ódio contra Rabonat não o deixara analisar o perigo de sua própria situação. Seu sangue quente de egípcio e de soldado circulava aceleradamente.

Por diversas vezes tentara inutilmente romper as cordas que o amarravam e só conseguira machucar-se. Elas lhe penetraram nas carnes, sentia seu corpo doer terrivelmente.

Seus olhos injetados seguiam sem cessar o vulto de Rabonat.

Ao acamparem, Rabonat ordenou a dois homens que tirassem Pecos da incômoda posição e o conduzissem à sua presença. Em seguia, sentou-se ao chão, convidando os demais a que fizessem o mesmo ao redor.

Pecos, apesar de entorpecido e faminto, mantinha-se em pé em atitude arrogante.

— Guardem-no para um pouco mais tarde — sentenciou Rabonat olhando-o zombeteiro, sem levantar-se — agora vamos comer alguma coisa, depois conversarei com ele.

Os dois homens que o seguravam, levaram-no a um canto isolado e empurraram-no brutalmente.

Pecos caiu ao solo, tentando ainda uma vez desprender-se das cordas que o amarravam.

Seus olhos injetados pareciam os de uma fera acuada. Só então reconheceu Nalim entre os que ali estavam. Surpreso, olhou-a fixamente, e os olhos dela brilhavam estranhamente.

Sem poder conter-se, ela foi até ele e olhando-o altiva, disse:

— Parece que os papéis se trocaram, nobre senhor! A escrava agora é senhora! Agora posso dizer-te: odeio-te. Ainda espero vingar-me. Agora sofrerás tudo quanto me fizeste sofrer!

Sacudida de um frêmito nervoso, Nalim, olhos semicerrados, estava toda concentrada na força daquele ódio.

Pecos, porém, dominando sua revolta, respondeu com voz em que transparecia todo o seu desprezo.

— Pois saiba que teu ódio me é indiferente, assim como tua estima. Criaturas como tu, nem sequer merecem meu pensamento de desprezo.

Nalim enfureceu-se. Queria que ele sofresse, se abatesse, chorasse, blasfemasse mesmo, cobrindo-a de impropérios, mas não podia suportar essa indiferença fria que a esmagava.

Rabonat, que se aproximara, disse:

— Deixa, bela Nalim. É cedo para tua vingança. Todos temos contas a ajustar com este nobre "amigo" e o faremos em comum.

Depois, dirigindo-se a todos, disse:

— Trataremos de descansar um pouco e depois continuaremos a caminhada. Precisamos vencer este trecho do deserto à hora do sol encoberto, pois do contrário, ser-nos-á penoso. Antes do meio da noite partiremos novamente.

Assim, depois de alimentados e mais descansados, seguiram novamente.

Pecos, agora, ia já montado normalmente. Estava seriamente preocupado. Naturalmente ninguém ainda dera pela sua ausência. Todos sabiam-no ausente por três dias. A única maneira de um socorro seria se os sacerdotes, notando sua demora, o procurassem, alertando assim os seus. Mas essa esperança era muito remota. Os sacerdotes, ocupados com seus misteres ocultos, pouco saíam. Viviam reclusos em mosteiros, estudando constantemente, indo passar alguns dias com a família na cidade, de tempos em tempos, revezando-se em seu trabalho.

Sentia que se distanciava muito, o que tornaria sumamente difícil ser encontrado pelo seu exército.

Haviam passado por Mênfis, que dormia, e continuaram pelo deserto rumo ao desconhecido.

Tinham saído do roteiro comum. Caminhavam sempre, parando de quando em quando para comer suas provisões e descansar.

Tudo o mais continuava na mesma. Chegaram por fim, após muitos dias de árdua caminhada, a uma zona rochosa e árida. Já tinham saído das terras do Egito.

Rabonat conduziu-os por um estreito caminho, consultando um desenho traçado em um papiro.

Volteando montes pedregosos, por fim pararam numa grande gruta na rocha.

— É aqui — designou Rabonat. — Ficaremos por algum tempo a fim de decidirmos nossos rumos.

Todos, exaustos pela caminhada, já que os animais não tinham suportado bem a viagem, sendo mesmo necessário pelo caminho acidentado desmontá-los, suspiravam aliviados.

Estavam sujos, cobertos de poeira, completamente esgotados. Haviam levado vinte dias para chegar ao local onde estavam.

Tudo correra bem, pois que o plano fora bem delineado e eles levavam três dias de vantagem sobre os perseguidores.

Com certeza os estariam buscando com avidez, mas agora seria muito difícil encontrá-los. Precisavam ter cuidado, porque poderiam mandar emissários ao rei da Palestina, então, tudo se lhes tornaria difícil.

Ali, com um dia de viagem, poderiam ir a Ráfia disfarçados para saberem das novidades.

Rabonat, após ter descansado algumas horas, saiu, voltando pouco depois, anunciando que as mulheres ficariam na gruta que encontrara pouco além.

Sendo duas delas casadas com dois fugitivos, foi estipulado que ficariam com esses dois homens para as proteger.

Assim, eles pareciam felizes e despreocupados. Cada dia mais e mais se capacitavam da conquista de sua liberdade e apegando-se a ela, preferiam morrer a ter que retornar. Resolveu-se que um dos homens iria à província mais próxima, saber das novidades.

Disfarçado habilmente, ele se pôs a caminho.

Mais três dias se passaram sem que retornasse ao esconderijo. Quando voltou, vinha temeroso e aborrecido.

Contou a Rabonat que por toda parte se viam lanceiros com ordem de procurar Pecos, trucidando os demais, sem contemplação.

Haviam seguido a pista e descoberto, segundo pudera saber por intermédio de um soldado que conseguira embriagar, a pequena casa onde se haviam reunido tantas vezes. Depois, com cautela e perícia, haviam chegado a Ráfia donde não arredavam pé, na certeza de que a pista terminava ali.

Rabonat, chamando Tilat, expôs-lhe a situação e os três juntos buscaram uma solução.

— Em primeiro lugar, precisamos dar um destino ao prisioneiro. Ele nos atrapalha os passos e sem ele estaremos mais seguros — resolveu Tilat.

— Certo — consentiu Rabonat — ainda hoje teremos seu julgamento. Todos decidiremos sua sorte, uma vez que todos fomos ofendidos por ele.

À noite, sob a luz bruxuleante de alguns archotes e de um pequeno braseiro onde assavam as carnes, reuniram-se todos para deliberar o que fariam com o prisioneiro.

Pecos, embora abatido pelos maus tratos e pela humilhação, ainda se conservava altivo, possuindo no olhar a mesma chama voluntariosa que o tornava sempre superior aos olhos de seus comandados.

Empurrado a um canto, aturava os apupos dos que o escarneciam.

Nalim, olhos brilhantes, respiração suspensa, não conseguia afastar o olhar do rosto expressivo do prisioneiro.

Rabonat, colocando sobre uma pedra seu caneco de vinho, disse limpando a boca com o braço:

— Silêncio, amigos.

Todos, respeitosos, calaram-se esperando suas ordens. Ele continuou:

— É chegada a hora de darmos destino a este nobre senhor que tanto mal nos fez, conduzindo-nos à miséria moral, ao abandono dos nossos familiares, à perda de nossa liberdade.

Um brado entusiástico saudou as breves palavras de Rabonat.

— Cada um o acusará face a face, sugerindo um castigo, e o que for aprovado pela maioria, ser-lhe-á aplicado.

Pecos empalideceu de raiva, humilhação e terror. Aqueles homens eram bárbaros! Que o matassem logo de uma vez! Morreria como soldado!

-- Tu, Tilat, serás o primeiro. Fala.

Tilat avançou um passo, encarando o prisioneiro. Estava meio embaraçado. Nunca odiara realmente Pecos, faltava-lhe o prazer para vingar-se dele.

Limitou-se a contar sua triste história, seus anseios de moço, sua vida ao lado da esposa e da filha que era de meses quando as deixara.

Comoveu a todos profundamente.

Pecos sentia o coração apertado e talvez, pela primeira vez em sua vida, começou a duvidar da nobreza do seu caráter. Começou a perceber a injustiça que praticara contra aqueles homens.

Tilat terminou, dizendo:

— Como castigo, sugiro que seja enforcado ao amanhecer.

Assim, um após outros sucederam-se acusando, narrando cenas comoventes de suas vidas.

Pecos estava moralmente sucumbido. Nunca observara seus atos por aqueles ângulos.

Estava surpreso! Aquele homem perverso, destruidor de lares, de sonhos, de paz, não podia ser ele. Pela primeira vez, sentiu vergonha de si mesmo.Todos invariavelmente pediam-lhe a morte. Pecos sabia que não sairia com vida daquela aventura.

Seu pensamento voltou-se a Amon-rá implorando-lhe uma oportunidade de sanar o mal que praticara.

Se lhe poupassem a vida, dedicar-se-ia exclusivamente ao bem de todos, indistintamente, procurando restaurar o mal praticado.

Tal era seu estado de espírito e ao ver Nalim, bela e altiva, em pé à sua frente, estremeceu de angústia. Era ela agora sua acusadora!

— Nobre Pecos, eu te odeio! Qual um abutre, rodeaste minha casa onde vivia feliz e era o único motivo de alegria de meus pais, abastados e ricos senhores, descendentes de um rei! Com tua voz e tua música, iludiste meus sonhos de adolescente e quando buscava encontrar o dono de tal voz, fui covardemente agredida e transportada a tua casa como serva! O que sofri de humilhação e de vergonha nunca poderias conhecer. Nobre chefe Rabonat, a morte seria um castigo por demais sereno! A morte o levaria aos tortuosos caminhos do Amenti, mas assim ele nunca poderia avaliar bem o nosso sofrimento. Eu tenho uma idéia melhor. Proponho que o escravizemos também, e que ele sinta na carne e no coração todas as torturas que nos fez sofrer.

Um viva entusiástico saudou as palavras da moça. Nalim tremia, presa de violenta emoção.

Pecos, pálido, porém mais sereno, aguardava a solução que dariam à sua vida.

— Que seja escravo — gritaram todos a uma só voz.

Rabonat, indeciso, perguntou a Nalim:

— Achas que seria fácil? Ele seria reconhecido e liberto. Todos por estas paragens o conhecem.

— Senhor, — tornou Nalim — tenho uma proposta a fazer-vos. Meus pais, como já vos falei, são nobres e poderosos. Residem em Nínive. Pagarão bom preço por este escravo e lá tão longe, ninguém o reconhecerá. Quando lá esteve, procedeu com prudência, certamente disfarçou-se. Assim, sugiro que me acompanhem até lá. Sei que alguns de vós possuem recursos, porém meus pais são magnânimos e vos recompensarão bem pela minha volta à casa.

Alguns discordaram, porém, depois de muito discutir, ficou resolvido que deveriam separar-se para não atrair a atenção, mesmo porque muitos deles estavam ansiosos por retornar aos seus.

Cinco havia que não possuíam rumo certo nem fortuna. Entre eles Rabonat. Assim, eles iriam com Nalim, levando o prisioneiro. Lá, o venderiam como escravo e ainda seriam recompensados generosamente pelos pais da moça.

Prepararam tudo para a partida que seria ao anoitecer do dia seguinte.

As despedidas foram comoventes. Entregaram o prisioneiro cegamente a Rabonat, certos de que ele cumpriria o combinado. Conheciam-lhe o ódio que nutria por ele.

Nalim, acabados seus preparativos, saiu um pouco para respirar o ar fresco da noite.

Pecos, amarrado novamente pelo tronco, aguardava a hora da partida. Ao ver a moça, chamou-a com voz firme. Ela estremeceu. Aproximou-se sem dizer palavra, parando a seu lado à espera de que ele falasse. Pecos perguntou:

— Por que me salvaste a vida?

Nalim ligeiramente embaraçada respondeu:

— Porque a morte ser-te-ia um alívio, ao passo que a vida como escravo te será mais penosa.

— Acreditas nisso? Hei de provar-te que a vida como escravo não será assim tão ruim.

Nalim, enrubescida, percebeu-lhe o olhar zombeteiro, o riso escarninho. Ele se divertia à sua custa.

— Talvez a coragem que agora alardeias te falte no futuro. Guarda-a, pois que dela precisarás.

Assim, afastou-se desdenhosa. Pecos ficou pensativo. Como poderia compreender aquele gesto? Surpreendera-lhe diversas vezes certa ternura no olhar, mas ela era tão complexa, tão orgulhosa!

Como era fascinante! Aqueles dias de uma convivência mais acentuada, fizeram-no notar detalhes de sua beleza que ainda desconhecia. Seu riso alegre e transbordante, seus gestos ternos para com todos que a abordavam. Ela sentia-se feliz agora rumo à casa paterna.

A viagem foi penosa e demorada. Pecos, nas províncias onde passavam, era forçado a usar disfarce e apesar de ser desamarrado nessas ocasiões, era seguido de perto por Rabonat e pelo seu terrível punhal.

Chegaram às margens do Eufrates, atravessaram-no e depois de mais alguns dias, atingiram Nínive, sãos e salvos.

Nalim exultava, reconhecendo sua terra, seu povo, seus costumes. Seus olhos brilhavam intensamente e seu riso se fazia ouvir com mais freqüência. Agora já conseguia ensinar-lhes o caminho.

Ao chegar frente à casa paterna não pôde conter as lágrimas de alegria. Parecia-lhe emergir de um pesadelo profundo e tenebroso.

Entrando pelos profundos jardins, seguida pelos companheiros, em poucos instantes chegou à casa. Logo vislumbrou o vulto de seu velho pai, repousando em um coxim no amplo terraço que circundava a casa.

Nalim, sem poder conter-se mais, atirou-se-lhe nos braços.

A surpresa de seu pai foi indescritível. Seu corpo magro estremecia convulsivamente movido pelos soluços, enquanto suas mãos trêmulas acariciavam sofregamente os cabelos da filha querida.

Os seis homens estavam emocionados. A cena era tocante.

Nalim, a custo, reconhecia o pai naquele homem alquebrado e emagrecido.

— Onde está minha mãe? Quero abraçá-la, vê-la...

— Filha, tua mãe não resistiu como eu ao golpe que nos atingiu. Quando desapareceste misteriosamente, ela adoeceu gravemente. Conseguiu salvar-se na ocasião, mas dois meses depois expirou, não mais resistindo à dúvida pela tua sorte. Falou teu nome até quando exalou o último suspiro.

Nalim, abraçada ao pai, chorava convulsivamente. Num repente de ódio, levantou-se e voltando-se para Pecos, gritou-lhe:

— Assassino! Covarde, assassino de minha pobre mãe! Pagarás pelo crime que praticaste. Hei de dedicar minha vida inteira a fazer-te sofrer. Tudo quanto sofreres será pouco para descontar o muito que me deves.

Pecos, comovido pela cena, baixou a cabeça envergonhado. Tal como se sentira na caverna. Compreendia o drama daquele homem que perdera a filha e a esposa por sua culpa, pela sua irresponsabilidade.

O velho, com atenção voltada para aqueles homens, pediu à filha que lhe contasse toda a verdade.

Primeiro, Nalim exigiu que prendessem Pecos na cela onde de hábito trancafiavam escravos rebeldes; depois, fazendo seus companheiros de fuga sentarem-se ao lado de seu pai, contou-lhe ela sua história.

O velho ouvia surpreso e revoltado. Se houvera desconfiado onde a tinham levado, certamente a teria ido buscar, ainda que isso lhe custasse a vida.

O sangue belicoso dos homens de sua raça fervilhava em suas veias. O velho Salil sentia que lhe faltava o ar, tal era sua excitação nervosa. Quando a filha terminou sua apaixonada narrativa, Salil disse colérico:

— Amanhã mesmo hei de ir pessoalmente avistar-me com teu raptor. Já antegozo o prazer de triturar-lhe as carnes aos poucos com meu punhal! Quem ousou tocar-te e escravizar-te pagará com a vida a ousadia.

O velho estava pálido. Nalim disse-lhe:

— Não, meu pai! Não quero que lhe tires a vida. Isto nós mesmos já poderíamos ter feito.

Surpreso, Salil perguntou:

— Mas... Como? Então ainda lhe pouparam a vida?

— A morte, meu querido pai, seria um castigo muito pequeno para ele. A morte é repouso, paz. Ele precisa sofrer, precisa pagar tudo quanto nos fez. Deixaremos que ele viva, mas como escravo, não livre. Fá-lo-emos passar pelas mesmas penas que nos afligiu. Tendo-o aqui, poderemos nos vingar dele todo o instante, assim o castigaremos muito mais.

Os olhos de Nalim brilhavam estranhamente. Em sua voz, grave e doce, havia agora lampejos de um ódio intenso e apaixonado.

— Seja, filha, concordo contigo; poderemos assim saciar nossa vingança.

Nalim narrou ao pai o acordo que fizera com Rabonat sobre uma recompensa prometida e o preço que pagariam por Pecos como escravo.

Salil, satisfeito com o retorno da filha e a presa em que poderia saciar seu ódio, recompensou-os regiamente.

— E agora, nobre Rabonat, quais são teus planos? — perguntou Nalim.

— Creio que vou ser mercador — respondeu ele, sorrindo satisfeito — não tenho família, portanto espero ainda vir a casar-me. A liberdade me é muito cara, assim sendo, procurarei distanciar-me mais e mais das terras do Egito. Seguirei adiante.

Sem outras palavras, despediu-se cortesmente do velho Salil e da filha. Retirou-se em seguida juntamente com seus amigos.

Nalim realizou seu desejo intenso de retornar à casa paterna, mas não soube perdoar, esquecer. Em sua vida, tudo aparentemente tomou o curso normal, mas seu coração não saíra ileso da aventura. Ele estava cheio de ódio, de sentimentos rancorosos e, ao mesmo tempo, de estranha fascinação por esse estrangeiro que de senhor, passara a escravo.

CAPÍTULO X

Promessa e provação

Na casa de Pecos, os preparativos para as bodas iam a termo. Esperava-se impacientemente o retorno dos noivos. Tudo fora modificado a gosto de Otias, que tornara a casa ainda mais suntuosa.

O velho Osiat, feliz, cuidava do bom andamento do serviço, vigiando se tudo estava de acordo com os desejos da filha.

Enfim, realizaria seu sonho! Já estava velho e doente e sua filha não ficaria desamparada após a sua morte. Conhecia bem o sobrinho e muito o estimava.

Impaciente, Osiat olhava sempre para a estrada à procura da liteira que traria sua filha de volta, devidamente instruída sobre suas obrigações matrimoniais.

À certa altura, o velho viu uma comitiva que se aproximava. Era ela com certeza. Correu às portas do jardim para recebê-la.

Otias regressava feliz e bem-disposta. Perguntou por Pecos. Soube que ele não regressara ainda e ficou contrariada. Ele deveria ter voltado para recebê-la.

Mas Jasar a esperava. Depois de cumprimentar o primo e abraçar o pai, penetraram na casa.

As horas se escoavam e a noite descia trazendo toda sua agradável frescura, e Pecos não voltara.

Todos começavam já a impacientar-se. Faltavam somente três dias para as bodas e havia muitos preparativos a ultimar.

No dia seguinte, começaram a ficar ligeiramente preocupados. Parecia que algo estranho sucedera, pois que Pecos já deveria ter voltado.

Mandaram chamar Martus a fim de perguntar-lhe

sobre Pecos, uma vez que ele teria sido um dos que o acompanharam até o templo de Amon.

Martus ficou desolado, pois nada poderia informar. Vira Pecos na noite da festa. De fato haviam combinado que ele o acompanharia, mas bebera demais e quando acordara, já ia o dia em meio. Viera correndo até a casa de Pecos, mas soube por um servo que ele já tinha partido bem cedo em companhia de dois soldados.

O velho Osiat recriminou Martus pela sua negligência e ordenou que fosse até o templo indagar de Pecos. Era tudo muito estranho!

Martus voltou esbaforido com a notícia de que Pecos não havia estado no templo. Apenas mandara um lanceiro avisando a transferência das bodas, dizendo que explicaria depois.

Otias, aflita, chamou Jasar narrando-lhe o sucedido. Jasar, temeroso pela vida do irmão, sugeriu a Martus que organizasse um bom número de lanceiros e saíssem em busca de Pecos.

Otias, desesperada, mais pelo fracasso de seu casamento do que pela vida do noivo, via aproximar-se o dia da cerimônia.

Jasar, preocupado, procurava uma explicação. O nome de Rabonat veio-lhe à mente logo. Se seu irmão lhe tivesse caído nas mãos, não mais estaria vivo. E a fuga das duas escravas da casa teria alguma relação com o desaparecimento do irmão? Era bem provável. Os dias iam passando, e Pecos não era encontrado.

O Faraó, ciente do ocorrido, organizou verdadeiros planos de captura esquadrinhando todas as estradas.

Conseguiram encontrar uma pequena casa que servira de esconderijo a Rabonat e seus homens. Identificaram-na pelos objetos que encontraram pertencentes a ele e ainda pelos vestígios claros de uma fuga preparada com rapidez.

Na casa de Pecos, seus familiares estavam desolados. Tudo fazia crer que os raptores já tivessem fugido para longe, provavelmente levando seu prisioneiro, uma vez que o cadáver de Pecos não fora encontrado.

Além do mais, Osiat, com os contratempos que vieram inutilizar seus mais caros desejos, recaíra enfermo, sendo bastante grave seu estado.

Naquela noite fresca de um luar opalino, Jasar estava triste e acabrunhado, apesar de toda sua força de vontade no sentido de dominar-se.

Estimava muito o irmão, a quem se apegara bastante depois da morte dos pais. Temeroso, pedia aos imortais por ele. Mas, por mais que procurasse tornar-se otimista, estava triste e com o coração envolto em maus presságios. O tio enfermo. Otias caíra em uma apatia nervosa que nem a doença paterna conseguia demolir.

O ambiente da casa era opressivo. A única luz que brilhava em torno deles, era o devotamento de Solimar. Jasar enternecia-se ao lembrar seu desvelo por todos os que necessitassem dos seus cuidados. Ele sentia necessidade de paz, de calma e de conforto espiritual.

Pôs-se a caminhar a esmo e sem sentir, chegou ao local onde encontrara Solimar pela primeira vez. Novamente notou a beleza acolhedora daquele recanto ameno e agradável. Sentou-se ao pé da grande árvore ali existente. Seu olhar perdeu-se contemplativamente na imensidão do infinito. Gostava de observar e meditar sobre os fenômenos da vida, da natureza, perguntando-se por que a maioria dos homens no dia-a-dia não se dava ao trabalho de investigá-los.

De repente ouviu passos. Alguém se aproximava. Jasar, contrariado por ver seu sossego perturbado, ia levantar-se, quando, aliviado, deparou com Solimar.

Esta, ao vê-lo, embaraçou-se:

— Desculpai se vim perturbar-vos, mas eu me retiro.

— De modo algum, não consinto. Eu é que usurpei-te o lugar de repouso, vindo gozar aqui a quietude da noite. Já que vieste, fica. Não desejo perturbar teu recanto preferido, mas seria um prazer podermos conversar um pouco. Senta-te aqui ao meu lado.

Jasar falava-lhe não como a uma escrava, mas como a uma igual. Para ele, Solimar era um elevado espírito e sua condição de escrava não o tolhia.

Um pouco ruborizada, ela sentou-se na relva ao lado dele. Nunca estivera tão próxima a ele. Isto perturbava-a agradavelmente.

Jasar representava para ela muito mais do que a bondade ou a compreensão. Sentia por ele uma ternura infinita que não procurava sufocar, embora soubesse ser um amor impossível às leis humanas.

Jasar, sentindo a proximidade da moça, também exultava interiormente, desejando prolongar ao máximo aquele momento.

Conversaram sobre diferentes assuntos, porém, sem refletir no que diziam, pois seus pensamentos estavam concentrados naquela irresistível atração.

Jasar olhava o meigo rosto de Solimar e havia todo o ardor de uma ternura profunda em seus olhos.

A moça, sentindo o peso daquele olhar, olhos baixos, levemente ruborizada, procurava controlar as batidas do coração terrivelmente aceleradas.

— Solimar, olha para mim. Quero ver teus olhos.

Ela vagarosamente alçou a cabeça, e ele viu na luminosidade daqueles olhos radiosos aquilo que seu coração pedia.

Esquecidos de tudo o mais, viviam aqueles minutos infinitamente felizes, longe de tudo e de todos. Depois, Jasar, num impulso mais forte do que sua vontade, apertou-a efusivamente em seus braços, cobrindo-lhe de beijos os cabelos revoltos.

Ela, feliz, deixou-se ficar assim, sem falar, com receio de quebrar o encanto do momento.

— Solimar! Eu te amo! Desde o primeiro instante em que te vi, fiquei preso à tua cativante personalidade e quanto mais te conhecia mais e mais te amava. Consintas em ser minha esposa, só contigo serei feliz!

Solimar, com a voz embargada de emoção, à custa respondeu:

— Mesmo que a vida venha a destruir-me após este instante, ainda que eu sofra mil vezes futuramente, tudo será compensado pela felicidade deste momento!

— Não fales de coisas tristes agora. Sabendo que retribuis meu amor, não deves recear nada. Eu te protegerei contra o mundo inteiro se preciso for.

— Oh! como sou feliz ao ouvir-te! No entanto, deves saber que como escrava não tenho direito ao casamento e muito menos com um nobre como tu.

— Saberei vencer todos os obstáculos. Nada temas. Serás minha esposa. Depois, juntos estudaremos, viajaremos por outras terras, iremos à procura de tua mãe, saberemos se é mesmo verdade que morreu. Viveremos uma vida maravilhosa, tu e eu.

Enquanto ele continuava falando sobre o futuro risonho, Solimar deixou-se ficar em seus braços, meiga, terna e feliz.

— Dize se me queres para esposo — pediu ele teimosamente, desejando ouvi-la repetir isso.

— Sim, te quero! Se quiseres, serei tua esposa.

Ali mesmo, selaram o pacto amoroso com um beijo terno e apaixonado, e Jasar deu-lhe um pequeno anel como compromisso.

Solimar, por sua vez, ofertou-lhe um pequeno medalhão de madeira onde estava pintada sua imagem.

— Deveremos aguardar alguns dias para saber o rumo dos acontecimentos. Depois contarei tudo a meu tio e se Pecos regressar, tenho certeza de que me ajudará a receber permissão do Faraó e dos sacerdotes para o casamento. Viremos sempre nos encontrar aqui, todas as noites para conversarmos, se possível.

Permaneceram mais algum tempo abraçados, conversando. Por fim, despediram-se e seus corações felizes entrelaçavam sonhos de amor e felicidade.

Alguns dias mais se passaram. Tudo continuava na mesma. Osiat, porém, certa tarde, piorou subitamente. Otias, sacudindo o desânimo que a deprimia, concentrou toda a sua atenção na saúde do pai.

Solimar ajudava como podia. Sabia que ele ia morrer. Via ao redor do leito formas transparentes de seres espirituais que trabalhavam ativamente naquele sentido. De repente, reconheceu dentre eles o vulto amigo de seu amoroso pai. Agradavelmente surpresa, ela fixou-lhe o semblante boníssimo, agora rejuvenescido.

— O que estarão fazendo? — pensou ela.

O espírito de seu pai sorriu e ao mesmo tempo segredou-lhe em pensamento:

— Prepara-te, filha, para ser forte. Ele logo estará vivendo a verdadeira vida. Deves ter resignação em todas as provações que fores forçada a passar.

Depois, pousou a mão sobre a fronte do enfermo. Este, como que aliviado de seus sofrimentos, conseguiu respirar melhor.

— Jasar, meu filho, preciso falar-te.

Jasar, chamado à cabeceira do enfermo, sentiu que ele não resistiria à crise.

Solimar, a um canto, orava em pensamento por aquele velho que gemia asfixiado pela moléstia.

— Estou aqui, meu tio, podes falar.

— Jasar, sei que vou morrer! Não queria agora desertar a vida. Minha filha fica sem ninguém no mundo, possuindo somente a ti como amparo e proteção. Meu coração sofre por deixá-la ao desamparo!

— Podes contar comigo, tio! Velarei por ela como por uma irmã — volveu Jasar serenamente.

O velho, arfando, ofegante, esclareceu:

— Mas, isso não basta. Eu estava sossegado com referência ao seu futuro por causa do casamento com Pecos. Mas agora que ele não está para cumprir o contrato, sinto-me triste por não poder esperar que minha filha se case. Nestas circunstâncias, desejo pedir-te que cases com ela em lugar de teu irmão.

Um pesado silêncio se seguiu a estas palavras, somente cortado pela respiração dificultosa de Osiat.

Otias, cabeça baixa, coração batendo acelerado, esperava a resposta do moço com muito interesse.

Solimar, pálida, trêmula, a custo reprimia a angústia.

Jasar, revoltado e surpreso, não sabia o que responder. Sabia que não deveria contrariá-lo, porque agravaria fatalmente seu estado. Ao mesmo tempo, sentia a tremenda responsabilidade que lhe pesaria se concordasse com ele.

— Dize... dize depressa que te casarás com ela... Preciso saber, estou perdendo as forças... depressa!

Jasar, aterrado, buscou instintivamente os olhos de Solimar para neles encontrar um apoio, uma solução.

Ela, pálida, porém serena, acenou-lhe com a cabeça afirmativamente.

Jasar, após enviar-lhe um olhar desesperado, murmurou sucumbido:

— Bem, tio, casar-me-ei com ela.

O velho pareceu aliviado. Fechou os olhos por algum tempo, depois, chamando-os mais perto, tomou-lhes das mãos unindo-as sobre a cama, dizendo:

— Promete que cumprirás o que te peço, logo após a minha morte.

— Sim, tio, prometo.

Havia um surdo desespero na voz que ele procurava tornar firme.

Osiat sorriu. Deixou pender no leito a cabeça encanecida e nada mais disse. A noite ainda não baixara sobre aquela parte da Terra, e já o velho Osiat deixara de existir no mundo terreno.

A situação era dolorosa para Otias que, inconformada, dava largas ao desespero.

Jasar, pálido, sofria duas mortes consecutivas: a do tio e a de suas ilusões de amor.

Solimar, o coração opresso, esquecia sua própria amargura, para sofrer por Otias e também por Jasar.

Sentia-lhe a dor íntima, sofria por não poder ajudá-lo. Orava fervorosamente aos imortais que lhes dessem forças para vencer aqueles dolorosos momentos. Fitava o pequeno anel que Jasar lhe dera, e o coração apertava-se pelo desengano sofrido.

Jasar providenciou os preparativos para o sepultamento. A casa tornara-se infinitamente triste. Parecia que todos tinham sido envolvidos por uma série de desgraças. Até os escravos, afeitos ao ambiente, sentiam-se deprimidos e desanimados.

Uma noite, dias depois, realizadas já as solenidades da mumificação e do sepultamento do corpo de Osiat, Jasar, sem poder conter-se, procurou por Solimar em seu recanto favorito.

Ia amargurado. Seu coração sofria pelo rumo imprevisto que tomavam os acontecimentos. A moça, triste, o esperava. Quando ele se aproximou, ela falou:

— Recebi recado de que querias falar-me.

— Sim, Solimar. Não posso mais agüentar sozinho o peso das resoluções que me obrigaram a tomar. Arrependo-me de ter empenhado minha palavra ao tio. Poderia velar por Otias sem a necessidade do casamento.

— Jasar, estás errado. Tu que possuis uma tão grande força moral, tu que conheces os grandes mistérios que envolvem a vida na Terra... Não, não posso crer que sejas um fraco e não possas levar a termo a sagrada missão que te solicitou aquele pai angustiado e agonizante! Crês que serias feliz se agora não procurasses bem cumprir tua palavra?

Jasar baixou a cabeça um tanto confundido pela serena energia da moça. Não a julgava capaz de tanto desprendimento, tanta elevação de espírito. Positivamente ela lhe era superior. Para justificar-se, ele disse:

— Mas é a ti que eu amo! Não poderei ser para ela um esposo amoroso. Irei traí-la constantemente a contragosto, pois que meu pensamento será teu e jamais poderei esquecer-te!

O rapaz segurava-lhe uma das mãos e a cobria de beijos.

Solimar, olhos marejados de lágrimas, sentiu uma vontade infinda de atirar-se-lhe nos braços, de o consolar com palavras de carinho e de amor, porém, dominando-se energicamente, retirou a mão com delicadeza, dizendo:

— Eu te compreendo. Crês que não sofro pela morte de nossas ilusões? Crês que não coloco minha máxima ventura em uma convivência permanente contigo como tua esposa? Sofro como tu, mas nós sabemos que esta separação será temporária. O que são uns poucos anos de vida terrena comparados à eternidade? Lá no Além, onde as almas se unem pela força dos sentimentos, certamente nos encontraremos e poderemos então realizar o nosso sonho. Não como agora o faríamos, temporariamente ou a custo de embotarmos as nossas consciências, mas quites com nossas obrigações e livres em um mundo maior e melhor! Pensa como é insignificante o tempo de separação para nós!

Jasar a ouviu sentindo-se mais calmo. As palavras dela recordaram-lhe, de repente, o espírito de Silas quando lhe aparecera na gruta. Lembrou-se que prometera a si mesmo superar a provação. E fora a pequena e frágil Solimar quem o chamara ao dever!

Cabisbaixo, ele sentia vergonha da sua fraqueza.

Ela continuou:

— Vai, realiza tua missão. Esquece os sonhos loucos que alimentamos. Nós estamos aqui a serviço, tentando cumprir determinações da vida. Ela sempre faz tudo certo. Não poderemos pensar em felicidade agora, já que estamos sendo convocados a outros caminhos. Esta renúncia nos é necessária, uma vez que nos está sendo exigida. Cumpramos, pois, da melhor maneira nossa tarefa. Casa-te com a nobre Otias. Procura ser para ela um marido bondoso, tolerante, sincero. Esquece-me como mulher, mas lembra-te sempre da amiga sincera, da companheira espiritual que te esperará até a hora em que estejamos livres. Assim encontrarás forças para reagir e cumprir tua promessa. Otias te ama! Eu o sei! Quem sabe um dia poderás amá-la também.

— Solimar, como és bondosa! Tua alma é tão nobre! Sinto-me como um criminoso ao pensar que poderia induzir-te a fraquejar na luta. Perdoa-me.

Ele contemplou-a e viu seus olhos banhados de lágrimas, os lábios contraídos em um enorme esforço de vontade. Sem conter-se mais, abraçou-a terna e desesperadamente.

— É a nossa despedida, Jasar! Não és livre mais. Não podes abraçar-me.

Sem mais resistir a avalanche de beijos que ele lhe dava na testa, nos cabelos, na face, ela abraçou-o também e trocaram o beijo amargo do adeus.

Depois, ela fugiu, deixando-o infinitamente triste, olhando as estrelas com os olhos parados, enevoados, sem nada ver. Para ele, Solimar revelara-se a deusa, a luz, a perfeição, o inatingível. Ele lamentou mais uma vez a ventura que lhe fugia.

Depois, lembrou-se novamente das palavras do amigo e orou fervorosamente, implorando sua presença compreensiva.

Desta vez, porém, ele não apareceu, mas Jasar sentiu que uma aragem suave, fresca, o envolvia enquanto uma voz lhe dizia intimamente:

— O caminho é um só e tu o sabes. Prepara-te para segui-lo. Tem fé e estaremos contigo. Repousa agora das preocupações dos últimos dias.

Depois disso, Jasar sentiu-se invadido por uma doce sonolência. Compreendeu que fora atendido na súplica. Retirou-se a passos vagarosos para o interior da casa.

Solimar, porém, após o violento esforço que fizera, recostou-se a um banco em um sítio deserto, pondo-se a chorar sentidamente. Em seu pranto não havia amargura, mas apenas tristeza.

Orou fervorosamente, pedindo às potências divinas proteção, forças para resistir à provação e logo sentiu que sua serenidade lhe voltava.

Permaneceu muito tempo ainda assim, em um letargo, depois por sua vez retirou-se para sua habitação.

CAPÍTULO XI

Quem planta, colhe

A aragem do tempo varreu as areias dos últimos acontecimentos, na grande viagem da vida terrena. Muitas coisas se modificaram envolvendo os personagens desta história.

Era tarde. Um calor sufocante torturava os habitantes de Nínive, a bela e suntuosa capital da Assíria. Nínive, cidade dos obeliscos, das grandes estátuas de madeira guarnecendo castelos decorados em cores vivas e bizarras.

Sua gente, menos pacata de natureza do que os de Quinit, preparava-se para novas conquistas após haver escravizado a Palestina e o Golfo Pérsico. O Império Assírio estendia suas armas sobre o mundo civilizado da época, numa ânsia incontida de conquista e de poder.

No magnífico palácio onde vivia Salil com a filha, a vida continuava normalmente.

Apesar de hebreu, Salil ocupava alta posição diplomática junto ao imperador, que soubera conquistar graças a sua inteligência maneirosa e sutil.

Salil viera com seus pais a Nínive, por ocasião da ocupação do seu país de origem, mas apesar dos preconceitos raciais que conservava intimamente, sua personalidade servil o fizera progredir muito mais do que em tais condições se poderia esperar.

Aliás, o imperador, ciente de que a melhor maneira de dominar o povo hebreu era a de angariar-lhe a simpatia, anistiou todos aqueles nobres que se declarassem publicamente cidadãos assírios. A minoria que se havia recusado a tal, fora escravizada barbaramente.

Entretanto, o povo hebreu, embora aparentemente

estivesse servindo o novo imperador, com a astúcia que lhe era característica, continuava a tramar, tendo organizado às escondidas uma sociedade secreta pró-libertação de seu povo. Salil era um dos chefes do movimento, embora nem mesmo a filha soubesse.

Na casa de Salil, os escravos eram tratados com rigor e a tolerância não era conhecida. Aplicavam os castigos mais bárbaros para justiçar os escravos faltosos. Porém, um escravo existia lá, tratado muito pior do que os demais: Pecos.

Aqueles dois anos tinham-no mudado consideravelmente. Seu físico já bem desenvolvido, mais se robustecera no trabalho árduo e grosseiro, porém, seu rosto humanizara-se, o que aumentara seu carisma natural, tornando-o mais atraente. Fora encarregado de fazer os mais duros serviços domésticos e ainda era obrigado a atender os caprichos numerosos de Nalim. Orgulhoso, procurava desempenhar bem todas suas tarefas, não dando oportunidade a que ela o castigasse.

Apesar disso, ela não perdia oportunidade de humilhá-lo e escarnecê-lo na presença dos demais.

Pecos, porém, embora ferido profundamente em sua vaidade de soldado conquistador e de homem, calava-se e embora o fizesse, em seus olhos Nalim não via a derrota, mas desdém e indiferença.

Isto a exasperava tornando-a mais rude, agressiva e caprichosa, provocando-o desejosa de uma reação violenta que não acontecia.

Apesar de estar de novo em casa, Nalim não era feliz. Vivia nervosa e insatisfeita. O tédio invadia-lhe a alma. O pai, amoroso, solícito, proporcionava-lhe um ambiente de luxo, de esplendor, de festas, a fim de contentá-la. Porém, nada conseguia modificar seu estado de espírito.

Tudo para ela era inexpressivo. A vitória que conseguira, possuía um sabor diferente do que imaginara. Não se arrependera do que realizara. Estava satisfeita por ter o orgulhoso senhor de outrora à sua mercê e por haver ferido Otias, a quem odiava gratuitamente. Porém, desejava que Pecos sofresse, e a resignação do rapaz a exasperava, tornando-se uma obsessão. Não conseguia pensar em outra coisa a não ser em atingi-lo.

O resultado era que amiúde o chamava, encarregando-o de pequenos serviços desnecessários, que ele procurava realizar com infinita paciência. Muitas vezes, ela, zangada pela indiferença dele, procurava tentá-lo disfarçadamente com atitudes de abandono e languidez.

Pecos, endurecido pelas humilhações, sempre que ela o chamava, usava toda a força de vontade no sentido de ser-lhe indiferente; no entanto, a beleza, seu caráter arrebatador de mulher voluntariosa, insinuara-se em seu coração roubando-lhe o sono e o sossego.

Apesar disto, ele estava resolvido a não fraquejar, porque temia o seu desprezo. Pela primeira vez estava apaixonado e ele escondia esse sentimento, guardando-o no íntimo como uma coisa sagrada. Ela jamais o saberia. Percebia-lhe a provocação, mas sabia que ela buscava ensejo para escarnecê-lo.

Naquele entardecer, Salil, sentado em um banco, conversava com a filha um tanto preocupado.

— Filha, isto não pode continuar. Estás com vinte anos! Breve não mais estarás em idade de casar. É imperioso que te cases. Aliás, para consolidarmos nossa situação aqui, precisas casar com um militar da corte. Assim, nos garantiremos pelo resto da vida.

A moça sacudiu os ombros displicentemente, respondendo:

— Ora, meu pai! Tenho feito o possível para conseguir gostar de alguns rapazes que aqui temos recebido, mas ainda não encontrei o homem capaz de tornar-se meu marido.

— Filha, estou velho, não posso viver muito, preocupa-me teu futuro. --- Salil passou a mão pela testa enrugada. — Além do mais, tenho um pressentimento estranho que me obriga a tratar logo da questão.

Ele estava de fato preocupado. Dois dos membros

de sua sociedade secreta de conspiração haviam desaparecido misteriosamente e se as autoridades ou os sacerdotes os houvessem capturado descobrindo a trama, estariam fatalmente perdidos.

Nalim, porém, desconhecendo os motivos do pai, sorria despreocupada, acreditando-se livre para esperar. Nunca havia pensado em casamento, e o culto reverente que os homens rendiam à sua fulgurante formosura a entediava.

De repente, quebrando o silêncio da noite que já caíra inteiramente, o mesmo canto ardente que a seduzira outrora se fez ouvir a alguma distância. Nalim, cerrando os olhos, fingiu repousar para melhor ouvir a música de esplêndida beleza e a magia daquela voz.

Pecos cantava! Seu canto nostálgico lembrando a pátria distante, enchia a noite de matizes cintilantes de saudade! Nalim adorava ouvir música. Sua sensibilidade altamente vibrante, tocada pela beleza daquele canto, deixava-se embalar pela magia do momento, perdendo a noção do tempo.

Tudo era calma, magia, repouso. Nada prognosticava a tempestade iminente. Nada os preveniu do rumo que tomariam os acontecimentos.

A certa altura, porém, quebrando o silêncio, surgiu um homem apressado. Sua fisionomia demonstrava terror. Estava lívido.

Assim que o viu, Salil levantou-se apressadamente, invadido por secreto receio.

— Salil! Preciso falar-te urgentemente!

— Fala — ordenou ele.

— É algo muito grave — murmurou olhando significativamente para Nalim.

Ela compreendeu, ia retirar-se, porém, Salil disse:

— Fica, filha. Podes falar, Josias. Tencionava contar-lhe tudo. Não importa, podes falar.

— Bem. Soube-o por intermédio de um amigo que trabalha no palácio. Nossos homens foram descobertos e estão presos. Submetidos às torturas, contaram parte dos nossos segredos. Tememos que eles revelem nossos nomes, então estaremos perdidos. É necessário que fujas o mais depressa possível! Se nada suceder, alegarás uma viagem urgente quando regressares, mas não deves perder tempo. Tenho tudo preparado, parto imediatamente.

— Creio que tens razão. Iremos também nos esconder nas cavernas da terra de Judá. Lá nos encontraremos.

Nalim, surpresa, assustada, não compreendia o sentido do estranho colóquio. Assim que Josias se retirou apressado, Salil, como que revestido de novas energias, ordenou à filha que se preparasse para viajar.

Iriam só os dois, nada dizendo aos escravos sobre a viagem, a não ser que a faziam por questões financeiras.

Nalim, ainda aturdida, colocou uma capa sobre os ombros rapidamente, tomando suas jóias e colocando-as em um saco de viagem juntamente com mais alguns objetos íntimos e uma muda de roupa.

Encontrou-se com o pai no corredor, e ambos ganharam o jardim onde os esperavam dois cavalos prontos para partir.

Após as ordens necessárias aos escravos e servos, eles partiram rápidos. Seus vultos perderam-se nas sombras da noite.

Esta já ia em meio quando os escravos da casa foram despertados por um ruído estranho. O palácio acabara de ser invadido por cavaleiros do imperador. O chefe dos soldados bateu violentamente à porta, chamando pelos escravos.

Um deles, assustado, acorreu pressuroso.

— Onde está o chefe da casa?

— Saiu, senhor! — respondeu humilde o escravo.

— Onde foi? — tornou o soldado.

— Viajou com a filha, inesperadamente.

— Sabes o que foi fazer?

— Parece-me que receber uma herança de um

parente que acaba de falecer.

— Hum!... — resmungou o soldado — eu sei que parente ele foi ver! Ouça, o palácio está cercado. Tudo que aqui existe, bem como terras, casas, animais e escravos, é agora propriedade do grande imperador de toda a Assíria! Salil e a filha serão prisioneiros, e os sacerdotes resolverão sobre suas vidas.

O escravo, surpreso, boquiaberto, ficou parado olhando o cavaleiro. Este berrou:

— Então, seu vagabundo, crês que iremos passar a noite aqui fora? Abre, que queremos revistar a casa.

O chefe da cavalaria mandou que alguns de seus homens dessem busca pela casa, enquanto outros o faziam pelas redondezas. Certo de que a presa lhes escapara, ordenou a perseguição dos fugitivos, seguindo a pista ainda fresca dos cavalos na estrada.

Salil e Nalim cavalgavam às pressas, tendo já saído da cidade. Salil dizia:

— Se alcançarmos o deserto, estaremos salvos.

Ela porém, não respondeu, tal era sua preocupação. O pai contou-lhe a conspiração que tramara para derrubar o imperador. Ela censurou-lhe a imprudência que lhes arruinara a vida.

Salil ia agitado e aflito. Sua saúde precária, agravada agora pela preocupação, pelo susto, os impedia de atingir maior velocidade.

A certa altura, vendo o pai extenuado, Nalim propôs que procurassem um sítio para repousar. Haviam cavalgado toda a noite e a madrugada já rompia. Desejoso de recuperar as forças, ele concordou.

Não se julgavam ainda perseguidos, portanto, quando encontraram um pequeno bosque, desmontaram, arrumando da melhor maneira possível uma cama para repousar. Abatidos pelos últimos acontecimentos, exaustos, dormiram logo. Foram porém despertados por um ruído próximo.

Salil e a filha levantaram-se rápidos para fugir, porém, era tarde. Já tinham sido vistos. Em poucos instantes, estavam cercados pelos soldados, que riam satisfeitos.

— Em nome do imperador, estão presos. Tenho ordens para levar-vos ao palácio por crime de alta traição.

Trêmulos, pai e filha se deixaram amarrar e cabisbaixos, sucumbidos, foram conduzidos de retorno a Nínive. Lá chegando, o povo, sabedor do acontecimento, parava para observar o cortejo que seguia a passo.

Nalim, abatida, humilhada, ainda mantinha o orgulho que lhe era característico e seu porte altivo impressionava o povo. O velho Salil, porém, estava sucumbido. Abatido, doente, mal podia manter-se sobre o animal.

Por fim, chegaram ao forte onde ficavam os prisioneiros. Salil pediu para ser conduzido à presença do imperador. Foi-lhe recusado.

Pai e filha, atirados a uma masmorra, não sabiam como proceder.

O tempo para eles começou a arrastar-se de uma maneira lenta e torturante. Salil, amargurado, temia pela sorte da filha. Maldizia-se por ter-se envolvido em tal assunto.

Os dias sucediam-se e nada acontecia. Finalmente os prisioneiros viram a porta abrir-se e o carcereiro lhes disse:

— Aprontai-vos para comparecerdes frente ao grão-sacerdote, na sala da justiça. Diante do imperador e do povo, sereis julgados. Todos os sacerdotes estarão presentes para ouvir-vos.

Trôpego, sentindo o sahgue fugir-lhe, Salil, amparado pelo braço da filha pálida, acompanhou o carcereiro. Chegaram a um grande pátio onde seria realizado o julgamento.

De um lado, o povo se comprimia para assistir à solenidade, de outro, os nobres e as classes privilegiadas.

Ao centro, sentado em enorme e magnífico trono esculpido, o imperador dos Assírios, com seu cetro.

Trajado de alvo linho, trazia à cabeça uma coroa de contas, pintadas em cores vivas. Seu aspecto era imponente.

Em cada lado do trono, havia sobre o tablado duas piras acesas, como símbolo da purificação das criaturas. Depois, vinham as cadeiras dos sacerdotes, cinco de cada lado do imperador.

Mais à frente, um pequeno espaço quadrado, profundo, era o local onde seriam colocados os prisioneiros que, como criminosos, deveriam ficar em nível inferior aos demais.

Os dois prisioneiros, assustados pela severidade do ato, permaneciam à entrada, interditos.

Depois, sob vaia do povo que enchia sua dependência, foram empurrados até o centro do pátio, descendo ao local que lhes era reservado. Circunvagando o olhar pela assistência, eles viram que alguns dos antigos amigos, agora, escarneciam deles.

Conheceram de um relance a hipocrisia da corte, das amizades de conveniência que os bajulara até a véspera.

O povo, a plebe, mais capacitado para compreender as misérias humanas, compadecia-se já de Nalim, impressionado pela sua extrema beleza. Afastados a um canto, reconheceram eles os escravos de sua casa. Todos amarrados uns aos outros pelos pés, lembravam um rebanho de animais bravios.

O coração de Nalim bateu mais forte: Pecos estava entre eles! Seus olhos, fixos nela, brilhavam estranhamente.

— Parece que ele está ansioso. Será por mim? — pensou ela. O coração bateu-lhe mais forte. Logo baixou a cabeça desalentada. — Não pode ser! Ele teme seu próprio destino!

Deveria odiá-la por tudo quanto lhe fizera. Deveria estar satisfeito com sua humilhação! Não! Ela não lhe daria o prazer de sucumbir diante dele! Ficaria firme até o fim!

Embora o coração opresso, ela, rendendo culto ao seu amor-próprio, alçou a cabeça com altivez e aguardou o início da cerimônia.

O julgamento seria sumário e a aplicação da pena, imediata. De início, os sacerdotes celebraram os rituais de uso e depois, em nome da justiça, sacrificaram uma serpente, como símbolo do castigo ministrado a um traidor.

O espetáculo era realmente dantesco. O animal estorcia-se no fogo, enquanto os sacerdotes pronunciavam palavras do ritual, com encenações vistosas.

Depois, um deles chamou o oráculo do imperador para falar sobre o crime cometido pelo réu. Este usou da palavra relatando com certo exagero toda a trama imputada a Salil. Muitos dos que estavam envolvidos no caso foram forçados sob coação a relatar tudo quanto sabiam.

Entretanto, uma coisa ficara provada. A moça nada sabia sobre o assunto e dele não participara. Imediatamente ela foi retirada do lado do pai e levada até onde estavam os escravos.

Salil, já quase sem forças, sentia que a vida lhe fugia com a separação da filha querida. Mas, respirou aliviado julgando-a salva.

Depois, em virtude da elevada posição que Salil ocupava junto ao soberano, este em pessoa o interrogou:

— Que tens a dizer sobre o ocorrido?

Salil, sabendo que nada lhe valeria negar, pois que seria coagido por meios violentos, respondeu:

— Reafirmar que a parte de culpa que me cabe, eu a reconheço. Arrependo-me de ter-me envolvido em tal aventura. Preciso declarar que minha filha nada sabia, porque não concordaria comigo. Ela é filha deste país e considera-se verdadeiramente uma assíria.

O imperador de fato reconhecia ser verdade este ponto, mas a lei do país castigava os pais e os filhos até a quarta geração.

Portanto, embora ela estivesse livre da participação na trama, era culpada pelo crime do pai. A lei era clara e dizia que a punição do criminoso seria de morte e que a de seus descendentes seria a miséria, não sendo reconhecidos seus direitos de nobreza.

Salil, pálido, continuou:

— Muitos foram os serviços que vos prestei antes de cometer tal fraqueza. Em nome deles, peço-vos clemência para minha filha.

O chefe do povo assírio sorriu e com olhos brilhantes insinuou:

— Existe algo que precisas revelar-me. Se o fizeres, serei complacente com tua filha.

Salil estremeceu. Ele não poderia revelar os segredos de seus companheiros ainda livres, porém, para ganhar tempo, assentiu.

Um dos sacerdotes, então, desceu até ele e conversaram a meia voz.

Dizia Salil:

— Não sei. Não vos posso dizer.

— Além de traidor, és mau pai! Condenas tua filha à morte e pactuas com os ingratos visionários como tu. Não negues, tu sabes o que desejamos.

Salil, realizando tremendo esforço, perguntou:

— Se eu revelar tudo, minha filha será libertada?

— Sim, embora perca o direito de teus bens.

— Então não revelo, porque prefiro vê-la morta a atirá-la na miséria.

O sacerdote, ardiloso, querendo arrancar-lhe o que sabia, disse:

— Ora... ela é muito bela! Poderemos casá-la com um nobre da corte.

Ingenuamente Salil acreditou nele, respondendo:

— Está bem. Direi tudo. Antes, porém, falarei ao povo de Nínive. Pergunta ao grande chefe se as condições estão aceitas.

O sacerdote foi até o soberano com ele, conversando a meia voz. O rei, olhando para Salil, assentiu com a cabeça.

Salil, então, foi sacudido por uma nova energia. Dir-se-ia que aquele corpo exangue e desalentado readquiria toda a sua força. Ele bradou:

— Tomo o povo por testemunha de tudo quanto vou dizer. Primeiro, desejo ouvir do sumo sacerdote, as condições que combinamos para realizar nosso acordo.

Os sacerdotes fizeram um gesto de contrariedade. Eles não esperavam que Salil lhes exigisse uma promessa pública. O imperador, com o cenho enrugado levemente, nada dizia.

Os sacerdotes confabulavam a um canto. Sabiam que se lhe negassem tal promessa, Salil deixar-se-ia matar sem nada revelar, e eles precisavam conhecer toda a extensão do movimento.

Torturá-lo seria inútil, porque seu corpo não resistiria. Eles precisavam mantê-lo vivo para arrancar-lhe os segredos. Pensaram em torturar-lhe a filha, mas fraco como estava, coração enfermo, estaria sujeito a morrer de repente. A melhor forma, portanto, seria concordar, mas depois precisariam cumprir o prometido, pois que assim o exigiria a vontade do povo.

Eles receavam irritar ainda mais os súditos que já eram explorados em suas economias demasiadamente. Politicamente, eles precisavam agradar um pouco a massa, porque assim continuariam dominando. Resolveram, portanto, concordar.

Um deles conversou com o Imperador e depois, dirigindo-se ao povo, falou:

— Povo de Nínive. Bem sabeis da bondade do nosso soberano. Apesar da traição, o criminoso poderá prestar-nos um grande serviço, revelando certos segredos que desejamos para manter a segurança do país. Como costumamos recompensar regiamente os serviços que nos prestam, resolvemos perdoar Nalim, a filha de Salil, dando nossa palavra de bem casá-la com um cavalheiro de nobre estirpe. Tomamos o povo por testemunha que faremos.

Salil suspirou aliviado. Depois, em voz baixa, conversou longo tempo com o sacerdote sobre tudo quanto ele desejava saber.

Nalim sofria atrozmente. Seu orgulho espezinhado, humilhado, seu pobre pai tão altivo, tão superior, maltratado como um cão danado. Ela percebera o desesperado esforço do pai para assegurar-lhe o futuro e temia receosa.

Depois, Salil foi condenado a morrer na fogueira, que o purificaria da traição cometida. Exausto, ele tombou ao solo desacordado.

Nalim, aterrorizada, via os preparativos para o suplício do pai. Sem poder conter-se mais, tonteou. Ia cair. Somente viu que um rosto ansioso se debruçava sobre ela. Sentiu-se envolvida por dois braços fortes. Reconheceu Pecos, depois perdeu os sentidos.

Quando os sacerdotes tomaram do corpo de Salil para o amarrarem ao poste do sacrifício, perceberam que seguravam um cadáver, mas não querendo decepcionar os que assistiam e aguardavam a dantesca cena, procederam ao ritual normalmente.

O povo delirava, possuído de verdadeira sanha maligna. Sentia-se forte cheiro de carne queimada. Depois, os despojos foram retirados solenemente para serem levados ao templo, para aplacar a fúria dos deuses, provocada pelo crime.

Para refazer o ambiente, foram queimadas ervas aromáticas. Passados os primeiros instantes, o povo exigiu:

— A promessa! Queremos que se cumpra a promessa!

O Imperador mandou que o sacerdote socorresse Nalim, ainda desacordada, sentada ao chão, amparada por Pecos.

Ela foi levada ao tablado, onde os sacerdotes lhe ministraram medicamentos. Retornou a si, porém, seus olhos aterrorizados procuravam em vão a figura do velho pai. Parecia haver se reanimado, mas estava em pé devido aos recursos médicos dos sacerdotes. Seus olhos brilhavam de febre e percebia-se que seu raciocínio estava confuso.

Tendo o soberano se sentido um tanto indeciso sobre como resolver o problema, começou a falar dirigindo-se diretamente ao povo.

— Hoje, estamos exaustos e necessitamos de repouso. Dentro de oito dias, nos reuniremos aqui novamente para resolver o caso. Prometo-vos que o farei de acordo com os vossos desejos. Minha palavra foi dada e, portanto, será cumprida.

Assim, aquela nefanda sessão encerrou-se finalmente, e os escravos foram conduzidos à prisão, inclusive Nalim, ficando porém os homens separados das mulheres.

O assunto, completamente novo, corria de boca em boca. A maioria conhecia de sobra a bela e orgulhosa Nalim. Estavam interessados em conhecer-lhe o destino. Plebeus e nobres, todos se preparavam para a sessão seguinte, como para uma festividade.

Sabiam também que a sorte dos escravos seria decidida e a propriedade vendida. Muitos estavam interessados em um bom negócio.

Nalim caíra em apatia. Adoecera gravemente. Embora tratada pelos sacerdotes, seu estado não era bom.

Enquanto isto, o Imperador preocupava-se em arranjar um noivo para Nalim. O problema era difícil, pois que nenhum dos nobres de sua corte aceitaria a filha de um criminoso.

Esperava mesmo que ela morresse para solucionar a questão. Porém, Nalim era jovem e forte, e embora abatida, resistiu à febre nervosa que tivera.

Pecos, entretanto, não tinha repouso. Preocupava-se pela sorte da moça. Sabia que talvez a matassem para furtar-se ao cumprimento de tão absurda exigência. Ele precisava libertar-se de qualquer forma!

O tempo passava e ele não encontrava solução. Até que chegou o dia esperado.

Todos foram conduzidos ao enorme pátio, aguardando o início dos rituais. O local estava repleto.

Nalim, pálida, trajando alva túnica de linho preparada para a ocasião, aguardava quase indiferente. Seus nervos abalados estavam isentos de emoções fortes.

A cerimônia começou. Terminados os rituais, o vice-rei, paramentado especialmente, começou a falar, oferecendo Nalim em casamento aos nobres da corte.

O silêncio era completo. O povo, em expectativa, aguardava que alguém se manifestasse. No entanto, ninguém se atrevia!

Nalim era oferecida, seu corpo soberbo, exibido como tentação para encorajar o casamento.

De repente, um moço simpático, trajando uniforme militar, enveredou dentre os nobres e pediu licença para falar ao Imperador. Este, aliviado, julgando ter encontrado o marido para a moça, assentiu.

Curvando-se reverente frente ao soberano, o jovem falou:

— Oh! Grande Imperador das terras da Assíria, em nome do meu país vos saúdo. Peço licença para ofertar-vos um presente do Faraó do meu país.

Logo chamou por alguém que apareceu dentre os convivas, carregando uma arca de tamanho regular.

O imperador, surpreso, aquiesceu benevolente. O rapaz continuou:

— Sou o guerreiro Martus, vim de Quinit. Minha missão é de paz, meu soberano deseja vossa amizade.

— Levanta e fala o que aqui te trouxe.

— Tendes aqui como escravo um dos chefes militares de meu senhor. Desejamos pedir-vos a sua liberdade para o levarmos de retorno à pátria.

— Um chefe militar? Como escravo? Conta-me tudo. Preciso conhecer toda a história.

Martus relatou tudo quanto sabia. Não satisfeito, o rei mandou que ele apontasse o escravo e o mesmo fosse trazido à sua presença.

Pecos, radiante, reconhecendo o amigo, sentiu

que uma nova vida se abria para ele. Com o coração pulsando desordenadamente, subiu ao tablado.

O povo, sem compreender o que se passava, aguardava silencioso, tentando ouvir o que diziam.

Pecos, com sua atitude nobre e segura de homem da corte, agradou o soberano, que lhe pediu para relatar o que realmente acontecera. Este obedeceu, mas não mencionou Nalim nem sua participação na trama que o envolvera.

Interessava ao Imperador assírio sobremaneira a amizade do poderoso Faraó do Egito. Precisava conhecer-lhes as forças, o sistema de governo e para isto, desejava conquistar-lhe a estima. Devolvendo-lhe o importante guerreiro, certamente o conseguiria.

Ordenando a Pecos e Martus que esperassem ao lado, reuniu os sacerdotes, expondo-lhes o problema. Um deles então teve a idéia:

— Vossa autoridade poderia livrar o escravo do embaraço, sugerindo que ele nos livrasse também. Contaríamos sua história ao povo e ele casar-se-ia com a moça. Levando-a para um país distante, dela nos livraremos para o futuro.

Satisfeito com a idéia, Farfah, o soberano, chamou os dois homens, expondo-lhes o problema em poucas palavras.

— Lá em tua terra, ela não é criminosa, poderá por sua nobreza ser recebida na corte. Basta que silencies os acontecimentos.

Pecos sentia o coração bater aceleradamente. Jamais esperara que tudo tomasse tal rumo. Concordou imediatamente.

Martus, reconhecera a antiga escrava, mas vendo que Pecos nada dizia, calou-se.

O vice-rei, a par do assunto, contou a todos os motivos da visita de Martus e noticiou que em nome do Imperador e da corte, reconheciam a nobreza de Pecos, bem como sua posição frente ao Faraó de seu país, considerando-o daquele dia em diante seu hóspede.

Imediatamente Pecos, conforme o combinado, bradou:

— Neste caso, posso pleitear a mão da filha de Salil!

A multidão, deliciada com o rumo imprevisto dos acontecimentos, aplaudiu frenética.

Nalim sentiu-se sacudida intimamente por uma força estranha.

— Ele! — pensou. — Sempre ele no meu caminho!

— Consinto — declarou Farfah. — Realizaremos a cerimônia amanhã e com ela, considero-me desobrigado da palavra empenhada.

O imperador deu ordem para o encerramento da reunião, ao mesmo tempo, encarregou o vice-rei do alojamento condigno de Martus e Pecos.

Os dois amigos desejavam estar a sós para conversar. Antes porém, Pecos aproximou-se da noiva e verificando seu precário estado de saúde, pediu ao vice-rei que a alojasse condignamente.

Dadas as ordens necessárias a um dos escravos, este conduziu-os por extensos corredores. Pecos gentilmente colocara a mão de Nalim sobre seu braço. Chegando à porta do quarto a ela destinado, pararam.

Martus e o escravo, discretos, caminharam para a frente.

Pecos, olhando a moça firmemente, disse algo irônico:

— Não houve outro recurso! Talvez preferisse a morte do que ser minha esposa, mas creia que penso de forma diversa. Para mim a liberdade vale quase todos os sacrifícios. Só não a trocaria pela honra! Esse preço eu nunca pagaria.

Nalim sentiu tremenda alusão à sua fuga do Egito e um frio de gelo cobriu seu coração. Aparentando serenidade, respondeu:

— Compreendo teu gesto. Talvez que em outros tempos eu preferisse a morte, porém, hoje, tudo o mais se me torna indiferente.

— Amanhã, após a cerimônia, partiremos de retorno à pátria. Podes no entanto contar com minha proteção de soldado e de homem de honra. Agora, vou-me embora. Amanhã nos veremos à hora da cerimônia.

Nalim assentiu com a cabeça e penetrou no aposento. Foi atendida por uma escrava ainda jovem que observando-lhe a palidez, preparou-lhe um banho de ervas perfumadas.

Deitada suavemente no pequeno tanque, Nalim deixou-se conduzir em abandono. A escrava banhou-lhe os cabelos e o corpo, friccionando-o com um bálsamo agradável. Cuidou especialmente de seus cabelos e de suas mãos. Depois, vestiu-a com leve túnica de cambraia finíssima, servindo-lhe um caldo quente que a moça bebeu com prazer.

Preparou-lhe a cama macia, convidando-a ao repouso. Nalim deitou-se. Todos aqueles cuidados de que se havia privado durante muitos dias, contribuíram para proporcionar-lhe alguma serenidade.

Seu pensamento girava no redemoinho incessante dos últimos acontecimentos. Nalim pensava... Seria a esposa do odiado Pecos. Ele certamente também a odiava! Haveria de desprezá-la para vingar-se! Naturalmente casada com ele, sua situação seria mais triste do que quando sua escrava. Ele não conseguiria amá-la. Durante todo o tempo, desde que o conhecera, empregara todos os meios para persuadi-lo a isso. Não conseguira.

Uma sonolência agradável foi aos poucos tomando conta de seus membros, e ela adormeceu.

Enquanto isto, Pecos e Martus, reunidos em um quarto onde deveriam passar a noite, conversavam animadamente. Pecos contara toda a sua história ao amigo e agora perguntava pelos seus.

— Faz três meses que me ausentei da pátria, mas as notícias a dar-te são muitas. Teu tio Osiat morreu pouco tempo após a tua partida, obrigando teu irmão, caso não regressasses dentro de certo prazo, a casar-se com tua prima para garantir-lhe o futuro. Este não pôde recusar-se e é hoje o marido de tua ex-noiva.

Pecos suspirou aliviado.

— Lamento a morte do tio, mas o casamento de Jasar com Otias salva-me de um tremendo embaraço. Se ela houvesse esperado por mim, certamente me causaria aborrecimentos ter que regressar casado. Mas, dize-me, como soubeste onde eu me encontrava?

— O Faraó jamais deixou de procurar-te, mas minha permanência aqui destina-se a outro fim. Vim incógnito com poucos homens, para estudar as condições do país e uma possível ameaça aos nossos domínios. Ao notar o movimento desusado, indaguei do motivo e não me foi difícil saber do que se tratava. Curioso e querendo também aproveitar a oportunidade de conhecer o sistema da terra, rumei para o pátio. Lá, tive a enorme surpresa de reconhecer-te dentre os escravos. Quando me certifiquei da tua identidade, elaborei o plano, mandando buscar por um dos meus homens a pequena arca com as jóias que trouxera para vencer as dificuldades, indo, enquanto isto, vestir minha roupa de militar. Depois, dei início ao que planejara. O resto, já sabes.

Os dois calaram-se pensativos.

— E agora, que pretendes fazer? — inquiriu Martus. — Vais casar com a bela escrava?

— Não me resta outra sorte.

— E vais reconhecê-la em nossa terra como tua legítima esposa?

— Foi o que prometi e deverei cumprir. Cuidemos agora dos preparativos da viagem. Quando poderás partir?

— Bem... creio que esta noite mesmo. Já sei o que queria saber.

— Então, caro Martus, retornaremos juntos.

Os dois amigos continuaram conversando animadamente e era já muito tarde quando exaustos, conseguiram dormir.

CAPÍTULO XII

Entre o ódio e o amor

O dia seguinte amanheceu claro e lindo. Como de hábito, a cerimônia do casamento seria na parte da manhã.

O Imperador, querendo mostrar sua magnanimidade, mandara aos noivos diversas arcas com presentes e um belo traje de cerimônia para Nalim.

Esta, triste, seguia o curso dos preparativos com indiferença. Encontrava-se só. Seu pobre pai, assassinado covardemente. Seus antigos amigos e parentes lhe voltaram as costas, demonstrando claramente quanto valiam seus sentimentos de amizade. Por último, via-se constrangida a casar-se com um homem a quem odiava profundamente e por quem certamente era odiada. Uma vez casados, encontrar-se-ia à sua mercê e ele poderia vingar-se dela quanto lhe aprouvesse.

À hora da cerimônia tudo estava preparado. Foi uma noiva pálida que deu entrada na sala onde ela seria efetuada.

Pecos, garboso no uniforme que Martus lhe emprestara, já a esperava juntamente com este último.

A sala estava repleta de nobres, e o povo no pátio aguardava o fim da cerimônia. O dia era belo e festivo.

Um dos sacerdotes, tomando de um longo pergaminho, deu início à leitura do contrato de casamento.

Pecos recebia a noiva sem direito a nada, pois que toda sua fortuna fora recolhida aos cofres do palácio, como pagamento aos danos sofridos pelas traições de Salil.

Em compensação, teria a primazia em seu palácio e mesmo que ele casasse outras vezes, Nalim seria a mandatária.

Os noivos aparentemente ouviam calmos.

Nalim sentia ímpetos de gritar que não desejava casar-se com ele, que ela não era mulher pobre, que estavam lhe roubando o direito à fortuna sólida de sua família.

A humilhação era muito grande, ela, porém, de cabeça erguida, altiva, não demonstrava o que lhe ia na alma. Preferiria morrer a oferecer o espetáculo de seu sofrimento aos seus antigos e falsos amigos ali presentes que se haviam preparado para assistir-lhe o fracasso.

Pecos pensava. O sangue latejava aceleradamente em suas veias. Desejava aquela mulher! Amava-a mesmo! Ela agora seria sua esposa. Haveria de dobrar-lhe o orgulho e fazê-la apaixonar-se por ele!

Muitas mulheres o haviam amado, e ele nunca deixara de realizar uma conquista quando desejava. Nalim não seria por certo uma exceção.

Após a leitura contratual, ainda havia uma cláusula proibindo a Nalim o retorno às terras da Assíria.

Depois dos noivos firmarem o contrato, os sacerdotes iniciaram os rituais.

Tomando a noiva pela mão, conduziram-na para o pátio externo onde estava armado o altar dos sacrifícios. Após envolverem a noiva por três vezes com vaporização de ervas aromáticas que simbolizavam a purificação, obrigaram-na ao sacrifício de um dos animais por eles considerados malignos, no caso uma serpente, a fim de obter dos deuses proteção para a vida familiar. O mesmo fizeram com o noivo.

Depois, entoando cânticos onde exortavam o casal ao cumprimento de seus deveres para a conquista da felicidade doméstica, chegou o momento solene da promessa.

Um dos sacerdotes aproximou-se, perguntando em alta voz se eles queriam casar-se. Após receber a resposta afirmativa, ele falou sobre a vida em comum do matrimônio, suas responsabilidades e preocupações, acabando por renovar a pergunta. Se apesar de tudo desejariam se casar. Nova resposta afirmativa.

Ele, então, tomando a mão direita de ambos, colocou-as sobre uma tábua coberta de escritos, depois, com um estilete fez uma pequena punção, misturando o sangue dos dois e com ele fazendo um sinal no contrato de casamento.

A cerimônia estava no fim. O sacerdote apenas exortou Nalim a que fosse uma esposa honesta e submissa, e Pecos, um esposo benevolente e tolerante.

Assim, eles estavam casados.

Pecos, galante, tomou a mão gélida da esposa e a beijou como era de praxe. Ela não pôde disfarçar a emoção. Um frêmito percorreu-lhe o corpo e ele viu que suas narinas arfavam com rapidez.

Fora apenas um instante, mas Pecos o notara e seu coração deixou-se embalar nas asas do sonho.

Após a saudação ao povo e os brindes de praxe, os noivos preparavam-se para partir.

Agradecendo a bondade do soberano, Pecos e Martus dele se despediram.

Reuniram-se à expedição e esta se pôs a caminho. Levavam alguns camelos com provisões e alguns homens da comitiva de Martus. Nalim ocultara seu rico traje de noiva em uma ampla capa e cavalgava calada.

Jamais pensara em retornar ao Egito. Lembrava-se agora de Solimar! Seu coração alegrava-se em poder revê-la brevemente. Como ela era boa e compreensiva! Reconhecia-lhe agora razão quando dizia que seria inútil fugir.

É verdade que ela vivera ao lado do pai aqueles dois anos, mas não seria mais feliz se tivesse permanecido como escrava?

Ela não fora feliz durante esse tempo. Jamais sua vida voltara a ser como dantes. Sua casa estava muito mudada sem a presença da mãe. Seu pai tornara-se doente e taciturno.

A vingança contra Pecos também não lhe causara a alegria esperada. E, por fim, a culminância dos últimos acontecimentos que forçavam seu retorno a Tebas. Não. Ela não fora feliz!

Considerava que antes era escrava somente no serviço doméstico. Agora, embora voltasse como senhora, continuava escrava, de uma escravidão muito mais profunda e completa: a de um marido.

Devia-lhe respeito, submissão, amor e somente poderia dar-lhe ódio. Ele haveria de cansar-se dela muito depressa e talvez lhe devolvesse a liberdade.

Pecos, solícito, lhe perguntava de quando em quando se desejava alguma coisa.

Ao saírem de Nínive e atravessarem o Eufrates, Nalim sentiu-se mais só e amargurada. A certeza de sua impotência em lutar contra o destino a deixava abatida.

À noite, passaram por Samur e pararam numa hospedaria para repousar. Martus, jovial, brindava os noivos alegremente, na noite nupcial.

Nalim, pressentindo o novo perigo, quase não se alimentou. O hospedeiro arranjou-lhes um quarto especial. À medida que o tempo avançava, mais a moça se sentia enervada. Estava exausta, mas não desejava recolher-se.

À certa altura, porém, Pecos muito naturalmente despediu-se de todos e tomando a esposa pela mão, dirigiu-se aos aposentos que lhes eram destinados.

Lá chegados, após cerrar a porta, Pecos olhou para a esposa.

Estava visivelmente pálida e nervosa, encolhera-se a um canto como fera acuada. Pecos, penalizado em virtude dos últimos sofrimentos que Nalim suportara, decidiu ser brando para com ela. Aproximou-se dizendo:

— Por que estás nervosa? Acaso terás receio de mim? Vem cá, desejo conversar contigo.

Vendo que ela não vinha, ele tomou-lhe a mãozinha fria. Todo aquele nervosismo da moça comoveu-o. Por um instante, esqueceu-se de todo o passado de ódios e recalques para lembrar-se apenas de que amava aquela mulher e ela agora lhe pertencia.

Cedendo à emoção, ele, com um gesto carinhoso, envolveu-a com seus braços, beijando-lhe os cabelos, procurando-lhe a boca vermelha.

Nalim, porém, empurrando-o violentamente, respondeu-lhe ferina:

— Afasta-te. Teu desejo me ofende e me inspira asco! Casei-me contigo, é verdade, mas forçada pelas circunstâncias. Sou tua esposa, porém se puseres tuas mãos imundas sobre mim, juro que me matarei. Nosso ódio é recíproco. Se a situação me coloca hoje à tua mercê, não significa que eu não me defenda do teu contato. Teu gesto, querendo aproveitar-se da situação em que me encontro, é digno da tua covardia!

Pecos estava lívido! Apenas um imperceptível estremecimento de quando em quando denotava seu estado de ânimo.

Seu orgulho de homem fora fortemente atingido, porém, ele ainda encontrou forças para dizer:

— Estás enganada a meu respeito. Eu seria incapaz de um gesto menos honroso. Se nesta noite te abri meus braços foi porque desejei proporcionar-te o amparo de que necessitas. Apesar do que aconteceu entre nós, não guardo rancor. Acreditava sinceramente que poderíamos vir a viver juntos e construir uma felicidade duradoura. Estamos ligados pelos deuses, nosso sangue é um só! Eu sentia o desejo sincero de amparar-te e oferecer-te meu amor, porém, nesta noite tuas palavras me demonstraram a maldade de tua alma. Podes estar certa, eu não tornarei a abraçar-te, não terás mais teu corpo maculado pelo toque de minhas mãos. Só voltarei a fazê-lo no dia em que me pedires. Esteja tranqüila, não mais te incomodarei.

Assim, Pecos retirou-se sem esperar resposta, deixando a moça infeliz e confundida. Ele lhe falara de amor, seria possível? Poderia acreditar que ele a amasse realmente?

Nalim, na angustiosa situação de solidão em que se encontrava, começou a pensar como seria bom ter descansado a cabeça em seus ombros fortes. Surpreendeu-se arrependida de tudo quanto lhe dissera.

Amargurada, infeliz, insegura de si mesma, quase não dormiu a noite toda. Onde teria ele ido dormir? E se ele fosse embora e a deixasse ali? Não. Ele não seria capaz!

Um mundo de pensamentos loucos lhe agitava o cérebro.

O dia seguinte encontrou a moça ainda insone. Pecos bateu à porta, chamando-a. Levantou-se às pressas e foi abri-la.

Ansiosa, olhou o rosto do marido. Ele era o mesmo de sempre. Disse-lhe friamente:

— Apressa-te; partiremos daqui a pouco. Precisamos sair antes que o dia desça de todo.

Pouco depois, os viajantes continuavam a viagem rumo a Tebas. Nos corações dos jovens esposos, a amargura e o orgulho já haviam consolidado suas bases, sufocando o amor e a compreensão que brotara neles.

A vida para eles era incerta, infeliz, e nada contribuía para modificar aquela situação.

CAPÍTULO XIII

A trama da vida

Enquanto a vida, mensageira direta do bem e do mal, se encarregara de dar a cada um segundo as suas obras, unindo o destino de Pecos a Nalim, entrechocando-lhes os sentimentos na intenção de sensibilizá-los, voltemos a Tebas, a magnífica cidade ainda no apogeu de sua glória, retrocedendo alguns dias o relógio do tempo, a fim de conhecermos pormenores interessantes, relacionados com os nossos personagens.

Jasar é agora marido da orgulhosa Otias. A princípio, aguardara ansiosamente notícias do irmão, como única esperança de libertar-se do indesejado compromisso. Como nada soubera, fora forçado a cumprir sua promessa.

Ele estimava-a. Bondoso por índole, procurava ser um esposo amigo e carinhoso, mas Otias ambicionava muito mais. Vaidosa, mimada como era, queria vê-lo apaixonado e submisso, obediente a todos os seus caprichos.

Ele, com sua nobreza de sentimentos, fazia o possível para conviver bem, porém ela nunca estava satisfeita. Os dois não eram felizes.

Otias adorava a vida mundana e vivia constantemente rodeada de admiradores. Jasar, homem de pensamento e de elevação espiritual, não se interessava por esses acontecimentos, no que era censurado pela esposa.

Ela tinha ciúmes. Parecia-lhe que aquele amor pelo repouso, pela solidão, pelas longas excursões que ele realizava, nada mais eram do que pretextos para afastar-se do seu convívio.

Havia algo de superior nele, qualquer coisa de inatingível que ela não podia alcançar e que a irritava. Então, nessas ocasiões, ela derramava sobre ele toda a torrente de impropérios para forçá-lo a uma atitude mais emotiva.

Mas ele jamais se alterava, procurando chamá-la à razão com calma e paciência, tentando reconduzi-la ao bom senso. Nos últimos tempos, Otias tratava o marido com ironia e desdém, procurando dissimular o despeito por não conseguir dominá-lo.

Na verdade, nada é mais desagradável do que a convivência de pessoas que não têm afinidade. Forçadas a viver juntas, suas almas estão separadas. Seus anseios são diferentes. Não há prazer, só desconforto e insatisfação. Não há harmonia nem paz.

Tudo concorria para a grandeza daquele lar: a posição de fortuna, os dois jovens e sadios e a existência do pequeno Matur, filho do casal. Aparentemente tinham tudo, mas não se compreendiam.

Otias não conhecia o marido. Enciumava-se facilmente, promovendo pequenos escândalos. Jasar sofria. Apesar de todo o seu esforço para dominar-se, sentia um amor cada vez maior por Solimar.

Embora jamais houvesse lhe falado de seus sentimentos, após a trágica noite de despedida, seus olhos suavizavam-se quando a fixavam.

Procurava conversar com ela sobre assuntos vários, tendo-a tomado como auxiliar em certas experiências que realizava.

Alegava intimamente, para enganar a própria consciência, que os conhecimentos da moça lhe eram indispensáveis.

Entretanto, na existência daquele amor, não havia um sentimento de culpa nem de traição, porque ele a respeitava colocando seus sentimentos acima das coisas terrenas.

Eram felizes os dois quando podiam juntos mergulhar nas grandes aventuras das análises filosóficas, na verdade das coisas que buscavam incessantemente. Aquela suave e silenciosa compreensão era seu mundo de felicidade.

Solimar também sofria. Via, sentia toda a situação entre Jasar e a esposa e trabalhava silenciosamente, sempre que podia, a favor da harmonização do casal.

Sentia uma piedade imensa por Otias, que carregava consigo todo o peso da vaidade, do orgulho, do egoísmo e do ciúme. Percebia-lhe a tortura íntima, mas em sua condição humilde, nada podia fazer. Otias tratava os servos com arrogância, jamais permitindo-lhes a menor intimidade.

Naquela tarde, Otias entretinha-se com o exame de alguns tecidos para trajes que tencionava mandar confeccionar. Entretanto, seu pensamento vagava. Não estava tranqüila. Como poderia estar? Seu marido a desprezava, enquanto preferia a companhia das escravas da casa. Nessas horas, certamente, eles estariam juntos no parque, enquanto Jasar realizava algumas de suas experiências malucas.

Aflita, jogou para o lado as finas cambraias que examinava e tomando súbita decisão, resolveu espionar o marido. Ela sabia, por experiência, que ele ficava muito contrariado quando era interrompido em seu trabalho, mas observaria ocultamente.

A passos rápidos, Otias saiu da habitação. Caminhou por algum tempo entre a maravilha dos jardins floridos, mas não era capaz de sentir a suave beleza das flores com seus perfumes vários e rico colorido, a limpidez do céu sempre azul, a brisa balsamizada agradavelmente pela aragem crepuscular.

Não, pobre Otias, seu coração envolto por negros e maldosos pensamentos era incapaz de usufruir e compreender a mensagem de amor e fé, de paz e ternura que o divino Criador transmite aos homens através da natureza.

À certa altura, ouvindo vozes, parou. Cautelosamente continuou depois avançando, até ficar mais próxima possível do casal, permanecendo oculta por um arbusto. Procurou concentrar toda a sua atenção para ouvir-lhes a palestra.

— Já vês, Solimar, que tenho razão. Se todos nos resignássemos às influências que nos atingem, certamente não teríamos ânimo para tentar reagir no bem. Tenho a certeza de que o conformar-se com tudo nos conduz à situação dos covardes. Eles acomodam-se a todas as situações, porque sentem medo de reagir ou então preguiça. Creia que o conformismo implica em negativismo ao progresso.

Solimar ouvia calada e atenciosa. Seu pequeno e belo rosto, agora um tanto pálido e emagrecido, estava absorto e pensativo.

Como ele nada mais dissesse, ela esclareceu:

— Tu dizes bem! Nós deveremos, em primeiro lugar, esclarecer o significado de certos temas. Devemos sofrer as advertências que a vida nos faz, com paciência, suportando a visita da dor como uma amiga confortadora. Mas quando realmente formos atingidos pelos reflexos de nossas próprias ações, não devemos submeter-nos a tudo, criando pela nossa negligência e pessimismo, sofrimentos inúteis e sem finalidade. Sempre nesses casos, deveremos reagir para levantar a vontade que fraqueja. Quando somos atingidos, antes de mais nada, devemos meditar profundamente nos perguntando: "o que a vida quer nos ensinar com isso"? Sempre que assim procedermos com intenção honesta, sem subterfúgios, descobriremos qual a nossa atitude que provocou esse fato. No fim, perceberemos que somos responsáveis por tudo quanto nos acontece e que se agirmos de forma diferente, valorizando o bem, a dor se afastará do nosso caminho. Desta conclusão brota um conformismo não negativista como disseste, mas um conformismo sereno, construtivo, que se conforma com a dor sofrida, mas que sabe o porquê dessa agressão e procura melhorar-se intimamente, para construir um futuro melhor.

— Bravo, Solimar! Aclaraste-me as idéias. Realmente és maravilhosa! Não posso compreender como ainda tão jovem possuis tantos conhecimentos.

— Serei realmente jovem? Afigura-se-me que estou velha. Não sei explicar, mas sinto em certas ocasiões, quando conversamos, como se já estivesse velha e todas estas coisas, sinto-as dentro de mim.

— Talvez, dentre as numerosas existências que deves ter vivido na Terra, aproveitaste mais o aprendizado.

Otias, no seu esconderijo, estava surpresa. Não compreendera bem o sentido da palestra que ouvira, mas com seu instinto feminino, percebera a serena harmonia que havia entre os dois. Sua surpresa ainda era maior ao saber que Jasar, o sábio Jasar, ouvia conselhos dos lábios de uma escrava.

Raivosa, percebeu que Solimar lhe era superior espiritualmente. Jamais conseguira manter com o marido uma palestra sequer sobre assuntos que ele apreciava, achava-os monótonos e próprios dos homens de ciência.

Não quis ouvir mais, afastou-se cautelosa. No jardim, sentou-se num banco, procurando analisar a situação. Certamente aquela amizade do marido com a escrava era perigosa. Percebera que os olhos dele brilhavam quando se fixavam na escrava.

Otias não conteve um gesto de desdém. Jasar! O homem sábio, que ela amava por saber superior, não passava de um homem comum que se deixava levar por uma escrava, sem atentar no ridículo da situação, sem atentar na distância de linhagem!

Isso era humilhante para ela.

— Nobre senhora, permitis que vos fale?

Sobressaltada, Otias ergueu o olhar reconhecendo o lanceiro Solias, que se aproximava sem que ela, imersa em seus pensamentos, o notasse.

— Que queres? — perguntou secamente. — Se é algum negócio legal, trata com meu marido.

Ele, reverente, quase rastejante, disse:

— Há pouco fui testemunha involuntária de vosso zelo de esposa e desejo vos precaver contra um grave perigo.

Otias empalideceu e ordenou:

— Continua.

— Sabeis, nobre senhora, da estima que sempre dediquei ao nobre Pecos. Tanto o estimava que até hoje seus parentes me são sagrados. Faria tudo para a felicidade desta casa.

Impaciente, nervosa, Otias tornou:

— Fala de uma vez, não gosto de rodeios.

— Bem, nobre senhora. Antes do vosso regresso com vosso ilustre pai, que Hórus o conduza, eu aqui trabalhava na parte da guarda. O nobre Pecos sempre me honrou com sua confiança. Quando ele retornou da última viagem que realizou para a renovação dos escravos, ganhou do ilustre Faraó duas escravas lindas como deusas. Bem... eu desejei uma delas, mas ela não quis ouvir-me. Após a vossa chegada, certa noite, quando havia uma festa na casa, bebi um pouco e fui tentado a procurar a escrava Solimar, que me endoidecia com sua recusa. Encontrei-a num recanto, escondida, espionando a festa. Declarei-me, mas fui por ela repelido. Então, louco, tentei abraçá-la, mas ela, valendo-se da minha fraqueza provocada pelo vinho, empurrou-me e fugiu. Refeito da surpresa, fui-lhe ao encalço e vi quando desapareceu num barranco do caminho.

Solias fez ligeira pausa suspirando profundamente, depois, continuou:

— Quando lá cheguei, porém, tive a surpresa de ser recebido por vosso marido. Quando lhe perguntei pela moça, afirmou-me que ali não havia ninguém. Retirei-me, mas compreendi por que ela me recusara. Certamente olhava para mais alto, sendo mesmo provável que tivessem encontro no local. Tive confirmação de minha suspeita quando, dias após, fui transferido pelo nobre Pecos para a infantaria do castelo do rei. Percebi a manobra, mas jurei descobrir tudo.

Solias parou maneiroso, procurando estudar as reações que suas palavras provocavam no espírito ciumento de Otias.

Esta, rosto pálido, contraído, bebia as palavras do soldado com a avidez nervosa de todo ciumento que por fim encontra o seu motivo.

— Continua — ordenou.

— Eu estava muito enciumado, pois apaixonara-me violentamente por ela. Resolvi uma noite, tempos depois, voltar aqui e rondar aquele local onde ela se escondera. Pude observar então que não me enganara. Lá estavam os dois, sentados no chão. Ele tinha o braço ao redor de seu corpo, ela repousava a cabeça em seu ombro. Vi mesmo quando trocaram beijos de amor. Amargurado, saí e procurei esquecê-la. Porém, com a viagem do nosso chefe Martus, fui escalado para aqui, pois como sabeis, a guarda ainda continua a ser mantida na casa, esperançosa de uma pista. Quando aqui cheguei, compreendi o que se estava passando. Apesar de estar agora casado com uma dama como vós, o nobre chefe da casa ainda mantém relações com a escrava. Vi quando vosso vulto passou cauteloso e assisti a manifestação de vossa desconfiança. Resolvi prevenir-vos e oferecer-vos meus serviços. Contai comigo, nobre senhora!

Otias sentia a garganta seca, os lábios contraídos. O conhecimento do romance entre o marido e Solimar enchia-a de terror e ódio.

— Está certo, saberei recompensar-te a lealdade. Agora vai-te. Deixa-me só. Quando precisar dos teus serviços, mandarei avisar-te.

Solias retirou-se exultante. Estava vingado. Sua alma rancorosa e egoísta não concebia a natureza do sentimento que unia Jasar a Solimar. Faria tudo para possuir a bela escrava e a teria a qualquer preço.

Seus negros pensamentos, gravitando no éter, atraíam-lhe uma considerável cooperação de espíritos desencarnados e ignorantes que se agruparam ao seu redor, alimentados pelas energias afins, aumentando o número já existente.

Quando o homem, em sua cegueira aos fenômenos espirituais, julga-se livre para fazer o que lhe apeteça, interferindo na vida dos outros, tentando manipulá-la de acordo com seus interesses, não percebe que além de estar servindo de instrumento às entidades perturbadoras, está voluntariamente se escravizando a elas, e um dia colherá os resultados dessa semeadura.

Otias, nesse meio tempo, retirara-se para seus aposentos tão nervosa que recusou-se a ver o filhinho quando a ama o trouxe. A presença dele lembrava-lhe o marido e a enraivecia. Otias amava o filho sinceramente, mas à sua moda.

O pequeno Matur era belo, e ela gostava de exibi-lo para provocar a admiração de todos.

Naquele fim de tarde, porém, não tinha disposição. A sós em seu quarto, rememorou toda sua vida desde que chegara à casa dos primos e embora quisesse descrer da narrativa de Solias, justificando-a com excesso de ciúmes, teve ao cabo de certo tempo que render-se à evidência.

Não. Ele não mentira. Compreendia agora que Jasar e Solimar se amavam. Com certeza eram amantes havia muito tempo. Deviam rir-se muito dela, de sua estupidez, que não lhes percebera a traição!

Um frio suor invadiu-lhe as mãos. Ela não sabia o rumo a tomar. Sentia que precisava tomar uma atitude, mas qual?

Se falasse ao marido francamente, na certa ele desmentiria tudo e ainda tornaria maior sua humilhação, recusando a venda da escrava.

Ela precisava agir diferentemente, com astúcia e perícia, como eles tinham agido com ela. Solimar não perderia por esperar! Haveria de afastá-la da casa. Procurou dissimular seus sentimentos.

Chegou finalmente o momento em que novos rumos tomariam os acontecimentos, orientados pelos fios invisíveis da trama da vida.

Aquele era um dia como outro qualquer, e tudo na casa decorria normalmente. À tarde, porém, um burburinho, um rumor desusado pelas ruas chegou aos ouvidos dos moradores do palácio de Pecos.

Curiosa, Otias mandou um dos escravos indagar das novidades. Pouco depois, ei-lo esbaforido, retornando à casa, quase sem fala. Parou frente à senhora, e esta impaciente perguntou:

— Conta, o que houve?

— Aconteceu algo de extraordinário, inacreditável! Dizem que o nobre Pecos retorna com a caravana do valente Martus. Viram-no à entrada da cidade. Certamente vem para cá.

Otias, perturbada, correu em busca do marido que, tendo tomado conhecimento da notícia, apressou-se jubiloso a preparar-se e ir ao encontro de Martus para verificar a verdade.

Vendo o marido sair às pressas, cavalgando até sumir-se numa curva do caminho, Otias ficou pensativa. Um turbilhão de pensamentos estranhos afloravam-lhe ao cérebro.

Como estaria seu ex-noivo? Conservaria por ela seu antigo interesse? Certamente ficaria aborrecido com seu casamento. Talvez Martus já lhe houvesse contado.

Apesar de tudo, ela estava mordida por enorme curiosidade. O mistério que envolvia o desaparecimento do primo a fascinava. Rapidamente foi aos seus aposentos, preparando-se com esmero. Estava realmente bela!

Trazia seus negros cabelos envoltos pelo lenço de maravilhosa cambraia pintada com arabescos pequeninos, majestosa túnica alva e as pequenas sandálias, deixando aparecer a ponta de seus dedinhos rosados. Os olhos brilhantes, cheios de um desejo intenso de viver, irradiando vida, a tornavam fascinante.

Cônscia de sua beleza, dirigiu-se ao pátio de entrada, aguardando os acontecimentos.

Após alguns instantes, o alarido foi aumentando à medida que a massa avançava, acompanhando os soldados que regressavam. A custo, eles conseguiram continuar a marcha, sendo crivados de perguntas que não podiam responder, porque ninguém os ouviria. Ao chegarem finalmente frente aos jardins do palácio, pararam e ficaram à espera.

Pecos, estendendo as mãos, pedindo silêncio, falou em alta voz:

— Meus queridos amigos e patriotas. Chego hoje após dois anos de ausência. Impossível seria agora narrar-vos tudo quanto me aconteceu. Estamos fatigados, pois viemos de muito longe. Prometo-vos, entretanto, contar tudo daqui a três dias, quando refeito já, em regozijo à minha volta, pretendo organizar uma grande festa. Convido-vos a virdes receber vosso trigo e participar da minha alegria. Sereis recebidos nos pátios para os festejos e haverá música e vinho para todos.

Um viva entusiástico aclamou as palavras de Pecos.

Este, acompanhado pelos demais, penetrou finalmente em seus domínios, feliz e emocionado.

Martus dispensara os homens e retirara-se, pois que deveria dar ciência do ocorrido ao seu soberano e senhor.

Jasar, Pecos e Nalim acabavam de chegar. Otias, emocionada, estendeu ao primo a linda mão bem cuidada, que ele enternecido beijou com cortesia.

Após a troca de cumprimentos, Otias reparou finalmente na presença da antiga escrava. Reconhecendo-a, murmurou:

--- Ora viva! Vejo que recapturaste a escrava fugida! Como foi?

Nalim, com a cabeça erguida, aparentando desdém, mas no fundo humilhada, respondeu antes que o marido pudesse fazê-lo:

— Da única maneira que tornaria possível meu

retorno a esta casa. Casou-se comigo, o que de certa forma não deixa também de ser uma escravidão!

Um pesado silêncio estabeleceu-se entre eles.

Pecos sabia-se alvo do desprezo da prima, pois conhecia-lhe os orgulhosos preconceitos.

Nalim regozijava-se em poder responder à altura de seus desejos.

Otias, surpreendida, ficou alguns instantes sem saber o que dizer. Não podia crer que seu primo tivesse realmente desposado aquela mulher. Sempre antipatizara com ela e agora mais do que nunca. Irônica, respondeu:

— Dizes bem. A mulher somente deixa de ser escrava para ser senhora no casamento, quando pertence à mesma condição de nobreza do marido ou ainda quando lhe é superior! Tens razão em temer tal união!

Nalim, compreendendo a alusão, respondeu glacialmente:

— Não falei por mim, porque tal receio seria infundado. Falo de um modo geral. Mas certas mulheres existem que se intitulam senhoras, reconhecendo-se em seu íntimo, muito aquém das aspirações do marido.

Nalim falara por falar, sem pensar no que dizia, apenas não queria deixar Otias triunfante naquele pequeno duelo de palavras.

Mas suas palavras atingiram em cheio a mágoa de Otias. Serviam-lhe perfeitamente.

Ela, irritada, ia continuar a falar quando Pecos, querendo evitar-lhe mais dissabores, interrompeu-as pretextando cansaço, desejando recolher-se.

Nalim, ao penetrarem na habitação, considerando intimamente que talvez Otias ainda amasse Pecos, querendo ferir-lhe a vaidade, tomou carinhosamente do braço do marido, nele apoiando-se docemente.

Pecos, surpreso, sentiu o coração pulsar com violência. Ela sabia ser tão meiga em certas ocasiões que ele temia não poder manter sua promessa.

Todos se surpreenderam com o retorno do dono

da casa, ainda mais casado com a antiga escrava.

Somente Solimar alegrou-se em rever a amiga.

Os recém-chegados tiveram que permanecer no salão, após o banho e a refeição. Os aposentos não estavam preparados e, entrementes, os escravos se desencumbiam de sua tarefa, enquanto Pecos contava suas aventuras.

Nobremente omitira a participação de Nalim no rapto, mencionando apenas que ela fugira para reunir-se ao bando de Rabonat. Depois, contou por alto sua situação de escravo em casa de Nalim e seu forçado casamento com ela.

Otias ouvia curiosa. Afinal, ele não a amava, fizera o sacrifício de desposá-la. Certamente não a considerava como esposa.

Nalim mordia os lábios visivelmente nervosa e humilhada, adivinhando os raciocínios de Otias.

Quando, porém, Jertsaida avisou que os aposentos estavam prontos, Nalim, bocejando preguiçosamente, deu boa noite aos presentes e aproximando-se do marido, pousou a mão delicada em seu braço forte, murmurando ternamente:

— Retiro-me, estou exausta. Espero-te, querido, em meus aposentos.

Toda ela era uma promessa. Pecos estava surpreso e fascinado. Por um instante, seu olhar a fixou com amor, com o brilho de uma paixão recalcada e tumultuosa.

Quando ela deixou o salão a passos macios e elegantes, o olhar dele seguiu-a emocionado, até que seu vulto desaparecesse.

Se ela o olhasse mais alguns segundos, certamente não teria podido resistir à avalanche de seus sentimentos ardentes.

Otias, surpreendida, decepcionada, calara-se. Vira, compreendera que eles se amavam. Jamais Jasar a olhara com aquele olhar envolvente, fascinante, dominador! Era assim que ela desejava ser amada!

Jasar, calado, procurava analisar os sentimentos dos presentes. Percebera que seu irmão amava Nalim desde que era escrava da casa. Ela, porém, era uma estranha criatura.

Certamente Otias estaria raivosa pelo casamento do primo, em virtude da condição de Nalim. Ela dava tanta importância aos preconceitos! Precisava ouvir a opinião de Solimar a respeito. Ela era tão sábia, tão sensata! Conhecia bem sua cunhada e poderia esclarecer-lhe as idéias.

Jasar tão habituado estava a ouvir Solimar, que em todos os assuntos a procurava, consultando sua opinião.

Nalim dirigira-se para o quarto que lhe fora destinado. Logo ao entrar, deparou com Solimar. As duas, emocionadas, abraçaram-se carinhosamente. Quando serenaram, Solimar foi a primeira a falar:

— Então, querida Nalim, conta-me tudo. Que fizeste durante todo este tempo? Por que retornaste como esposa do homem a quem dizias odiar?

— Sentemo-nos e eu te contarei tudo.

Depois de bem acomodadas, ela prosseguiu:

— Tinhas razão ao dizer que não podemos fugir às obrigações que a vida nos impõe. Vou contar-te tudo, desde aquela noite em que nos despedimos.

Quando porém ia começar a falar, bateram à porta do lado.

Solimar murmurou:

— Deve ser teu marido, pois lá estão seus aposentos. Amanhã bem cedo virei ver-te e conversaremos melhor. Ou então, quando estiveres livres, chama-me. És senhora, agora!

A moça falava alegre e docemente.

— Para ti serei sempre uma amiga. Sei que vales mais do que eu. Agora vai-te, que ele se impacienta. Quando ele se for, te chamarei.

Quando Solimar, rápida, saía, Nalim, colocando no rosto a máscara da indiferença, fez entrar o marido.

Este tinha ficado indeciso quanto às palavras da esposa. Com o coração esperançoso, batera à porta que ligava os dois aposentos.

Assim que entrou, ele, sem resistir, tomou-lhe da mão e apertando-a com calor, murmurou:

— Deixaste-me o convite. Aqui estou.

Seu olhar de fogo a envolvia toda. Ela, procurando esconder toda a perturbação que lhe ia na alma, temendo deixar-se envolver pela atração que se irradiava da presença de Pecos, desatou a rir alegremente.

Depois, já completamente segura de si, respondeu:

--- Pois te enganas. Apenas foi-me agradável exasperar os ciúmes de tua prima, provar-lhe que nós nos amamos e que, como mulher, sou suficientemente atraente para conquistar um homem, se eu quiser, mesmo que ele se tenha casado comigo por amor à liberdade e forçado pelas circunstâncias.

O riso da esposa produziu na exaltação de Pecos o efeito de uma ducha fria. Irritado, sem poder conter-se por ter servido de joguete nas mãos dela, avançou um passo e segurando-lhe os ombros fortemente, murmurou entre dentes:

— Não te esqueças de que sou um homem! Não podes desafiar-me impunemente. Agora, saiba que comigo ninguém brinca e nem sequer ridiculariza. Vou beijar-te, queiras ou não. Vou mostrar-te que se eu quisesse, tu serias minha! Lembra-te de que me pertences, que és minha esposa!

Antes que ela pudesse defender-se, agarrou-a fortemente, beijando-lhe a boca rubra, repetidas vezes.

Ela, atordoada, abandonou-se à carícia. Ele, porém, quando notou que ela trêmula, de olhos cerrados, esperava um novo beijo, desatou a rir sonoramente, murmurando:

— Agora me vou. Sou eu quem não deseja mais teus beijos. Podes dormir tranqüila.

Dando meia volta, saiu do quarto. Nalim, voltando

a si da surpresa, envergonhada, com o coração envolto por pensamentos contraditórios, atirou-se ao leito soluçando amargamente. A tempestade avassalava seu íntimo. Ela não sabia definir aquele estranho sentimento que a dominava.

Quando se acalmou um pouco, lembrou-se da confortadora presença da amiga e chamou-a novamente.

Desta vez, ninguém as interrompeu e Nalim contou-lhe tudo quanto acontecera, inclusive a cena recente.

Solimar escutava com tristeza os queixumes da amiga. Ela dizia:

— Desde que saí daqui, nunca mais fui feliz. Se tivesse voltado à casa dos meus e não a tivesse encontrado vazia da presença da minha mãe, certamente tudo teria sido diferente. Cada vez que me recordo de que ele foi o assassino de minha mãe, sinto mais do que nunca o desejo de vingar-me.

— Escuta, minha querida, deves analisar os acontecimentos de maneira diversa. É verdade que tua mãe morreu durante tua ausência, mas quem nos garante que a tua presença na casa a salvaria da morte? Não somos nós que com a nossa vontade poderemos prolongar a vida das pessoas que amamos. Existe a força de uma entidade superior que nos criou e que rege nossos destinos. Podes crer que a vida não termina após a morte, mas retorna à sua verdadeira potencialidade. Ele agiu insensatamente. Foi criado para exercer tal função. Foi educado para tal! Para ele, é uma tradição de honra! Não deves ser tão severa. Já o castigaste muito. Já pudeste pôr em prática tua vingança e tiveste-o durante esses dois anos sob teus pés. Creia-me, Nalim, tu não poderás encontrar a paz e a serenidade se semeias ao teu redor pensamentos de rancor, de vaidade e de ressentimentos. Para conquistar a paz, precisas primeiro plantá-la dentro de ti.

Solimar fez ligeira pausa. Vendo que Nalim guardava silêncio, continuou:

— É preciso que trabalhes em favor da paz dos outros, que saibas vencer teus ímpetos violentos com o valor do raciocínio lúcido, claro, que te deixes influenciar pelo mais belo sentimento que existe: o perdão. Quem ama, perdoa sempre.

— Que queres dizer?

— Que amas teu marido e ele também te ama. Mas deixam que o orgulho e o excesso de vaidade destruam a oportunidade valiosa que a vida vos oferece de harmonização, de cooperação, deixando para trás o tesouro valioso das alegrias do coração.

— Enganas-te. Entre nós não é possível uma harmonização. Ele, embora me deseje como mulher, intimamente me odeia pelas humilhações a que o obriguei. Eu também sei que não o amo. Ele é meu marido e como homem pode impor-se pela força bruta. Pensei em fugir durante a viagem, mas para onde iria? Bem sabes que detesto a miséria e pobreza, não saberia viver entre estranhos, sem poder voltar à pátria e talvez se pudesse, também não o faria. Agora parece-me que terei de enfrentar a animosidade de todos, inclusive de meu marido.

— Se quiseres encontrar tua felicidade na Terra, deves começar por esquecer as ofensas. Perdoa a todos pelo mal que te fizeram. Depois, esforça-te para ser amável, bondosa, amiga sincera de todos, principalmente do teu nobre esposo e tenho a certeza de que serás muito feliz. É a única maneira de encontrares paz e conquistares a estima dos que agora são teus únicos parentes.

— Mas isso é impossível! Não posso humilhar-me perante Otias, nem oferecer-me a um marido que não estimo. Ele, como te contei há pouco, quando me entonteceu com sua imprevista atitude, recusou-se depois a beijar-me, o que prova claramente a inexistência de qualquer sentimento afetivo de sua parte. Apenas quis subjugar-me e depois rir-se de mim.

Nalim, recordando da cena que tivera com o marido, sentiu as faces em fogo pela humilhação recebida.

— Quem me garante, querida Solimar, que se eu me tornasse mais terna, ele não iria zombar de minha amizade, desprezando-a para vingar-se de mim?

— Pois eu aconselho-te a lutar com todas as tuas armas, sedução e carinho para conquistares definitivamente o teu marido. Embora queiras negar a verdade, porque talvez a desconheças, eu percebo a natureza do sentimento que começa a florescer em teu coração! Não considero humilhação confessar um sentimento tão elevado como o amor. Ele sensibiliza, enobrece quem o sente e nunca humilha. No teu caso principalmente, quando esse homem te pertence, seria leviandade procederes como tens procedido. Atiras fora a oportunidade de conseguires a paz da família, centralizada em tua pessoa. Tu, como esposa, tens o compromisso moral de ser o repouso, a paz, a harmonia, o amor, onde teu companheiro se refaça. Se foges hoje às tuas obrigações, amanhã não terás o colo enriquecido pelo amor sublime de um filho amado! Não terás conhecido a grande finalidade da mulher na Terra: ser mãe! Que emoção para uma mulher será maior do que aquela em que ouve pela primeira vez o vagido de um recém-nascido? E depois, quando o pequenino ser a distingue entre os demais, com seus ternos bracinhos a implorar carinho e proteção! Que maior ventura poderá desejar uma mulher na Terra do que ser considerada pelo Senhor de todas as coisas digna de zelar por um de seus filhos, orientando-o desde pequenino? Estarás, por acaso, disposta a atravessar a existência amargurada e só, tornando-a vazia e estéril?

Nalim ouvia comovida e pensativa. Quando Solimar se calou, um suspiro fundo escapou-se-lhe do peito.

— É claro que eu desejaria ser feliz com um esposo amado e filhos, compreendo-te, mas apenas agora é muito tarde. Não vejo saída. Sinto que nenhuma possibilidade de amor e carinho existe entre nós; se existiu alguma, eu a matei com meu orgulho indomável.

— Não, Nalim. Nunca é tarde. Deves de hoje em diante modificar teu modo de agir. Assim, cometendo tantas leviandades, tantas ofensas contra o amor-próprio do teu marido, agravarás cada vez mais a situação.

Neste tom, continuaram as duas amigas conversando até altas horas da noite.

Pecos, ao deixar o quarto da esposa, ia triste e amargurado. As decepções que sofrera com ela eram-lhe completamente estranhas. Habituado sempre a ser preferido pelas mulheres, a indiferença de Nalim o feria profundamente.

Respirando fundo, saiu ao jardim para serenar um pouco a tempestade que lhe queimava o íntimo. Fora-lhe necessária enorme força de vontade para resistir àquele amor, quando a vira abandonar-se trêmula entre seus braços fortes.

Mas ele a amava sinceramente. Não queria subjugá-la pela força, nem impor seu amor, provocando-a com carícias. Se fosse em outros tempos, isso não lhe importaria, mas durante aqueles dois anos de sofrimento, aprendera um pouco a respeitar os sentimentos alheios.

Não! Ela, se um dia chegasse a amá-lo, haveria de vir a ele espontaneamente. Haveria esse amor de ser mais forte do que seu ódio e seu orgulho. Então, ele a aceitaria feliz. Ela merecera a lição. Provocara-a mesmo, mas ele sofrera muito em ter que ministrá-la.

Caminhou por entre as árvores, indiferente a tudo quanto o cercava. Estava insensível mesmo dentro da magia da noite, a beleza do luar que tanto o sensibilizava antes. Era tarde já, quando se recolheu ao seu aposento.

Nalim, insone, ouviu-lhe os passos no quarto vizinho e percebeu claramente quando ele parou junto à porta de comunicação entre os dois quartos. Ansiosa, esperou.

Ele, frente à porta, sentira de repente um desejo

forte, uma enorme tentação. Afinal, aquela mulher era sua esposa! Estava tão próxima! Por que haveria de sofrer tanta humilhação?

Resoluto, deu um passo para a porta, porém, quando ia abri-la, recordou-se do riso zombeteiro de Nalim algumas horas antes. Esse riso tomou conta do seu raciocínio, encheu o quarto. Humilhado, deixou pender a mão e, resoluto, deitou-se para dormir.

Mas nenhum dos dois conseguiu dormir de pronto. Nalim meditava amargurada em tudo quanto Solimar lhe dissera. Mas como consertar as coisas?

CAPÍTULO XIV

Lição de humildade

O relógio incansável do tempo marcou mais alguns dias após o retorno de Pecos. Este, já perfeitamente refeito de tudo quanto sofrera, apresentara-se ao palácio e fora reempossado no antigo cargo.

O Faraó tinha grande interesse nos conhecimentos de Pecos com referência ao povo da Assíria. Incansável político, possuía uma rede de espionagem bem organizada. Estava a par das últimas conquistas do bárbaro Farfah e temia um ataque contra seu império. Pecos, com os conhecimentos adquiridos, era-lhe precioso. Reorganizara seu poderoso exército e estava pronto para entrar em ação se necessário.

Além de bom guerreiro, Pecos possuía um invulgar conhecimento de estratégia militar. Desde seu regresso tornara-se ocupadíssimo. Aliás, procurava aturdir-se cada vez mais, evitando a presença da esposa, temendo fraquejar em sua resolução.

Naquela casa ninguém era feliz. Todos sofriam. Otias, cada vez mais ciumenta, não sabia como livrar-se de Solimar. Certa noite, resolveu conversar com Pecos a este respeito.

Encontrando-o a sós no grande pátio, sentou-se a seu lado e aproveitou a oportunidade:

— O que pensas sobre o meu relacionamento com teu irmão?

Pecos olhou-a surpreso. Desde a sua chegada, percebera que eles não se harmonizavam, o que não o surpreendera. Seu irmão possuía temperamento oposto ao de Otias. Notara também o verdadeiro caráter da prima e sentia-se verdadeiramente feliz por não tê-la desposado.

— Bem... eu creio que tendes tudo para serdes felizes. Até a bênção de um filho!

Ela, porém, sorriu com amargura:

— Pois embora tenhamos tudo, não o somos.

Ele, fingindo surpresa, indagou:

— Por quê?

— A princípio, não consegui compreender Jasar. Paciente, tudo fiz para agradá-lo, inutilmente. Ele não me amava! Casou-se comigo para cumprir a promessa que meu pai lhe arrancou às portas da morte!

— Não sejas injusta, prima. Ele tem sido bom para ti. Solícito, carinhoso... Adora teu filho e testemunha por ti estima e respeito.

— Isto também pensava eu! Embora ele não me amasse como eu o desejava, esta confiança em sua estima e respeito muito me sensibilizava. Entretanto, tudo não passa de uma mentira! Simples mentira!

Otias deixara arrastar-se pelo rancor, levada pelo fio de seus pensamentos.

Pecos, apreensivo, um pouco picado pelas palavras da prima, atalhou:

— Estás insultando teu marido e meu irmão. Isto me obriga a exigir-te mais clareza. Explica-me o porquê das tuas palavras.

Otias percebeu que fora imprudente, porém, não mais podia retroceder. Resolutamente, continuou:

— Descobri que ele mantém relações amorosas com uma das escravas da casa. Eles começaram antes do nosso casamento e continuam até hoje.

Pecos fixou-a assombrado! Jasar, seu irmão, tão insensível às mulheres, tão sério, tão cumpridor dos seus deveres morais, mantendo relações vergonhosas com uma escrava!

Incrédulo, protestou:

— Não creio! Deves estar enganada. Certamente teu ciúme é mau conselheiro. Jasar não seria capaz de tal ação.

— Não crês? Então observa. Verás com teus próprios olhos.

— E quem é ela? — indagou curioso.

— Solimar!

O assombro de Pecos aumentou. Justamente ela! Com aquela doçura invulgar, com toda aquela serenidade, não, não era possível!

— Otias, fazes grave acusação. Não creio em tuas palavras, repudio tua insinuação.

— Não me recrimines, Pecos. Vou contar-te tudo como chegou ao meu conhecimento. Depois, não te atreverás a censurar-me.

Otias contou com algum exagero todas as cenas presenciadas e ainda a palestra que mantivera com Solias. Pecos, aborrecido, ouviu toda a narrativa calado.

Quando o silêncio se fez, ele permaneceu ainda quieto por algum tempo, depois, ajuntou:

— Bem, como prima e cunhada, mereces meu amparo. Vou investigar tudo e se for realmente verdade o que disseste, saberei chamar à ordem meu irmão. Zelarei pela tua paz doméstica.

— Não creio que seja necessário falares com Jasar a respeito. Ele é muito esquisito, o melhor seria mandar a pequena para longe... vendê-la a outrem...

Pecos, revoltado, respondeu:

— Jamais venderei um dos meus escravos. Eles são criaturas humanas e não animais. Depois, aquela pequena é merecedora do meu reconhecimento. Jamais esquecerei de que quando eu jazia em um leito entre a vida e a morte, era seu rosto bondoso que vislumbrava sempre, entre um sono e outro, entre uma febre e outra, velando pelo meu bem-estar! Suas mãos caridosas enxugavam o suor abundante de minhas têmporas! Não prima, não esperes de mim tal ação.

Otias, surpresa, retrucou:

— Antigamente não pensavas assim. Dispunhas dos teus escravos conforme as conveniências. Certamente a tal pequena cujo pai era feiticeiro, é dona de algum sortilégio. É impossível que também te deixes dominar por ela!

— Não, Otias. Tu não podes compreender o que sinto. Solimar possui de fato um sortilégio que a torna querida por todos: é a bondade. É o amor que irradia de toda a sua pessoa. Tu não podes compreender como me senti humilhado quando, após havê-la aprisionado, escravizado, dela recebi tanta dedicação, tanto desvelo. Tu não podes compreender!

Otias, sentindo que perdia terreno, perguntou nervosa:

— Mas, então, que achas? Se não encontro em ti o apoio e a proteção que mereço e desejo, ir-me-ei embora desta casa! Tu a defendes e eu não posso tolerar tal situação!

— Não, prima. Teus direitos de esposa são sagrados e se foram desvirtuados, eu te protegerei, porém, preciso antes certificar-me da verdade. Custa-me a crer em tanta baixeza vinda de meu irmão, tão honesto, tão sensato. Espera. Se tiveres razão, prometo auxiliar-te, mas não venderei Solimar em hipótese alguma. Preciso deixar bem claro que nesta casa acabou-se o tráfico de escravos.

Otias, embora revoltada com a atitude do primo, calou-se. Não lhe interessava discutir pontos de vista. Poderia irritá-lo inutilmente. Entretanto, não podia concordar. Seu modo de pensar ia contrário aos preconceitos básicos da nobreza de sua raça.

Pecos, irritado com mais este problema, retirou-se, deixando a prima imersa em seus negros pensamentos. As palavras de Otias haviam despertado nele um sentimento de antipatia para com ela.

No entanto, se ele possuísse olhos para ver o que se passava ao seu redor, no plano espiritual, teria ficado penalizado. Ela estava rodeada por uma massa cinza escura. Duas sombras negras a envolviam, sussurrando-lhe maus pensamentos. Pobre Otias!

Era escrava de seus ciúmes, do seu orgulho.

Pretendia manipular pessoas, conduzir os acontecimentos de acordo com seus interesses. Muito teria que sofrer para enxergar o quanto estava iludida e aprender a respeitar as determinações da vida. Ela é livre, obedece os desígnios superiores e ninguém consegue controlar. Essa pretensão não passa de enganosa miragem dos voluntariosos, que se julgam donos absolutos da verdade. Um dia, fatalmente, descobrirão seu engano e chorarão o tempo perdido.

Pecos retirara-se triste, envolto em sombrios pensamentos. Era-lhe difícil alcançar todo o sentido da injúria que Otias lançara no proceder de seu irmão. Verdade era que ele, como mais velho, aprendera desde cedo a respeitar no irmão a autoridade moral, a integridade mental. Parecia-lhe difícil que Otias estivesse falando a verdade.

Procuraria conversar com ele francamente. Repugnava-o, sobremaneira, agir de forma diferente, como Otias sugerira. Sabia-o sincero e se algo houvesse, ele lhe diria.

Precisava tratar do assunto com urgência, pois pretendia viajar brevemente por ordem do Faraó para inspecionar as condições políticas de várias cidades. Iria a Mênfis e possivelmente desceria a outras cidades. Talvez demorasse a regressar e pretendia ir sem aquela preocupação.

Aborrecera-se muito porque a esposa se recusara a participar das festas oferecidas pelo rei ao povo, em regozijo ao seu retorno. Após muita insistência, chegando mesmo a ordenar-lhe a presença, ela cedera, mas tratara a todos friamente.

Muitos a reconheceram como a antiga escrava, embora Pecos houvesse espalhado a notícia de que ela era filha de um nobre assírio e pela primeira vez vinha a Quinit. Crendo-se enganados, eles depressa esqueceram o incidente.

Apenas Omar não se deixou convencer, ferido no seu orgulho por ser posto ao largo por ela. Enorme ciúme tomou conta de seu ser. Calou o que sabia e procurou disfarçar todo o seu despeito.

Pecos ia partir triste e amargurado. Não sentia mais o antigo prazer pela aventura, pela luta. Com o desprezo da esposa, chocado, perdera parte da confiança em si mesmo. Emagrecera, aturdia-se para não pensar.

No dia seguinte, quando Jasar no jardim anotava em pergaminho alguns escritos, Pecos foi procurá-lo. Aproximou-se e sentando-se a seu lado, esperou pacientemente que ele terminasse.

Depois começaram a conversar amistosamente. Jasar, observador, notou a tristeza do irmão e perguntou:

— Dize-me, Pecos, o que ocorre contigo? Vejo-te triste, abatido, parece-me que não és o mesmo. O que se passa? Abre-me teu coração, sempre fomos muito amigos!

— Muitas coisas sucederam em minha vida ultimamente. Tudo para mim tornou-se diferente. Entretanto, é sobre Otias que preciso falar-te.

— Não creio que tu a amasse realmente. Sabes que se casei com ela, foi em cumprimento a um sagrado dever.

— Não se trata disto. O problema é outro...

E calou-se algo indeciso, procurando como começar. Jasar, surpreso, olhando-o de frente, aguardou que ele falasse.

— Nós, além de irmãos, sempre fomos realmente amigos e como mais velho, encontro-me no direito de falar contigo sobre o motivo da minha preocupação. Qual é tua opinião sobre Solimar?

Jasar, embora surpreso, não desviou o olhar, e seu rosto permaneceu sereno como sempre.

— Que é uma criatura excepcional. Um espírito lúcido, enfim, boníssima pessoa a quem muito devemos, tu e eu!

— Sim, esta também é minha opinião a respeito,

isto é, era, porque para não modificá-la, preciso esclarecer certas dúvidas quanto ao seu caráter. Dize-me, tu a amas?

À pergunta feita quase à queima roupa, Jasar suspirou profundamente e sem desviar os olhos, encarando Pecos com a mesma serenidade apesar da emoção que sentia, começou a falar:

— Agora já sei o porquê dos teus rodeios. Preciso falar, não para explicar coisa alguma, porque nada existe para ser explicado. Apenas antes de começar, com franqueza preciso conhecer o motivo da tua pergunta. Entre nós não há segredos, ou melhor, nunca houve. Conta-me o que pensas saber e eu te revelarei a verdade.

Pecos, um tanto embaraçado pela serenidade de Jasar, contou-lhe tudo. Ele ouviu calado e quando Pecos acabou, um silêncio constrangedor pairou no ar.

Suspirando fundo, Jasar começou:

— Agora, meu irmão, ouve o que vou contar. Nada devo à minha esposa. Desde que nos casamos, tenho procurado adaptar-me a ela, com seus costumes e suas idéias. Lamento não haver conseguido o êxito desejado. Quanto a Solimar, esta criatura admirável, não consentirei que a caluniem e jamais que tal pecha lhe seja lançada pelos ciúmes doentios de uma mulher. Amo Solimar! Sempre a amei! Mas nosso amor é algo que paira sobre as coisas deste mundo. É um amor todo espírito. Se tu não tivesse desaparecido, certamente hoje eu estaria casado com Solimar.

Em poucas palavras, Jasar contou ao irmão tudo quanto se passara. Este, um pouco envergonhado,mas ainda temeroso, objetou ao fim da narrativa:

— Eu sabia que podia jurar pela tua honestidade, mas julgo perniciosa a excessiva convivência que tens com Solimar. Um dia poderão não mais resistir e entregar-se um ao outro.

— Estás enganado. Nosso amor está acima da posse comum. Jamais eu ousaria tocá-la de leve. Não compreende? É o pensamento, a alma de Solimar que eu amo! Não são as formas do seu corpo belo e jovem. Sinto um enorme prazer em ouvi-la falar sobre assuntos sérios, como quando ouvia um velho professor a quem muito amei. É uma atração estranha, mas sinto que me seria penoso afastar-me dela.

— Otias não suportará tal situação.

— Infelizmente ela não pode compreender. Se Solimar se for, será difícil prender-me aqui. Somente o grande amor do meu pequeno Matur me faria vir passar aqui algum tempo. Acaso pretendes dispor de Solimar?

A pergunta era direta e algo admirativa.

— Não. Por ora não. Minha esposa dedica-lhe verdadeira estima. Mas não compreendo tua forma de amar. Eu amo perdidamente minha esposa, até não me envergonho de confessá-lo. Preciso mesmo desabafar com alguém, mas se é verdade que não desejo só seu corpo, também é claro que só o seu espírito não me satisfaria. Creio que uma coisa é o complemento da outra. O amor carnal é o extravasamento e a exteriorização do amor do espírito. Quando se ama realmente, no meu entender, a maneira de demonstrarmos nosso afeto é acariciarmos o ente amado.

— Esta seria a felicidade máxima na Terra, mas quando isto é proibido aqui, quando a vida nos ordena esperarmos resignados o fim da nossa tarefa neste mundo, então, o bem supremo, eterno, é concentrado unicamente na convivência amiga, sincera, simples, pura, que ninguém nos pode roubar, porque nada estamos roubando a outrem. O amor assim purifica-se e consolida-se para a eternidade. Nem a morte poderá destruí-lo. Ele viverá em nosso ser eterno, porque nele foi construído. O corpo, este será levado nas asas da transformação natural e com ele todo amor que um dia inspirou. Nós, não. Nosso mundo, ainda que sejamos separados pelas fraquezas humanas, jamais será destruído.

Jasar falava com tal convicção que Pecos sentiu

desvanecer toda a sua preocupação.

— Jasar, creia que te admiro e respeito. Sempre apreciei a firmeza do teu caráter. Lamento tua sorte, sinceramente. Tomaste de meus ombros o peso de tal união. Fui o causador, embora involuntário, de toda a tragédia da tua vida.

— Mais uma vez te enganas. Certamente eu mesmo, no passado, fui o causador da situação que hoje enfrento. Portanto, resta-me ser paciente e não recair em erro para construir um futuro melhor.

— Mas tu! Sempre foste tão bom... Tão nobre. Não creio que merecesses tal castigo. Eu fui sempre muito pior do que tu e parece-me que minha sorte não foi tão terrível.

— Não deves falar com tal certeza de leis que desconheces. Se tu hoje cometestes mais erros do que eu, creia que cedo ou tarde colherás os resultados equivalentes. Depois, como podes saber se sou bom? E o que fui no passado, nas existências anteriores, como podes afirmá-lo? Nada é definitivo no livro da vida. Nós o escrevemos todos os dias, plantando nosso futuro. Somos tão ignorantes! Ainda não sabemos nada sobre as leis da vida. O que está claro para mim é que se quisermos viver em um mundo melhor, precisamos nos tornar melhores. Aprender a enxergar o bem. Ai de nós, quando conspurcamos a vida que é tão bela! Tu mesmo sofreste a experiência terrível destes dois anos de cativeiro. Eu te digo, acautela-te. Este acontecimento nada mais foi do que uma advertência para abri-te os olhos. Se continuares, coisas piores poderão acontecer!

— Talvez tenhas razão. Tenho pensado muito sobre isso. Jamais me esquecerei das emoções que senti durante aquele tempo todo. Do terrível julgamento a que fui submetido pelos homens de Rabonat. Eu prefiro a agonia de mil mortes do que o que senti quando me acusavam. Não conheço o medo. Não temo pelo futuro, mas jamais comprarei ou venderei escravos em minha casa. Já formei este conceito e fiz tal promessa a mim mesmo.

— Bravo, meu irmão — exclamou Jasar, comovido — regozijo-me porque a luz, o amor, já começaram a raiar em teu íntimo. Mas uma coisa desejo dizer-te. Faze o que quiseres e não esperes dos homens a recompensa, nem mesmo dos escravos que aqui manténs com branda autoridade. Os que não possuem valor para seguir teu exemplo, talvez escarneçam de ti, mas o bem-estar interior e a paz da tua consciência são mais importantes do que a opinião deles.

— Agradeço-te as amigas advertências, Jasar. Creia que quanto mais te conheço, mais te admiro.

A compreensão renovou a amizade existente entre eles, tornando-a ainda mais profunda. Seguindo um impulso do seu coração, Pecos contou-lhe todo o seu torturado amor por Nalim.

Jasar confortou-o, animando-o a esperar. Estava certo de que ela também o amava, porém não sentia coragem ainda para confessar.

Mas para Pecos, o riso zombeteiro ainda não se apagara do seu pensamento, por isso, receava falar-lhe de amor. Se ouvisse novamente aquele riso, seria capaz de matá-la.

Enquanto conversavam, Otias os observava a uma certa distância. Curiosa, daria alguns anos de vida para ter ouvido a longa palestra. Exigira do primo a partida de Solimar. Não poderia suportar-lhe a presença por mais tempo.

Quando os dois irmãos se separaram, Pecos foi a procura da prima, desejoso de tranqüilizá-la. Esta fingiu-se entretida, examinando algumas tapeçarias no pátio interno.

— Otias! — chamou ele. — Desejo falar-te.

Ela voltou-se para ele que, sentando-se em um banco, fez-lhe um sinal para assentar-se. Calada, ela obedeceu.

— Trago-te boas notícias. Estás enganada com teu marido e com a jovem escrava. Entre eles jamais existiu qualquer ligação como a que lhes atribuis. Falei-lhe. Admira a inteligência da moça, que muito útil lhe tem sido no andamento de suas experiências. Deves envergonhar-te de tão mau pensamento. Ambos são dignos de tua estima.

À medida que ele falava, Otias sentia-se invadir por um ódio tremendo. Sem poder conter-se, gritou asperamente:

— A ti podem enganar, mas a mim não. Odeio essa mulher! Odeio-a porque sei que ele a tomou por amante! Jamais poderei perdoar-lhes. Sinto o peito opresso de revolta. Jamais permitirei que ela fique aqui. Ou ela, ou eu!

Pecos fitou-a surpreendido sem saber o que dizer. Jamais havia presenciado o furor da prima, sempre encoberto com o verniz da etiqueta social. Sentindo-a injusta, um sentimento de desdém o invadiu.

— Cala-te, Otias. Não tens o direito de fazer essa acusação. Prometi investigar e já contei a verdade. Solimar ficará aqui e tu também. O dono da casa ainda sou eu. Não permitirei que teus caprichos de mulher ciumenta me obriguem a pagar com o mal o bem que recebi daquela bondosa criatura.

— Bem sei, — tornou ela aparentemente mais calma, mas com voz amargurada — todos a elogiam! Ela é a perfeição, eu, a caprichosa. Não compreendo como pode ela exercer tal fascínio em todos desta casa. Certamente possui sortilégios malditos que os envolvem para que não lhe vejam as maldades. Mas, ai dela, pois que a mim não conseguiu nem conseguirá enfeitiçar!

E voltando as costas, retirou-se, deixando Pecos a bendizer-se intimamente por não se ter casado com ela e, ao mesmo tempo, lamentando a sorte do irmão. Mas embora o problema deles o preocupasse, Pecos preocupava-se muito mais em observar sua própria esposa. Vivia torturado por pensamentos dolorosos. Desejava estar ao lado dela, acariciá-la, mas, ao mesmo tempo, sentia que não poderia suportar mais humilhações. Seu orgulho masculino estava por demais ferido.

Os preparativos para sua viagem estavam praticamente prontos. Teria que seguir nos próximos três dias. Angustiado, buscou, nos abundantes jardins que guarneciam a casa, um lenitivo para sua angústia.

A certa altura do passeio, vislumbrou o vulto gracioso de Solimar, caminhando vagarosamente, embebida em seus próprios pensamentos. Para ela, se dirigiu com prazer.

Solimar, ao vê-lo, sorriu e com um gesto vago, disse:

— Senhor, peço-vos perdão por ousar admirar vossos jardins à hora desusada. Creia que fui tentada pelo maravilhoso perfume das flores que espargem delicioso bem-estar. Mas, eu já me vou.

— Não, Solimar. Tu podes passear à vontade pela casa e pelos jardins. Aliás, tinha mesmo intenção de procurar-te. Necessito falar-te.

Ela, um tanto surpreendida, respondeu:

— Estou ouvindo, senhor.

— Vem, senta-te aqui neste banco. O assunto é sério e portanto deves escutar-me com a máxima atenção.

Ela assentiu levemente com a cabeça, e ambos sentaram-se a um banco. Pecos, um pouco inseguro, começou a falar.

— Ouve, Solimar. Devo esclarecer-te que em minha casa não te considero uma escrava. Teus dotes de espírito, tuas ações e o muito que fizeste em nosso benefício tornaram-te estimada, admirada. O que te vou dizer, não é pois com o sentido ofensivo e creia-me, não desejo magoar-te.

Após este preâmbulo, Pecos contou-lhe todos os acontecimentos relativos a Otias e Jasar, que a envolviam diretamente. A moça ouviu silenciosa e embora seu rosto não se perturbasse, em seu olhar uma tristeza infinita espelhava-se à medida que ouvia.

Pecos terminara e calado olhava-a fixamente,

aguardando seu pronunciamento.

Ela, calma, passando ligeiramente a mão pela testa, para afastar uma teimosa madeixa que a guarnecia, murmurou:

--- Senhor, grande é vossa bondade e compreensão. Agradeço-vos a delicadeza, solicitando minha opinião de humilde escrava em confronto com a autorizada palavra de vossa nobre prima. Mas, senhor, eu a compreendo! Ela sofre imensamente e eu desejaria poder de alguma forma auxiliá-la. Talvez o faça. Poderia, se fosse livre, afastar-me daqui, embora muito me custasse. Estou presa a esta casa por inúmeros laços afetivos. Bem sabeis da grande amizade que me une a vossa nobre esposa, ao pequeno Matur e a vosso irmão. Também aprendi a vos estimar.

— Crês que se fosses livre e te retirasses para longe, Otias seria feliz com meu irmão?

— Não. A felicidade, nós a encontramos na harmonização, no amor verdadeiro, na aceitação dos desafios que a vida coloca em nosso caminho todos os dias para nosso amadurecimento. Nós a encontramos ainda, trabalhando a favor da vida, dedicando-nos aos que sofrem, procurando amenizar-lhes as torturas, embora sejamos fracos e pequeninos e pouco possamos realizar. A nobre Otias carrega todo o peso de seu próprio orgulho, algemada pela vaidosa certeza de sua importante pessoa no mundo, como nobre, como privilegiada. Cada um paga tributo à bagagem que carrega intimamente, tributo esse que por sua vez é retirado da parcela total da felicidade que lhe era destinada.

Pecos a ouvia admirado. Ela calou-se, fitando-o calmamente.

— Continua, esclarece-me, por favor.

— Vivemos neste mundo para exercitar a bondade, aprender a respeitar a vida, vencer nossas ilusões, alargar nossa consciência e nos harmonizarmos com os outros. Quem acredita nos efêmeros prazeres que o mundo proporciona, sem trabalhar em favor do seu espírito, ao invés de resolver antigos problemas de outras vidas que pedem solução agora, acabam colhendo resultados desastrosos aumentando a própria infelicidade. Vossa nobre prima, por exemplo, jamais amou ao vosso irmão, porque jamais o conheceu. Ama sua superioridade moral e sente que não a consegue alcançar. Por isso tem ciúmes. Em vós, ela tentou amar vossa fama de herói, de soldado, vosso porte elegante, vossa própria galanteria, mas há muito que suas atenções se haviam voltado para vosso irmão. Seu modo de amar não vai além de fazer sentir aos outros que ela conquistou o que era julgado impossível, o desejado de outras mulheres. Jamais sentiu-se unida ao marido, porque a união verdadeira que se baseia no espírito não se realizou. Jamais sentiu a beleza da alma bondosa de Jasar que a ela se dedicou nobre e sinceramente. Jamais percebeu as profundezas de seu pensamento exuberante e belo. Jasar está muito além da compreensão dela. Isto a torna insegura. Ela sente que ele é livre e por mais que faça não conseguirá dominá-lo. Quanto mais ela pretende segurá-lo, mais ele se afasta. Ela não sabe que é libertando que nos aproximamos mais de quem amamos.

Solimar fixava absorta um ponto distante, sua voz vibrava em entonações suaves. Pecos a ouvia quieto, receoso de falar, preso às suas palavras que traduziam uma filosofia profunda, amorosa e elevada.

Quando ela se calou, ele sem conter-se, murmurou:

— Como tu o amas! Agora começo a compreender um pouco a natureza dos teus sentimentos. És tão nobre, tão generosa! Sinto-me realmente arrependido, porque arrancando-te dos teus, fui o causador de toda a tua infelicidade e a de meu irmão!

— Senhor, por que falais em infelicidade? Eu não sou infeliz!

– Apesar da mísera condição de escrava a que te reduzi, da perda do homem que amavas, da separação dos teus, ainda não és infeliz?

— A vida só faz o melhor! Se o destino me reservou tudo isto, foi porque certamente eu precisava aprender a ter paciência e a esperar. Quando compreendemos o porquê da nossa vida terrena e construímos nosso mundo no espírito, jamais seremos despojados dos bens conquistados. Sou feliz porque meu corpo é leve, meu espírito não possui bagagem pesada. Como escrava, tenho a ventura de aprender a servir a todos, recebendo deles, em troca, a valiosa conquista da humildade. Embora tenha dignidade, não sendo orgulhosa, nada poderá atingir-me, seja o que for que me aconteça. Não possuindo posição social, sou livre para fazer o que sinceramente me agrada. Não odiando, alcancei a paz interior. O ódio nos transforma em escravos de sua força torturante. Muitas vezes nos conduz à prática de atos perversos, cujas conseqüências nos atingem sempre com maior violência. Não. Enganai-vos, senhor. Não sou infeliz. Tenho tudo! Sou livre! Meu espírito não está preso às ilusões terrenas, não lhes suporta o tremendo peso!

– Agora compreendo por que Jasar te ama! Ouve... sempre me perturbou olhar para ti, porque surpreendia piedade nos teus olhos. Agora percebo que tinhas razão. Nós, envoltos em nossos próprios erros, cavamos nossos próprios sofrimentos e geralmente responsabilizamos a outrem. Eu venho sofrendo todas as torturas dos negros vales do Amenti, mas o orgulho me fere a cada passo, interceptando meu impulso bom.

— Sei que vosso amor pertence à vossa esposa. Sei que não sois felizes.

— Acaso ela te contou?

— Não. Desde que aqui chegamos juntas, notei a atração irresistível que vos unia.

— Mas ela me despreza, odeia. Jamais seremos felizes! Destruímos todas as possibilidades.

Cedendo a um impulso, Pecos contou a Solimar todo o seu sofrimento, sua angústia, suas dúvidas. Além de Jasar, jamais confiara a quem quer que fosse seus receios íntimos. Era extraordinário um homem experiente, vaidoso e seguro de si buscar conselhos e amparo em uma jovem criatura.

Quando ele terminou, ela, sorrindo com brandura, explicou:

— Deveis ter paciência com os impulsos de vossa esposa. Ela é uma excelente criatura, embora se deixe levar demasiado pelo orgulho. Creio mesmo, senhor, que tudo vos está favorável. Sois marido e mulher. Jovens, amam-se. Por que não esquecer todo o passado e iniciar uma vida feliz, dentro de um amor sincero e nobre?

— Te enganas certamente. Ela jamais me amará!

Solimar sorriu maliciosa.

— Pois se tivésseis presenciado certas cenas, não diríeis tal!

O coração de Pecos acelerou suas batidas. Uma onda emotiva o invadiu, quando perguntou esperançoso:

— Conta-me. O que sabes?

— Não. Sinto que não seria bonito. Ela vos ama, mas talvez nem saiba. É preciso despertá-la para a realidade e vós sabeis como fazê-lo.

Conversaram mais algum tempo e quando se separaram, Solimar conquistara definitivamente a estima de Pecos. Conseguira acalmá-lo completamente. Era tal a paz e a serenidade que sua presença irradiava, que ele se transformara. Sentia-se agora esperançoso, quase feliz.

A vida de repente tornara-se bela, atraente, e ele sentia-se envolver por um louco entusiasmo. Subitamente, lembrou-se da viagem. Arrependeu-se de a ter solicitado ao Faraó.

Resolveu então apressar a partida, Iria no dia seguinte. Assim poderia retornar brevemente. Mas antes teria um entendimento com a esposa.

Solimar, no entanto, tinha o coração opresso. Só,

em seu recanto favorito, angustiada, sentia irremediável a separação do homem amado. Ela teria que ir-se. Jamais poderia ser empecilho à sua felicidade conjugal. Mas ela era escrava. Tudo dependeria da autorização de Pecos.

O certo é que, envolto por uma onda de tristeza, seu coração contraiu-se dolorosamente, pressentindo os próximos sofrimentos a vencer. Entretanto, sentia que não estava só. Havia uma força superior que a amparava. Certamente seria desse Deus universal de que seu pai tanto lhe falava em sonhos. Resignada, Solimar dirigiu àquele Ser Supremo uma súplica ardente.

Pedia por Jasar, para que soubesse suportar a separação. Pedia por Otias, para que fosse uma boa esposa; pedia pelo pequeno Matur, que tanto amava. Pedia por Nalim e Pecos, tão impulsivos e voluntariosos. Para si mesma, pediu apenas forças para não fracassar na luta interior.

Enquanto ela meditava, orando ao Pai Celestial, entidades transparentes de impecável alvura a amparavam, acariciando-lhe a fronte brandamente. Suas mãos espargiam flocos finíssimos que como um orvalho balsamisante lhe refrescavam o espírito. Assim permaneceu algum tempo.

Seu rosto translúcido transformara-se ainda mais. Parecia haver abandonado tudo quanto a cercava e se transportado a um mundo diferente.

Quando despertou do seu êxtase, Solimar sentia um enorme bem-estar, o peito ainda dilatando-se no prazer daqueles instantes de misticismo. Sentia dentro de si uma renovação intensa de valor, coragem, vontade de lutar para vencer a si mesma.

Mais feliz, recordou-se do mundo maravilhoso que percorrera durante aquele instante, onde o peso do corpo físico não existia e o pensamento era a força motora.

Oh! que momento inesquecível o de poder abraçar amigos muito queridos de quem se lembrava conhecer, mas sem saber de onde. Possuía a certeza de haver retribuído aquelas amizades sinceras e caras ao seu espírito, mas não conseguia lembrar-se quando isto se dera.

Para Solimar, daí por diante, nada mais existia, por mais forte que fosse, capaz de fazê-la fracassar.

Comovida, ela derramou lágrimas de reconhecimento por aquela dádiva divina.

A noite ia alta já e Pecos, indeciso, caminhava pelo pátio interno de seus aposentos. Resolvera partir no dia seguinte, mas antes queria entender-se definitivamente com a esposa.

A noite era quente e havia uma grande calmaria no ar prenunciando para breve o início das chuvas.

Pecos ia e vinha de seu quarto ao pátio, sabendo que a esposa deveria estar do outro lado daquela porta que, como uma barreira, os separava. De repente resolveu. Decididamente, bateu à porta intermediária.

Nalim já se deitara, porém, angustiada, pensando na próxima partida do marido, não conseguia dormir.

Foi com o coração batendo violentamente que ela se levantou e correu o ferrolho da porta.

Pecos olhou-a firmemente, e ela percebeu nesse olhar toda a força dominadora de sua vontade forte. Decidida a não fraquejar, embora intimamente estivesse sem forças para resistir-lhe, perguntou friamente:

— Que desejas a estas horas da noite?

— Falar-te. Já deveis saber que amanhã irei embora ao raiar do dia. Levarei muito tempo a regressar e vim despedir-me de ti.

Sua voz era cordial e havia no fundo um tom de sinceridade. Isto desarmou-a e foi com voz natural que respondeu:

— Agradeço-te a gentileza.

E estendeu-lhe a pequena mão que ele tomou entre as suas e beijou sem poder conter-se mais.

Nalim, temendo trair a emoção que a envolvia, murmurou às pressas:

— Adeus, desejo-te boa viagem.

Pecos olhou-a.

Ela estava linda na intimidade de seus trajes de dormir, olhos brilhantes, rosto corado pela emoção, cabelos em adorável desalinho. Cedendo a um impulso, como que fascinado, Pecos puxou-a para si e sentiu que ela tremia emocionada.

Feliz, compreendendo que ela realmente o queria, inebriado, apertou-a com força entre os braços murmurando-lhe ao ouvido:

— Eu te amo! És minha esposa e ninguém nos poderá separar!

Em sua voz profunda havia a ardente força daquele sentimento recalcado durante muito tempo.

Nalim sentiu como que um deslumbramento. Todo o seu ser vibrava, tangido por uma emoção inebriante que ela jamais sentira. Sob seu influxo, compreendeu por fim o que o marido representava em sua vida.

Para ela, naquele instante, o passado não existia. Percebia que o amava e era feliz, tremendamente feliz em ser correspondida. Vencendo a timidez, com meiguice passou-lhe os braços ao redor do pescoço, e encostando sua face ternamente à dele, disse:

— Naquela noite, disseste que jamais cobraria teus direitos de esposo se eu não te pedisse. Hoje sou eu que desejo dizer-te: amo-te. Somente agora o descobri. Peço-lhe que esqueças o passado e sejas realmente meu esposo!

Comovido, ele apertou-a ainda mais.

— Sim, meu amor, esta será realmente nossa noite nupcial!

E aquele foi verdadeiramente o grande momento de suas vidas.

O amor triunfara mais uma vez contra as imposições do orgulho e do rancor. E o novo dia surpreendeu Pecos ainda nos ternos braços da esposa, lamentando ambos a dor da separação.

Era difícil para eles aquele instante. Agora que se

haviam entendido, aquela viagem se transformara num doloroso espantalho.

Todos estranhavam a radiosidade do casal. Solimar percebeu, feliz, que suas palavras haviam surtido bom resultado.

Pecos, soberbo em sua túnica dourada, garboso, seguiu à frente de sua guarda pessoal para o palácio, onde em seguida partiria, após as últimas determinações do rei.

Nalim, ao ver o vulto do marido que desaparecia nos portões de saída, sentia-se já saudosa. Sua felicidade transbordante precisava ser compartilhada com alguém.

Percebeu o vulto de Solimar. Alegre, alcançou-a e passando-lhe o braço pelos ombros, disse:

— Solimar, preciso contar-te. Sou feliz! Ontem nos entendemos. Ele é o homem mais maravilhoso do mundo!

— Felicito-te. Procura ser uma boa companheira, compreendê-lo e serão felizes.

— Tu não podes imaginar a minha emoção quando percebi que o amava! Parecia-me que um novo mundo se abria para mim. Jamais senti emoção igual!

— És feliz! Procura manter tua felicidade, retribuindo o amor do teu esposo com ternura e carinho. Nem todos os que amam podem viver unidos neste mundo. Tu, que possuis essa grande dádiva, deves dar graças ao Criador.

— Tens razão. Minha vida que era vazia e triste, inundou-se de luz. Oh! tu não podes compreender, tu nunca amaste!

Solimar sorriu, benevolente, respondendo:

— Talvez. Mas jamais devemos ajuizar o próximo, porque muitas vezes corremos o risco de nos enganar.

— Que dizes! Terás acaso amado alguém?

— Não te detenhas tomando minha palavra a sério. Antes, conta-me toda a tua ventura.

Elas continuaram felizes conversando abraçadas,

mas alguém havia que as espreitava com o olhar em fogo: era Otias!

A alegria de Nalim a irritava. Percebera que os dois se haviam beijado na despedida e havia em seus olhos um novo brilho. Certamente se haviam conciliado.

Para Otias, o amor de Pecos pela esposa era uma desmoralização social. Ela pensava: "bem se vê que ela foi escrava, pois que se sente melhor entre elas, tomando intimidades reprováveis".

Lá estava ela abraçada à odiosa Solimar. Mas, ai delas! Agora Pecos não estaria para defendê-las. Haveria de destruí-las! Seria então dona absoluta de Jasar e da fortuna de Pecos visto que ele não tinha filhos.

Otias sentiu que precisava falar com Solias e juntos traçar um plano de ação. Talvez, conseguir seu intento fosse mais fácil do que pensava. Resoluta, deixou o esconderijo e saiu à procura de sua escrava de confiança. Precisava mandar chamar o lanceiro imediatamente.

As duas amigas continuavam palestrando animadamente sem suspeitar que a sombra do ciúme, da inveja e da cobiça, rondavam-lhe os sonhos prometendo destruí-los.

No entanto, acima dos desejos humanos estão os do nosso Pai Celestial, que só permite o exercício do mal para que o bem resplandeça. Otias, à medida que alimentava tão negros propósitos, plantava sofrimentos para o futuro.

Tivera em suas mãos a escolha. Havia dois caminhos: o da compreensão e da tolerância, o do ódio e da vingança. Ela não hesitou em preferir o que satisfazia seus interesses mesquinhos.

Por ignorância às leis da fraternidade e do amor, muitos agem assim, pagando depois sua parcela de sofrimento em troca da experiência de que necessitam.

CAPÍTULO XV

Vítima do próprio ódio

Jasar naquela noite estava triste. Sentia o coração oprimido e uma angústia inexplicável. A conversa com Pecos, na véspera de sua partida, deixara-o apreensivo.

Com a íntima convivência, aprendera a bem conhecer o caráter vingativo e orgulhoso da esposa. Dela, jamais poderia esperar um gesto de compreensão.

Sem a presença de Pecos, temia que ela desse vazão a seu ódio contra Solimar. Por ser escrava, Otias poderia humilhá-la, persegui-la, fazê-la sofrer. Sabia que a moça sofreria tudo sem jamais queixar-se, e isto o atormentava.

Solimar era uma criatura espiritualmente superior. Doía-lhe vê-la maltratada por alguém como sua esposa. Sentia necessidade de tomar algumas providências, mas quais?

Poderia fugir com ela para bem longe, para viverem a vida que haviam sonhado! Por alguns instantes, seu semblante iluminou-se pensando em tal possibilidade.

Viver ao lado dela! Seria maravilhoso viajarem juntos sempre buscando novos conhecimentos dentro da maravilhosa harmonia que reinava entre eles!

Mas... isto era impossível! Ela jamais concordaria. Ele também não se sentiria em paz fugindo ao compromisso assumido. Além da esposa, existia o filho que adorava. Matur necessitava de seu apoio, de seu afeto e ele não podia abandoná-lo.

Não! Ele estava preso moralmente ao compromisso assumido. Havia uma alma enferma aos seus cuidados, ele precisava ministrar-lhe os medicamentos.

Fora certamente o grande Criador que lhe dera esse encargo. Otias era uma doente!

Ele e Solimar somente poderiam sonhar com a felicidade quando os compromissos terminassem e eles fossem livres. Ele tinha certeza de que isso aconteceria um dia, ainda que fosse em outra vida e em outro mundo.

Tão imerso estava em seus pensamentos que não viu quando Nalim, aproximando-se a sorrir, perguntou amistosa:

— Por que tanta carranca, Jasar?

Surpreso, ele ergueu seu límpido olhar. Via-se que a moça procurava uma forma de ser gentil. Desde a sua chegada, ela se retraíra em virtude de seus problemas com o marido. Agora que tudo se transformara maravilhosamente, sentira a necessidade de aproximar-se mais da família dele.

Sempre simpatizara com Jasar, embora o temesse um pouco. Ele lhe parecia tão distante.

— És tu, Nalim — respondeu o moço com cordialidade — estava assim tão terrível?

— Estava assim como que sofrendo muitas dores, teu rosto contraído. Estarás por acaso doente?

— Não te preocupes. Agradeço-te o interesse. Já que procuraste palestrar comigo aqui no salão, vens a propósito. Preciso falar-te sobre um assunto muito sério. Queres dar um passeio comigo pelos jardins? O que devo dizer-te é algo muito íntimo e temo ser interrompido por ouvidos indiscretos.

Um tanto intrigada, Nalim aquiesceu, e ambos se encaminharam para os ricos e suntuosos jardins que guarneciam a casa. Procurando dar um tom despreocupado à voz, Jasar perguntou:

— Pelo que observei antes da partida de Pecos, tudo está bem agora, não?

— Sim — respondeu Nalim, corando ligeiramente.

— Folgo em saber. Pecos merece ser feliz. É uma esplêndida criatura que irás aprendendo a amar quando o conheceres melhor. Ele te quer muito e espero que saibas torná-lo feliz.

— Não sei se estás a par de tudo quanto nos aconteceu, mas agora que vencemos nosso orgulho e nos entendemos, seremos felizes! Conheço-o bastante para saber que o amo e que sou imensamente feliz por ser sua esposa.

— Alegra-me tua maneira sincera de falar. Faço votos que sejam muito felizes. Mas, agora, mudando de assunto, devo falar-te sobre algo que há pouco me preocupava. Apesar de pouco termos conversado, sinto que poderei contar contigo. Responde-me francamente: o que pensas sobre Solimar?

Nalim, enrugando o sobrecenho levemente, com certo ar preocupado, respondeu sem vacilar:

— Que é a melhor criatura que conheci. Considero-a minha melhor amiga.

— Justamente o que eu pensava! E... se ela corresse um grande risco, que farias?

— Defendê-la-ia com todas as minhas forças.

— Bem, creio que chegou o momento em que ela precisa de ti.

— Mas... explica-te. O que está acontecendo?

— Vejo que nada sabes. Solimar certamente calou todo sofrimento que a tem atingido. Prefere carregar o fardo sozinha. Só tu nos poderá ajudar.

Jasar relatou então a Nalim toda a história do seu romance com Solimar. Usou da máxima sinceridade, sem omitir um único detalhe. Nalim admirou-se. A amiga calara seu grande segredo. Compreendia a superioridade de Solimar sobre Otias e justificava que esta sentisse ciúmes.

Jasar terminou dizendo:

— Como vês, devemos acautelar-nos. Otias é vingativa, pode bem tentar algo contra Solimar. Contei-te tudo porque assim quando eu me ausentar, zelarás por ela. Confio em tua amizade e acredito que farás tudo que estiver ao teu alcance.

— Podes contar comigo. Além de confiares em minha estima por Solimar, deves também confiar em minha antipatia por tua esposa.

— Deves ter piedade dela, Nalim. Quem cultiva tantos pensamentos torturantes sofre muito! Otias é uma enferma que necessitamos curar. Não devemos nos prender às suas fraquezas, mas sim buscar nela as boas qualidades, para que trazendo-as à tona, possamos melhorar-lhe o entendimento.

— Compreendo teu amor por Solimar. Pensas como ela. Conta comigo. Estarei vigilante. Não permitirei qualquer atitude contra Solimar.

Jasar sorriu mais aliviado. Com a promessa de Nalim, firmou-se um pacto de amizade entre eles, estreitando os laços de família. Nalim conseguira mais aquela vitória. Conquistara a simpatia do cunhado, que tanto desejava, para agradar o marido, mostrando-lhe que o passado fora esquecido e que ela estava tentando adaptar-se à sua nova vida.

Jasar, por sua vez, sentia-se mais tranqüilo. Eram dois contra um. Certamente Otias nada poderia fazer. Foi, portanto, quase alegre que ele retornou à casa com a jovem esposa de seu irmão.

Se os dois tentavam proteger Solimar, outros dois havia que tramavam contra. Otias, protegida pelas sombras da noite, fora encontrar-se com Solias e conversava animadamente. O astucioso lanceiro, além da escrava, ainda desejava algumas jóias e moedas de ouro para participar da empresa.

Dizia servilmente:

— Vós, sabeis, nobre senhora. Se me apanham, atiram-me às feras do grande sacrifício. Se me derdes o que vos peço, poderei ir para bem longe e nunca mais voltar aqui. Assim, ninguém jamais saberá o que aconteceu.

— Mas é muito. Disseste-me que te contentarias com a escrava!

— Mas vós também não me dissestes que teria de

matar a outra.

Otias fez um gesto de enfado.

— Tu falas com muita crueza. Não gosto de tua expressão. Se não queres a metade do que pedes, não farei nada mais. Fica tudo desfeito.

— Bem... se me deres as jóias somente, mas aquelas que pedi, farei tudo a contento e irei embora.

— Certo. Dar-te-ei as jóias, mas espero que sejas rápido no trabalho.

— Tudo sairá conforme o combinado.

Quando se separaram, o plano estava pronto.

Otias, agitada pelo nervosismo, sentiu que a espera seria angustiosa. Por um momento, aterrorizada com o rumo que havia escolhido, quis retroceder, mas a idéia da união do marido com a escrava reapareceu em sua mente, e ela decidiu-se a deixar que o plano se cumprisse.

Ademais, nada estava fazendo senão proteger a honra da família. Quanto a Nalim, precisava desaparecer! Certamente Pecos estaria livre de uma união tão vergonhosa. Tudo quanto possuíam os dois irmãos passaria assim para suas mãos. Seu filho seria o dono de tudo! Seria rico e poderoso, invejado por todos!

Otias sorria febrilmente, deslumbrada pela ambição, antegozando o futuro como dona absoluta daquela casa, exercendo afinal a posição que lhe cabia de direito e que estava sendo usurpada pela odiosa escrava.

Naquela noite, ao adormecer, foi envolvida em longos pesadelos angustiantes. É que as energias pesadas com as quais voluntariamente se envolvera, começavam a fazer seus efeitos.

No dia seguinte, Nalim chamou Solimar e amigavelmente a censurou por não lhe haver confiado seu segredo. Esta, um tanto surpresa, procurou justificar-se, sorrindo e dizendo:

— Ora, Nalim, sabes muito bem que confio em tua amizade, mas se calei, foi somente para não te aborrecer com minhas desventuras. Qual o benefício que poderia tirar em torturar-te com meus problemas insolúveis? Nada há para ser feito, a não ser a tolerância e a resignação, a fim de que com elas proporcionar a Jasar mais forças para dar cumprimento à sua missão. Se eu esmorecer, ele também terá possibilidade de fracassar.

— Compreendo teu nobre motivo, ocultando-me teu amor. Apenas é nosso desejo preservar-te da maldade de Otias.

— Estás enganada se crês que ela poderá atingir-me. Se ela tentar algo contra mim, estará simplesmente castigando a si própria.

— Como assim? — indagou Nalim surpresa. — Ela poderá causar-te muito mal. É perversa, vaidosa e, além do mais, ciumenta.

— Que pensas que ela poderá fazer? Maltratar-me, humilhar-me, castigar meu corpo com pancadas até matá-lo?

— E não é o bastante para temermos?

— Devemos lamentá-la, não temê-la. Quanto mais ela tentar contra mim, inspirada pelos vícios que seu espírito ainda possui, mais e mais estará sofrendo. Torturada por seus pensamentos, perderá a paz. Viverá angustiada, acorrentada à lembrança do mal que houver praticado. Sua vida será assim até que perceba a inutilidade do mal e decida sair dele. Quanto a mim, por mais que ela atinja o meu corpo, jamais conseguirá causar dano a meu espírito. Creia, Nalim, eu a lastimo, não a temo.

— Realmente pensas de maneira diversa dos demais. Não sei como podes torcer as coisas e mudar-lhes o aspecto de tal maneira que sempre acabo concordando contigo.

— Não sou eu quem muda os aspectos das coisas. Vejo-as como são. Os homens criaram as ilusões tentando justificar suas paixões, fugir das conseqüências de seus atos, com medo da verdade. Porém, um dia descobrirão que se torturaram sem necessidade alongando seus sofrimentos, quando com boa vontade e compreensão teriam conquistado a felicidade mais depressa.

— Decididamente tens tuas idéias e não as compreendo bem. Tens pena de Otias apesar de saber que ela te fará mal; eu, porém, tudo farei para evitar qualquer gesto dela contra ti. Ainda que teu corpo não seja motivo de preocupações para ti, eu o considero muito necessário e o defenderei.

Solimar abraçou a amiga efusivamente.

— És muito bondosa, Nalim, mas desejo de ti a promessa de, pelo menos, tentar uma aproximação com Otias.

Nalim assustou-se:

— Para quê? Não gosto de fingir o que não sinto. Desejaria procurá-la para dizer-lhe que te defenderei contra ela.

— E pensas que assim agindo evitarás alguma coisa? Mudarias seus pontos de vista? Não... nada mais farias do que justificá-los e alimentá-los.

— Por quê?

— Porque um inimigo se vence com amor, com brandura. A luta sempre aumenta os motivos da discórdia. Quantas guerras tremendas se iniciaram com coisas sem importância? No fim da batalha, quase sempre as ofensas iniciais foram esquecidas, substituídas por outras mais graves. Mesmo na vitória, o inimigo derrotado continua inimigo. Muitas vezes se curva, mas se pudesse, levantaria a clava para desfechar novo golpe. Só nos livramos dos inimigos, tornando-os nossos amigos. Fazendo com que eles modifiquem sua opinião a nosso respeito. Se o conseguirmos, realmente teremos vencido, pois que eles jamais se voltarão contra nós.

— Tudo quanto dizes é claro da maneira como o explicas. Mas é muito difícil de realizar. Mesmo que eu tentasse conquistar a estima de Otias, crês que seria bem sucedida?

Solimar, encorajando a amiga, esclareceu:

— Por que duvidas? Já o tentaste porventura?

— Não, mas...

— Então experimenta. Quem sabe?

— Não. Não posso prometer tal coisa. Seria contra os meus princípios.

— Bem, não insisto. Procura pensar pelo menos um pouco em tudo quanto te disse. Talvez te ajude no futuro.

As duas conversaram mais algum tempo. Depois separaram-se tranqüilamente.

Mais alguns dias se passaram. Otias parecia haver se esquecido dos últimos acontecimentos. Seu aspecto era agradável e procurava ser gentil com todos.

Foi, pois, tranqüilamente, que Jasar se ausentou para visitar um pobre lavrador enfermo que tanto necessitava dos seus serviços.

Saiu ao romper do dia pois que a distância a percorrer era grande, e ele pretendia ainda visitar um amigo no templo de Amon, nas proximidades de Carnak. Só regressaria no dia seguinte.

Chegara finalmente o momento tão esperado por Otias e Solias para executarem seus planos. Era já noite. Otias, procurando esconder seus íntimos pensamentos, foi um pouco mais afável para com todos.

As duas mulheres, logo após a refeição, despediram-se cerimoniosamente como de costume, retirando-se cada uma para seus aposentos.

Otias sentia o coração bater célere e as têmporas latejando penosamente. Mal roçou os lábios pela fronte do filho quando a escrava lho apresentou como de costume. Ordenou logo que ela se retirasse, levando o menino.

Agitada, despediu as escravas e sozinha preparou-se para deitar. Nalim estranhou não encontrar Solimar à sua espera no quarto como de hábito.

Perguntou por ela à escrava que a substituíra e soube que ela tratava da velha Cortiah, que há dias estava enferma.

— Sempre dedicada! — pensou Nalim, e bocejando deixou que a escrava a preparasse para dormir.

Despediu-a e em seguida estendeu-se no leito. Seu pensamento divagava. Sentia saudades do esposo. Recordava-se do seu rosto atraente e de seus braços fortes.

Era feliz. Assim, adormeceu embalada pelo hino acalentador da felicidade sonhada.

Tudo era silêncio. Porém, no meio da noite, um grito horrível se fez ouvir. Uma voz de mulher gritava apavorada, chamando por socorro. Era aterrador! Todos acordaram sobressaltados. Saltaram do leito e encontraram-se na galeria central.

Os gritos continuavam. Otias, aterrada, gritou enlouquecida:

— É do aposento de Matur!

Jertsaida, de um salto, forçou a porta que apenas estava encostada.

À porta, Nalim e mais alguns escravos pararam estarrecidos. A cena era terrível!

A um canto, em sua pequena cama, o pequeno Matur jazia roxo, sufocado, tendo ao redor do seu corpinho uma serpente que cada vez mais estreitava seus anéis.

Do outro lado, a escrava, como que endoidecida, gritava sem parar, com os olhos fixos no réptil sem poder desviá-los.

Otias, que entrara no aposento, petrificada, parecia colada ao solo. Apenas gritou quando pôde falar:

— Ele está morto! Foi o castigo!

Seu rosto, que estava pálido, cobriu-se de repente de manchas arroxeadas e ela tombou redondamente ao solo.

Tudo aconteceu em menos de um minuto, e os presentes estupefatos não sabiam a quem socorrer. Jertsaida, munido de uma adaga, saltou rápido sobre o réptil decepando-lhe de um só golpe a cabeça, espirrando sobre a cama um líqüido viscoso avermelhado. Rápido, libertou o pequeno corpo do menino que ainda se mexia. Com o pequeno nos braços, livrou-o das roupas gritando a uma das escravas que pusesse água na bacia que havia no quarto. Depois, rapidamente emergiu o corpo da criança naquela água.

Tudo inútil! O espírito de Matur partira. Abandonara o corpo, de regresso ao plano espiritual.

Desanimado, Jertsaida, com lágrimas nos olhos, depositou o pequeno fardo inerte na cama e saiu precipitado em busca de um sacerdote para tentar mais alguma coisa, antes recomendando a uma escrava que não se afastasse dali.

Nalim, aterrada, curvara-se para o corpo de Otias que convulsivamente jazia no solo com o rosto completamente retorcido, estertorando penosamente. Com o auxílio de uma escrava, transportou-a para o coxim que havia no quarto.

A escrava parara de gritar, mas seu olhar esgazeado deixava entrever que estava em estado de choque.

Aflita, Nalim ordenou que chamassem Solimar, que ainda não viera com todo aquele ruído. A escrava voltou dizendo que Cortiah estava só e não encontrara Solimar. Assustada, Nalim ordenou que a procurassem por toda a casa.

Diante do que acontecera, Nalim sentia-se agitada por estremecimentos nervosos. Ela estava praticamente só, com o cadáver de uma criança e o ataque de uma mulher, dentro daquela noite interminável. Se pelo menos Jasar estivesse em casa!

Trêmula, Nalim olhava sem cessar para a porta, esperando a qualquer momento o vulto amigo de Solimar. Nunca sentira tanto a sua falta. A cena terrível que assistia, enchia-a de terror.

Mas o tempo passava e Solimar não vinha. Ao cabo de alguns minutos, Nalim começou a impacientar-se. Um triste pressentimento a envolveu. Angustiada, curvou-se temerosa ao peso dos próprios pensamentos.

Algo deveria ter sucedido a Solimar. Impossível que ela não estivesse presente em uma situação como aquela. Sem esperar mais, chamou um dos escravos, ordenando-lhe que partisse a toda brida ao encontro de Jasar e o prevenisse do ocorrido, suplicando-lhe sua volta imediata.

O escravo partiu e Nalim, a um canto do quarto, jamais poderia varrer da memória os acontecimentos daquela noite terrível, interminável. E Solimar? Por que não era encontrada?

Quando os primeiros raios solares começaram a surgir, Jertsaida regressou com o sacerdote-médico. Este, penalizado, constatou a morte do pequeno Matur e declarou Otias gravemente enferma.

O choque provocara-lhe fortíssimo abalo. Se ela estivesse em boas condições físicas, talvez houvesse suportado melhor, mas deveria estar muito nervosa e excitada o que agravara seu estado, provocando-lhe uma comoção cerebral.

Nalim preocupava-se por Jasar, pai extremoso. Sofria ao pensar na dor que ele teria de suportar.

O dia ia em meio quando Jasar regressou, acompanhado pelo escravo que o fora encontrar. Seu rosto pálido, assustado, procurou entre as pessoas que o fitavam penalizadas, a figura amiga de Solimar, porém, não a encontrou!

Nalim, comovida, o recebeu à entrada do aposento fatídico, apertando-lhe a mão em sinal de solidariedade.

Jasar sofria! Seus olhos fitavam o pequenino corpo sem vida com um amor infinito! Permaneceu a seu lado longo tempo, por fim seu pensamento fixou-se no grande Criador de todas as coisas e pediu pelo espírito do filho.

Sentiu então que uma suave carícia perpassava-lhe a fronte, enquanto parecia-lhe vislumbrar o vultozinho alegre do menino, de mãos dadas com o velho Silas, seu amigo e mestre.

Ambos sorridentes acenavam-lhe alegremente. Surpreendido, emocionado, cerrou os olhos a fim de poder pensar com mais firmeza, e para surpresa a sua visão tornou-se mais clara.

Seu filho aparecia-lhe vivo, alegre e feliz, acenando-lhe com a pequenina mão. Seu mestre, algo comovido, também lhe sorria com ternura. Jasar escutou em pensamento o que ele dizia:

— Jasar, dolorosas são as chagas que a vida te prepara, porém, Deus, Pai amoroso e sábio, te reserva dias melhores. Tudo quanto agora tens de enfrentar, será temporário, mas as promessas do Reino Celestial são eternas! Tem ânimo. Seja qual for teu destino, deves procurar suportá-lo resignado. Não te preocupes nem te martirizes pensando no sofrimento de Matur. Estás impressionado pela maneira trágica de sua morte, eu, porém, desejo provar-te que foi agora que ele tornou a viver. Esta é a verdadeira vida! Ele pouco sofreu, pois que o assistimos com o auxílio do Pai Celestial e como vês, está radiante. Irá comigo para um mundo melhor e velarei por ele. Tranqüiliza-te, confia e espera.

Jasar viu que após um último aceno, eles foram desaparecendo até que nada mais viu. Abriu os olhos. Estava ainda pálido, emocionado, porém, sereno. Aquela sua penosa impressão transformara-se apenas em mágoa. Perpassou um olhar à sua volta. Várias pessoas estavam presentes, porém, onde estaria Solimar? Não a viu.

Acercou-se então de Nalim, que solidária estava no aposento, perguntando-lhe a meia voz:

— Onde está Solimar?

Nalim, aflita, murmurou baixinho:

— Vamos para outro lugar qualquer, necessito falar-te.

Ele assentiu e ambos dirigiram-se para o gabinete de trabalho do moço.

Assim que entraram, Nalim começou aflita:

— Tudo quanto aconteceu foi horrível e... Solimar desapareceu!

— Desapareceu! Como assim?

— Desde a noite que não a encontramos. Algo deve ter-lhe acontecido!

— Teria Otias ousado algo contra ela? — indagou ele, trêmulo.

— Suspeito que sim. Não sei explicar, mas creio mesmo que de alguma forma Otias deve ser responsável por tudo quanto está acontecendo.

— Por que dizes isto?

Nalim contou-lhe tudo quanto ocorrera desde sua partida, dizendo ao terminar:

— Ela gritou com horror estas palavras: "Matur está morto. Foi o castigo!" Certamente a serpente não entrou por acaso. Bem sabes que animais daquela natureza não existem nestes domínios. Ele foi trazido para cá.

— Tens razão, mas para crer em tal, teríamos que pensar no horror de Otias matar o próprio filho! Isto creio que ela jamais faria, pois que o amava, embora a seu modo.

— Talvez ela destinasse a morte a outra pessoa, Solimar, por exemplo.

Jasar estremeceu. Tanta sordidez o enojava.

— Não sei. Tudo terá que ser apurado e esclarecido. Se de fato assim procedeu, terá fortemente um cúmplice. Sozinha não poderia ter feito isso. Mas, pensando bem, não creio que a serpente fosse destinada a Solimar, porque neste caso, como explicar o desaparecimento? Nós sabemos que ela seria capaz de fugir. Vou imediatamente destacar alguns homens para saírem à sua procura. Haveremos de encontrá-la. Vou ver Otias também. Se estiver em condições de falar, terá que esclarecer tudo!

Nalim estava aflita. O que teria acontecido? Já indagara de todos os escravos da casa e apenas conseguira apurar que ela se havia recolhido mais cedo na véspera, dizendo não se sentir muito bem. Depois, ninguém a vira. O remédio era esperar.

Dirigiram-se depois para os aposentos de Otias.

Ela pareceu-lhes outra mulher. Seu rosto formoso, contorcido em um ritus de horror. Seus olhos fixos e sem vida, seu corpo flácido, parecendo morto, davam-lhe um aspecto assustador.

Penalizado, Jasar voltou-se para Nalim, esperando uma explicação.

— Está assim desde a hora do acidente. O sacerdote do templo veio e deixou aqui estas poções que lhe estamos ministrando conforme suas determinações, porém, disse-nos que seu estado é bastante grave.

Ele acercou-se do leito e examinou-a cuidadosamente. Ela não deu acordo de si.

– Está em choque ainda, — murmurou Jasar — daremos agora esta poção e talvez ela consiga dormir. Quando despertar, talvez esteja melhor.

As horas que se seguiram foram terrivelmente angustiosas. A morte da criança, o estado de Otias, o desaparecimento de Solimar haviam criado um ambiente sufocante.

Ai daqueles que agem contra a vida. Fatalmente atrairão sofrimento. Não aceitando o roteiro que lhe fora destinado pela sabedoria universal, Otias pretendera modificá-lo de acordo com seus interesses. Conseguira uma mudança sim, mas para pior.

Como Otias, muitos não querem esperar que a vida lhes traga o que precisam. Acreditam-se superiores à sabedoria divina e pretendem comandar o destino dos outros a seu bel prazer. Triste ilusão! O tempo se encarregará de mostrar-lhes a fragilidade do próprio poder. Dali para frente, Otias teria oportunidade para aprender isso.

CAPÍTULO XVI

O bem vence o mal

O que realmente teria acontecido com Solimar? Onde estaria ela? Para encontrá-la, necessitamos viajar para outro local próximo a Tebas: Armendale, uma pequena aldeia de poucos habitantes, em sua maioria lavradores.

Em uma rua estreita e poeirenta, onde habitações se confundiam, estava situado o esconderijo do lanceiro Solias. Vamos encontrá-lo sentado num rústico banco no centro do aposento, um pouco nervoso. A um canto, encolhida no chão, estava Solimar. Olhos fechados, fingia dormir, porém, seu pensamento em prece confiava seu destino às forças divinas.

Solias pensava... As coisas não haviam ocorrido como planejara. Conforme o combinado com Otias, levara a serpente para soltá-la no quarto de Nalim em cuja porta, do lado de fora, Otias colocaria uma rosa vermelha para que ele pudesse identifcá-la.

Com a cumplicidade de sua escrava fiel, Otias daria uma beberagem narcotizante para adormecer Solimar e facilitar o rapto.

Tudo fora feito rigorosamente, porém, o que Otias não previra era que Matur, passeando com a ama pelo pátio, ensaiando os primeiros passos, sentira sua atenção voltada para aquela magnífica rosa junto à porta. Estendera os bracinhos para apanhá-la. A ama, não querendo contrariá-lo, erguera-o do chão, colocando a flor em suas ávidas mãozinhas.

Contente, Matur levara-a até seu pequeno leito. Quando ele adormeceu, a serva atirara-a pela porta aberta e esta fora cair a pequena distância. Solias, ao penetrar no pátio, enganara-se com o sinal. Soltou a serpente no quarto, pela porta entreaberta, retirando-se apressado.

Depois, cautelosamente penetrou na habitação das escravas. Apanhar Solimar foi fácil, pois sua cama estava próxima à porta, e ela dormia sob o efeito da beberagem que lhe haviam dado. Envolveu-a com o manto que trazia, colocando-a sobre o ombro, e saíra apressado. À porta, recebera da escrava cúmplice de Otias um pequeno saco de grande peso. Eram as jóias.

Quando galgava a estrada com sua presa, ouvira o grito de terror rasgar o silêncio da noite. Sentira que um arrepio de horror lhe gelava o sangue. Por uns momentos suas pernas fraquejaram. Um suor viscoso brotara de seu corpo.

Realizando supremo esforço, caminhara para frente, suspirando aliviado ao alcançar o local onde escondera os cavalos. Após acomodar Solimar adormecida, de borco no animal, amarrando-a fortemente, rápido, galopara com sua presa para a pequena casa que possuía em Armendale, onde chegara ao amanhecer.

Ele estava preocupado. Alguns dos seus amigos da redondeza haviam-lhe contado o incidente ocorrido com Matur, pois que o haviam sabido por pessoas recém-chegadas à aldeia, vindas de Tebas.

Como Solias conhecia Pecos e a família, logo lhe foram contar a seu modo a tragédia. Ele tomou conhecimento do que havia acontecido.

Apesar de tudo, Solias sentia-se horrorizado em pensar que fora o assassino daquela formosa criança. Ficou descontrolado, apavorado. O grito que ouvira dentro da noite ainda repercutia em seus ouvidos. Nunca poderia esquecê-lo! Fora insensato em concordar com Otias no atentado contra Nalim. Sua ambição, porém, o perdera.

Solimar também parecia haver-se transformado em uma doente. Dormia ainda. A beberagem que lhe haviam dado teria sido forte demais? Irritado, lançou-lhe um olhar de esguelha.

Ela parecia dormir. Nervoso, ele sentiu que lhe faltava o ar. Abriu o postigo passando a mão pela testa escaldante. Sentia necessidade de conversar, desabafar, porém, isto era impossível para ele.

Todo homem que pratica um crime como Solias, carrega dentro de si o peso da culpa, sem poder dividi-lo. Carregará sozinho seu segredo. Solias já começava a arcar com as conseqüências de seus atos.

Solimar, entretanto, ignorava o que se passara. Acordara naquela casa estranha. Vendo-se estendida em uma enxerga, logo reconhecera Solias que, sentado a um canto, parecia imerso em profundos pensamentos.

Um sentimento de terror a dominou. Percebeu que estava ali... à mercê daquele homem. Sentia ainda na boca um gosto amargo. Lembrava-se de haver sentido um sono intenso e que resolvera deitar-se. Compreendeu que Solias era o responsável.

Sua cabeça atordoada impedia-a de pensar com clareza. Para ganhar tempo, resolveu continuar fingindo que dormia.

Enquanto o tempo se arrastava lento, Solimar pensava. Refeita já um pouco do primeiro abalo, recobrara a lucidez, orando ao Pai Celestial com serenidade, entregando-se confiante aos seus desígnios.

Solias decidiu continuar viagem. Temia que Otias, vendo malogrado seu plano, revoltada com a morte do filho, o delataria ao marido. Talvez até já estivessem à sua procura. Preocupado, temeroso frente às conseqüências do seu gesto covarde, julgou conveniente afastar-se rapidamente daquelas paragens.

Depois de dirigir um olhar preocupado para Solimar e constatar que ela não havia acordado ainda, saiu em busca de melhores informes sobre o crime e para ultimar os preparativos para partir. Tinha tempo até a noite para safar-se dali, levando Solimar. Não a deixaria em hipótese alguma. Muito lhe custara essa conquista.

Decidido, procurou por um amigo, pequeno lavrador, interessado na compra da sua casa. Vendeu-a facilmente recebendo em troca dois jumentos e diversas utilidades próprias para viagem. Satisfeito, voltou à casa.

Solimar, ao ouvir o ruído de seus passos, fingiu que ainda dormia. Lançando-lhe um olhar perscrutador, Solias, após desfazer-se das coisas que trouxera, fechando a porta, aproximou-se da escrava.

Fazia dois dias que haviam partido de Tebas, e ela ainda não se alimentara. Precisava acordá-la. Assim, certamente não poderia resistir à viagem.

Preparou uma beberagem quente e, resoluto, debruçou-se sobre ela que, sem querer, fez um pequeno gesto de recuo.

Solias, crendo que por fim ela despertara, obrigou-a a tomar a tisana. Desejoso de conquistar-lhe a simpatia, sorriu, dizendo:

— Ainda bem que despertas. Estava preocupado contigo. Faz dois dias que dormes.

Solimar, um tanto reanimada pelo que ingerira, perguntou serena:

— Que aconteceu? Por que estou aqui?

— Bem, a história é longa... eu te contarei tudo. Antes porém, necessário será comeres algum alimento. Vou preparar nosso jantar e, enquanto comemos, conversaremos.

Solias, animado pela calma da moça, esmerou-se no preparo de algumas iguarias que trouxera. Solimar, querendo levar as coisas diplomaticamente, obedeceu solícita quando ele a convidou a tomar assento frente à pedra que lhes serviria de mesa.

Enquanto comiam, ela pediu-lhe que contasse o que acontecera. Solias, pigarreando, começou:

— Bem... minha pequena. A história que te vou contar é muito dolorosa para ti e deves enfrentar a realidade com coragem. Deves saber que de algum tempo a esta parte, tenho trabalhado novamente no palácio do nobre Pecos. Há alguns dias já, caminhava eu pelo jardim quando sem querer chegou-me aos ouvidos o rumor de uma palestra. Sabes que sempre gostei de ti e ao ouvir o teu nome, parei e pus-me à escuta. Quem falava era a nobre Otias, a um lanceiro meu amigo. Dizia-lhe que desejava ver-se livre de ti, porque eras amada pelo sábio Jasar, e oferecia-lhe vultosas jóias para que ele te matasse. Ele a princípio recusou, mas depois, tentado pela oferta, decidiu aceitar. Ela combinou tudo para determinado dia e dizendo que uma escrava fiel de quem era cúmplice se encarregaria de dar-te um chá para dormir e de esperá-lo em teu quarto, devendo ele depois atirar teu corpo ao Nilo. Ao ouvir a conversa, revoltei-me perante o crime que tramavam contra ti e decidi salvar-te. Na noite do crime, esperei meu amigo e quando ele passou, abordei-o, pedindo-lhe que poupasse sua vida. Combinamos então que eu te levaria para bem longe, e que ele diria à nobre senhora que praticara o crime. Assim, satisfeito por livrar-se de um crime e receber as jóias valiosas, ele foi ao teu quarto e trouxe-te dormindo nos braços, envolta num manto, e parti contigo para cá. O resto já sabes.

Solimar ouvira-o quieta. Parecia-lhe que ele mentia, principalmente sabendo que ele fora o fomentador dos ciúmes de Otias, contando-lhe a seu modo, detalhes do seu passado romance com Jasar, mas sua história possuía um cunho de verdade. Apesar disso, sentia que não podia confiar nele. Ele não a fixava enquanto falava. Havia insegurança em sua voz.

Solias continuava maneiroso:

— Sempre te estimei. Revoltou-me tal crime. Não hesitei um só instante. Abandonei tudo por ti. Bem sei que se me descobrem, matam-me por me haver apropriado de escrava alheia, mas nada disso importa, pois tudo faria por agradar-te.

Seus olhos ávidos fitavam a moça com audácia. Esta sentia crescer em si justa repulsa. Mas, ainda branda, respondeu:

— Agradeço-te tudo quanto fizeste por mim, mas

exageras tua afeição. Garanto que ela não é leal e na primeira oportunidade agirás de maneira contrária.

Espicaçado, Solias perguntou:

— Naturalmente pensas experimentar-me?

Sentindo-lhe a vaidade, Solimar respondeu:

— Talvez... mas creio que ainda não estás pronto para tal.

— Dize-me, o que queres?

— Ser livre. Deixa-me ir embora.

Solias contraiu a testa irritado. Nada disse. Ela continuou:

— Vês? Ofereceste-me tudo. A vida, tua afeição, e basta que te peça um pequeno sacrifício inferior e é o bastante para que te irrites.

— Não. Não te darei a liberdade. Amo-te e não poderia viver sem ti. Fica ao meu lado. Iremos para bem longe, seremos felizes!

— Não chames amor ao sentimento que te inspiro. Amor é renúncia em favor da felicidade do ser amado. É respeito, amizade, harmonia e compreensão. O que sentes por mim não passa de um egoístico sentimento de posse. Alegas um grande amor, entretanto, sabes que eu seria feliz sendo livre, porque não te amo e não poderia corresponder ao teu afeto. Se me amasses, me libertarias. Se de fato me salvaste da morte física, foi com a intenção de matar-me moralmente, o que o torna responsável por um crime ainda maior. Solias, pensa sempre que jamais serás feliz se teimosamente quiseres obrigar-me a amar-te.

Ele a ouvia com o rosto contraído.

Ela continuava súplice:

— Deixa-me guardar de ti um sentimento de amizade, de gratidão!

— Não. Não posso perder-te! És a única esperança que me resta. Tudo perdi. Se te deixar ir, ficarei só e nada mais terei, pois que abandonei amigos, trabalho, tudo para seguir-te. Não. Vamos apressar-nos que esta noite mesmo partiremos. Não sei ao certo o rumo que tomaremos, mas, seja qual for, iremos juntos.

Solimar suspirou. Daquela criatura não poderia esperar outra reação. Agradeceu intimamente às forças divinas pelo respeito que Solias ainda tivera. Havia algo que o preocupava, e ela percebeu isso. Ele não estava tranqüilo. À esta circunstância talvez devera ele não ter tentado nada contra ela.

Procurando aparentar calma, ajudou-o a preparar tudo. Ele havia trazido trajes novos para ambos a fim de passarem despercebidos. Estava preocupado pela morte de Matur, mas, por outro lado, satisfeito pela docilidade inesperada de Solimar.

Era já noite alta quando partiram, arrastando após si os dois jumentos carregados com seus pertences. Mais uma vez, Solimar caminhava rumo ao desconhecido, mas ainda assim, ela pensava como o profeta lhe dizia:

"Sejam quais forem os meus caminhos, eles serão de rosas, porque estão abençoados pelas mãos de meu senhor e embora eu enverede por serpes e muitos espinhos, limpará ele os caminhos, com a luz de seu amor!"

Assim pensava Solimar! A diferença entre eles era enorme. Ela tão calma, refletindo na face a pureza do seu íntimo. Ele, enervado, irrequieto, cansado e premido pelo peso de seus crimes.

Formavam um grande contraste, entretanto, é de contrastes que a vida se utiliza para realizar seus fins evolucionistas. Solias, embora agindo mal, recebia de Deus a dádiva soberba de conviver por algum tempo com um espírito tão lúcido como o de Solimar, a fim de que ele bebesse um pouco daquela luz que ela distribuía, podendo assim melhorar seu estado espiritual.

Assim age o Pai para com seus filhos e embora estes o ofendam transgredindo suas perfeitas e soberanas leis, Ele ainda encontra forma de realizar com amor a elevação das criaturas, colocando a seu lado, quase sempre, um espírito mais esclarecido que as orienta. Todos os criminosos da Terra têm essa oportunidade, muitas vezes na figura de uma mãe, de um irmão, de uma esposa ou de um amigo. Na maioria das vezes, negam-se a ouvi-los, necessitando do sofrimento para quebrar as barreiras da resistência. Solias recebera tão grande dádiva, mas saberia aproveitá-la? Só o tempo poderia dizer.

Juntos viajaram muitos dias, parando aqui e acolá para descansar. Felizmente para Solimar, Solias antevia uma oportunidade de entendimento com ela devido à sua docilidade e preparava o terreno para conquistá-la definitivamente.

Esperançoso, nada tentara contra sua pessoa. Aguardava que a oportunidade de conquistá-la se apresentasse. Ela procurava, sempre que possível, falar-lhe sobre assuntos elevados, tentando despertar-lhe a consciência para o bem.

Ele, no entanto, quando tal se dava, reagia sempre retirando-se abruptamente. É que ele sentia remoer em seu íntimo o peso do crime cometido. Quase nunca conseguia dormir, passando as noites insone e febril. Quando adormecido, sentia-se envolto em terríveis pesadelos.

Via Matur sorridente, alegre e feliz, e depois via-se apertando o seu roxo pescocinho até sufocá-lo completamente. Acordava angustiado e banhado em suor. Nos últimos dias, receoso de adormecer, vigiava-se constantemente, procurando resistir ao sono. Como resultado, sentia-se sempre tonto, trôpego, cansado e extremamente nervoso.

Depois de muito viajar, resolveram parar em Desda,uma pequena aldeia nas costas do Mediterrâneo.

Solias, naquele curto espaço de dois meses em que viajaram, mudara bastante. Seu estado nervoso se agravara. Vivia agitado, nervoso. Até seu desejo por Solimar diminuíra. Falava sozinho, parecia vencido por uma idéia fixa. Vigiava a moça constantemente, como se temesse perdê-la. À noite, era possuído por sonhos tenebrosos.

Solimar sofria uma imensa saudade! Pensava em Jasar, em sua mágoa por não lhe conhecer o paradeiro, em Nalim, em Matur que acreditava vivo, em todos os numerosos amigos que estavam longe.

Apesar da constante vigilância de Solias, ela tivera algumas oportunidades de fuga, porém, penalizava-se com o estado do ex-lanceiro e não tinha ânimo para deixá-lo. Reservaria a fuga para último caso. Enquanto ele a respeitasse, permaneceria a seu lado.

Percebeu desde o princípio que ele estava mentalmente enfermo. Sentia que precisava ajudá-lo.

Solias sentia-se melhor ao lado dela. Quando receava alguma crise nervosa, o que agora lhe acontecia amiúde e que começava ao ouvir o terrível grito de terror daquela noite, corria à procura de Solimar, como o filho que pressentindo algum perigo, encontra nos braços da carinhosa mãe, amparo e proteção. Ela era para o torturado lanceiro como um bálsamo sereno e amenizante. Conversavam e ao cabo de algum tempo, ele sentia-se melhor.

O espírito, mesmo imerso na vestidura carnal, consegue instintivamente reconhecer aquele que lhe é superior e nele amparar-se. Era o que acontecia.

Solias, além de invejoso, ambicioso e sem moral, já possuía um bom número de vítimas de suas intrigas e do seu braço traiçoeiro. Mas o crime que praticara contra aquele inocente menino foi o máximo que poderia suportar, acordando em seu espírito os primeiros sinais de arrependimento.

Negociando algumas jóias, conseguiu Solias a compra de uma pequena casa onde passaram a residir. Ele não trabalhava, vivia com os resultados da pequena fortuna que por um preço tão vil conquistara.

Fazia poucos dias que estavam na casa, quando certo dia Solimar, à porta, conversava com uma senhora ainda jovem que mantinha ao colo um bonito menino. Eram seus vizinhos que, encantados com as flores que a jovem colhia do pequeno jardim que circundava a casa, haviam parado para conversar, seduzidos pelo sorriso agradável da moça.

À certa altura, o pequeno irrequieto quis descer ao chão e sem cerimônia penetrou pelos jardins, invadindo a casa. Solimar, sorrindo, pediu à mãe do pequeno que entrasse e correu em busca do garoto.

Ao transpor o limiar, Solimar ouviu a voz alterada de Solias que, possesso, gritava com o pequeno.

Assustada, de um salto alcançou o quarto do ex-lanceiro e o que viu a estarreceu. Solias, rosto contraído, boca retorcida, deixando escapar uma espuma estranha por entre os dentes cerrados, com o braço erguido ameaçava o pequeno intruso que assustado se pusera a chorar convulsivamente. Dizia, com voz rouca:

— Vou acabar contigo de uma vez! Não mais me perseguirás. Desta vez, eu mesmo farei o serviço. Não confiarei em mais ninguém.

Solimar, temerosa, pegou a criança ao colo e levou-a de volta aos braços da mãe que, chocada, retirou-se apressada, apertando seu tesouro de encontro ao coração.

Ao retornar ao quarto de Solias, este permanecia ainda na mesma atitude. Corajosamente aproximou-se dele e perguntou:

— Por que estás tão zangado com a criança? Que te fez ela? Foi a primeira vez que nos visitou!

— Não... tu me enganas. Sabes que não é verdade. Eu sei... ele é Matur que veio vingar-se de mim, mas antes que ele o faça, de novo o matarei!

Solimar, horrorizada, ouvia-lhe as terríveis palavras. Um pensamento angustiante a assaltou. Teria ele tido a coragem de agredir Matur? E... se ele o tivesse morto conforme dizia?

A moça olhou-o aflita. Como poderia saber? Estavam tão longe! Seria muito difícil encontrar notícias.

Matur teria mesmo morrido de forma tão triste? Se isso fosse verdade, como estariam seus pais? Como estaria Jasar se tivesse perdido o filho?

Mil perguntas acudiam-lhe a mente, precisava saber. Vendo o péssimo estado dele, dominou-se e respondeu conciliadora:

— Enganas-te. Este não era Matur. É o filho de uma boa mulher, nossa vizinha que aqui esteve há pouco. Acalma-te e conversemos.

Solias, porém, não atendia às súplicas dela. Permanecia alheio a tudo que não fosse a cruel reminiscência do seu crime. Com muito jeito, Solimar forçou-o a deitar-se e preocupada constatou que ele ardia em febre.

Agitado, delirava de quando em quando. Suas palavras desconexas e terríveis tornaram-na mais angustiada e temerosa sem saber até que ponto eram verdadeiras.

O que fazer, só, em companhia de um alucinado? Precisava de ajuda. Então orou às forças divinas, dirigindo seu pensamento para seu querido pai, dele esperando um conselho sobre o rumo a tomar.

Solias estava realmente enfermo. Precisava socorrê-lo e não sabia como. Curvada ao lado da cama, a moça orava... Como um suave perfume, as energias de sua prece subiam em busca dos planos superiores. Seu coração amoroso mais uma vez pedia por seu algoz.

Solias pareceu acalmar-se.

Foi então que ela viu uma tênue fumaça surgir do outro lado da cama, que aos poucos foi-se condensando na figura do seu venerando pai. Mas ele não estava só: Matur o acompanhava. Surpresa, ela não sabia o que dizer. Receava mover-se e dissipar a agradável visão.

Sorrindo, o espírito de seu pai lhe disse:

— Filha, grande é teu amor aos transviados da verdade redentora. Desejaria poder ajudar o teu protegido, porém, nada posso fazer senão unir minhas preces às tuas, no sentido de que ele compreenda a extensão dos seus crimes. Só a compreensão e o arrependimento o salvarão de um sofrimento maior. Assim é a lei divina, que protege o sagrado direito que ela própria criou para cada ser vivo. Noto que nada sabes ao certo do que se passou, mas pelas palavras de Solias ficarás sabendo.

— Matur morreu? — perguntou ela, surpresa.

— Sim. Morreu para a carne, libertando o espírito.

— Oh! Meu pai, então é verdade... Solias o matou!

— Não era a ele que Solias visava matar, mas os desígnios da providência são cheios de sabedoria. Matur foi o atingido.

— E Jasar, como está?

— Não te preocupes. Ele suportou com firmeza tão rude golpe. É grande no espírito. Sabe que tal situação é temporária, conhece o segredo da vida espiritual após a morte. Tranqüiliza-te que um dia tu e ele serão livres e estarão unidos. Ele agora cumpre a sua missão ao lado da esposa enferma, procura cumprir a tua, tentando preparar este pobre espírito sofredor para a libertação. Espera e confia. Jamais estarás sozinha.

Assim, com um gesto de adeus, ele despediu-se com Matur, que alegremente lhe acenava a pequenina mão.

Solimar, embora as lágrimas rolassem pelo seu rosto, sentia uma agradável sensação de paz. Todo o horror do procedimento de Solias fazia-a estremecer. Apesar disso, uma piedade infinita por aquele angustiado lanceiro brotou espontânea em seu coração.

Sentada a um canto, ela ainda mantinha a cabeça entre as mãos. Mais tarde, aproveitando a relativa calma do enfermo, saiu, pedindo a um vizinho que corresse em busca de algum remédio. Este conhecia um sábio que casualmente passava pela aldeia. Partiu à sua procura.

Os minutos se esgotavam, e ele não regressava. Finalmente chegou, trazendo um venerável ancião trajado de maneira singular. Não usava a túnica tão à moda da época. Trazia apenas um pano que lhe envolvia o ventre com uma tanga e na cabeça um sari.

Solimar levantou-se solícita, dirigindo-se a ele com uma súplica no olhar. Samir sorriu. Um sorriso bom de amizade. Uma onda de simpatia envolveu Solimar.

Ele, tomando-lhe da mão, disse com brandura:

— Satisfeito estou em rever-te.

— Rever-me? Acaso me conheceis?

— Sim. Tu também me conheces. Apenas faz muito tempo que não nos encontramos. A nossa luta, nosso trabalho edificante, nos tem separado muitas vezes, mas chegou a hora em que deveremos trabalhar juntos de novo.

A moça, surpresa, ia novamente perguntar algo, mas ele, alegre, não lhe deu tempo e continuou:

— Não sei em que pé estão tuas recordações do passado, porém, deves saber que me conheces.

— Sim. Sinto uma grande alegria com tua presença. Sinto-me como se já o conhecesse há longo tempo, porém, jamais vi o teu rosto!

— Na terra, neste corpo, é a primeira vez que nos encontramos. Mas reconheci teu espírito e honro-me da tua presença. Deixa-me agora ver o enfermo. Depois conversaremos melhor.

Despediu o rapaz que o fora buscar e voltando-se para o enfermo, pôs-se a olhá-lo fixamente, com os olhos semicerrados. Impondo depois as mãos sobre sua cabeça, murmurou baixinho algumas palavras.

Solias agitou-se, dizendo que sentia muito frio. Depois caiu num sono profundo. Vendo-o mais calmo, Samir, tomando da mão de Solimar, levou-a a um canto do quarto, convidando-a a sentar-se a seu lado.

A moça obedeceu e como ele se mantivesse calado, perguntou:

— Então, senhor? Qual a moléstia que o acometeu?

— Filha, que te poderei dizer? Sabes muito bem que sua moléstia reside no espírito. Oh! Se os homens compreendessem que para possuir um corpo são torna-se necessário ser também são no espírito! Um espírito enfermo, traumatizado pelas próprias fraquezas, não pode manter a sanidade do corpo. Deixarei para ele algumas beberagens, porém, seu poder curativo é relativo. Precário é o seu estado espiritual e tens realizado muito por ele. Aliás, este é o teu feitio. Estou verdadeiramente feliz por encontrar-te. Eu sabia que isto nos aconteceria em breve. Juntos teremos que trabalhar como o fizemos anteriormente.

— Creio em ti. Fale-me daqueles tempos que agora não recordo. Gostaria de saber algo sobre o nosso passado. Por que não posso recordar-me?

— És ainda muito jovem neste corpo em que habitas, mas quando na pátria espiritual convivemos, eras mais idosa. Muito me auxiliaste com tua sabedoria quando ia a ti em busca de conselhos. Se não te recordas do passado é porque este esquecimento é necessário para que possas levar a bom termo tua espinhosa missão. Eu a conheço bem.

Conversaram longo tempo. A presença de Samir trouxera-lhe paz e alegria. Seu rosto era sereno, emoldurado por longa barba de uma alvura radiosa, em interessante contraste com o negror profundo de seus olhos vivos e brilhantes de juventude, apesar da idade avançada.

Sua figura simples e humilde impunha-se onde quer que se apresentasse, pela força moral que emanava de sua pessoa através dos seus conselhos e ações. Todos o respeitavam e consultavam quando ele, de tempos em tempos, aparecia na aldeia.

Solimar não pôde furtar-se ao sentimento de amparo e confiança que em sua triste situação ele lhe inspirou. Despediram-se por fim, ficando ele de visitar o enfermo no dia seguinte.

Ao encontrar-se só, Solimar pensava na bondade Divina, que não desampara seus filhos. Quando ela, angustiada, recorrera à sua infinita proteção, imediatamente esta se realizara na visita do venerável Samir. Sentia-se como se tivesse novamente encontrado um pai, tal a segurança que experimentava quando em sua presença.

Durante os oito dias que se seguiram, Samir visitou o enfermo todas as tardes, sempre esperado ansiosamente por Solimar. O estado de Solias era lastimável. Ardia em febre, indo do delírio torturante à profunda depressão.

Parecia haver perdido a razão. Solimar, desanimada, inquiriu Samir sobre o seu estado.

Ele suspirou profundamente quando respondeu:

— Estamos lutando com forças desiguais, cara Solimar. Seu espírito necessita por certo deste angustiante estado. É dessa forma que ele corrigir-se-á, não ousando nunca mais cometer novos crimes quando retornar à lucidez.

— Ele retornará à lucidez?

— É possível que dure toda esta existência e mesmo outras futuras se disto necessitar, mas ao curar-se, terá gravada em seu espírito tão horrível tragédia provocada com suas próprias mãos, que nunca praticará novos crimes.

— Conheces por certo muitas coisas. Desejaria poder estar sempre a teu lado, para aprender contigo.

— Estás enganada. Sabes mais do que eu, pois que muitos bons conselhos obtive de ti. Mas teu desejo vem de encontro a um pedido que desejava fazer-te. Teu doente é de difícil cura, tua vida aqui, só, ao lado dele, é perigosa. Vem comigo. Possuo uma humilde casa perto da Criméia. Está um pouco retirada e lá poderemos estudar, preparando-nos para viver melhor e ajudando os que precisam.

— Muito gostaria de ir, mas não desejo abandonar meu doente.

Samir sorriu satisfeito e comovido.

— És sempre a mesma! Está claro que não o abandonaremos. Irá conosco e lá , na casa que será nossa, tentaremos a sua cura. Aceitas?

— Aceito, agradeço comovida tua generosidade.

Nos dias que se seguiram, ocupou-se Solimar em realizar alguns preparativos que se tornaram imprescindíveis para a viagem. Tudo pronto, finalmente partiram.

Solias portou-se bem, estando relativamente calmo todo o tempo. Apenas esboçaram-se algumas crises logo socorridas por Samir e contidas a tempo. Ele estava lúcido em certos momentos, mas geralmente resmungava frases desconexas e ininteligíveis. Não se alimentava quase, sendo esta uma das grandes preocupações de Solimar.

Após três dias de navegação pelas costas do Mediterrâneo, aportaram em Cresta, pequena encosta de uma aldeia de pescadores. Viajaram por terra durante mais dois dias e finalmente alcançaram seu destino. Nas montanhosas costas do Líbano, em um local aprazível e calmo, ficava a casa de Samir. A pouca distância da pequena aldeia, estava erguida em uma considerável elevação do terreno.

Solimar encantou-se e não ocultou seu entusiasmo. Lá reinava uma calma extraordinária, descortinando-se mais abaixo uma maravilhosa paisagem da grande artista que é a natureza. Tudo era beleza, simplicidade, harmonia.

Samir, alegre qual uma criança, apressou-se em fazê-los penetrar na habitação, circundada por exuberantes jardins. A casa simples e um tanto rústica falava em todos os aspectos da personalidade do seu dono.

Após conhecer toda a parte interior da habitação que, aliás, compunha-se de poucas peças, Solimar foi juntamente com Samir, proceder à instalação de Solias que, exausto pela viagem, estava agitado e febril. Ministraram-lhe um chá com alguns medicamentos balsamizantes e logo ele adormeceu.

Somente quando bem certa de que ele dormia, foi que a abnegada moça concordou em instalar-se, por sua vez, no aposento próximo ao do enfermo. A sós com seus pensamentos, Solimar sentiu-se um tanto abatida e cansada. A saudade dos que deixara em Tebas ensombrecia seus momentos. A incerteza do destino de Otias e Jasar, que deveriam estar sofrendo a perda do filho querido, oprimia-lhe o coração.

Sentindo-se angustiada com a lembrança dos entes queridos, reagiu, afastando a onda de tristeza que a envolvia. Porém, alguém havia que insinuava palavras maldosas em seu espírito. Valendo-se do cansaço e abatimento da moça, uma entidade, ainda em dolorosas condições espirituais, sussurrou-lhe ao ouvido:

— Tudo tem corrido mal para ti, és uma infeliz! Roubada dos teus, perdeste o homem amado. Foste odiada pela esposa ciumenta, causaste a morte de Matur.

Solimar passou a mão trêmula pela testa. Sentiu-se mal, como que envolvida por um torpor, e um frio intenso paralisava-lhe os membros. Entretanto, percebendo a perniciosa e estranha influência, caiu de joelhos e reagindo contra a depressão que dela pretendia apossar-se, orou fervorosamente ao Criador.

— "Senhor, força potencial, que todas as coisas gerastes com perfeição, perdoa-me esta fraqueza e ajuda-me a cumprir corajosamente até o fim os teus desígnios. Permiti, também, que a luz do teu entendimento se derrame sobre os espíritos ainda enegrecidos na intriga e no desânimo. Dai-lhes, oh! Senhor, a compreensão da verdade das coisas".

À medida que a moça orava, uma tênue claridade começara fraca a princípio, forte depois, em círculo, a emanar do corpo frágil de Solimar e do alto desciam pequenos flocos de luz, que iam ao seu encontro.

A figura da entidade desencarnada que minutos antes a envolvera com seus pensamentos de fraqueza, envergonhada, encolhia-se a um canto, chorando copiosamente.

Solimar continuava em fervorosa prece.

— "Permiti, Senhor, que o espírito infeliz que pressinto aqui ao lado, seja recolhido e encaminhado por um amigo espiritual, ao lugar que lhe destinastes."

Deu-se, então, algo inesperado. Solimar viu a figura de seu pai que sorridente penetrava no aposento, aproximando-se de um canto do quarto, onde um vulto escuro se encolhia convulso. Passando-lhe o braço em redor, trouxe-o até a moça que emocionada continuava orando em pensamento.

— Filha, hoje estendeste a mão também a um desventurado espírito necessitado. Alegro-me em ver-te trabalhando ativamente, colaborando na divina obra da redenção. Também os espíritos necessitam de preces e auxílios dos que vivem na carne e se todos agissem como tu, certamente os espíritos sofredores não arrastariam após si tantas vítimas que, por afinidade, não lhes sabem resistir à influência. Tocaste-lhe o íntimo com tua amorosa vibração e reconheceu-se infeliz, orou contigo. Será levado a um local de repouso. Confia no grande Criador de todo o Universo e ampara-te na bondade do amigo Samir.

Acenando-lhe amistosamente, retirou-se sempre abraçado à entidade sofredora.

Solimar, mais alegre, deitou-se adormecendo suavemente.

CAPÍTULO XVII

O suplício do remorso

Deixemos agora que a cortina do tempo desça sobre esta história para voltarmos a ela no tempo oportuno. Dez anos são passados quando retornamos a Tebas.

Encontramos Pecos abatido e emagrecido nos jardins da casa, em palestra com Nalim. Esta, um pouco mudada, é agora mais mulher. Seu rosto formoso que humanizara-se com o correr dos anos, estava marcado pela preocupação.

Em Pecos, a transformação era marcante. Seu corpo emagrecido e seus cabelos grisalhos modificaram-lhe o antigo aspecto. Apenas os olhos continuavam os mesmos, irradiando a antiga atração.

Ele dizia:

— Estou magoado, Nalim. Sabes que fui sempre leal ao soberano. Apenas, agora, vejo as coisas de maneira diferente. Já sabes por que tenho me recusado a realizar antigas caçadas. Hoje não teria coragem para fazê-lo. Se antes eu julgava agir com acerto, hoje reconheço a antiga covardia. Não. Ainda que me desprezem, não agirei novamente como um gatuno covarde.

— Mas... tu podes alegar um estado de saúde deficiente, alguma enfermidade, sem ofenderes o soberano com a sinceridade dos teus pontos de vista.

— Não. Sempre assumi a inteira responsabilidade dos meus atos. Seria duas vezes covarde se encobrisse um sentimento de nobreza.

— Sei que tens sofrido a ironia dos teus amigos!

— Amigos! Agora começo a perceber que nunca os tive. Eram-no quando eu estava no apogeu de minha carreira, nas graças do Faraó. Agora que ele, considerando-me um covarde por haver pela quinta vez me recusado a chefiar uma caçada humana, reduziu-me a um soldado comum, todos eles me escarnecem e claramente mostram o valor de sua estima, baseada na fictícia glória política. E sabes por quem fui substituído? Por Omar, que me odeia de morte por a amor a ti!

Nalim, acercando-se mais do marido, passou-lhe o braço sobre os ombros, dizendo carinhosa:

— Sabes que nunca o amei! Já contei tudo. O meu amor por ti é superior a tudo quanto possa acontecer-te. Estes anos de intensa ventura que me proporcionaste, varrendo as injúrias do passado, consolidaram a minha afeição. És o único em meu coração!

Ele sorriu um tanto aliviado. Adorava a esposa. Compreendendo-lhe o temperamento vaidoso, temia que sua situação subalterna influísse no ânimo de Nalim. Um tanto amargo, continuou:

— Sabes das notícias que ele andou espalhando na corte sobre nós dois. Diz que tu não permitiste que eu realizasse a expedição por seres uma antiga escrava. Quando regressei das terras da Assíria, na sondagem política ao seu poderio militar e que as notícias não foram satisfatórias, ele espalhou que eu não cumprira bem minha tarefa, porque tu eras uma assíria e que eu desejava proteger tua pátria. Disse mesmo que eu seria capaz de trair o Faraó por tua causa.

— Como chegaram tais coisas ao teu conhecimento?

— Fartic, um dos servos mais leais do palácio, declarou-me que tais assuntos partiram de Omar, pois que o ouvira repetindo a história a numerosos amigos. Às vezes sinto vontade de matá-lo.

— Não penses em tal! Ele conseguiu insinuar-se e é o chefe da guarda real. Seria tua morte.

— Isso não me importa! — Pecos estava alterado.

— E eu? Que faria sem ti? E nosso filho? — perguntou ela, magoada.

— Nalim tem razão, Pecos — replicou Jasar que se aproximara sem que eles, entretidos pela palestra, o notassem.

— Jasar! Senta-te aqui e conversemos.

Jasar aquiesceu. Seu belo semblante pouco mudara. Tinha os cabelos um pouco grisalhos e estava um pouco mais magro, mas o olhar estava mais profundo e penetrante.

— Por que lhe dás razão? Um homem como eu, que decaiu, certamente pouco poderá oferecer à esposa.

— Parece que esqueceste por completo teus deveres sociais e tua responsabilidade perante tua mulher! Depois, por que te crês decadente? Será o desprezo humano o que te preocupa? Deploras por acaso teu atual procedimento?

— Não — respondeu Pecos categórico. — Sinto que agora estou agindo com honra e é precisamente isto que me aborrece. Quando era covarde, aplaudiam-me, agora que luto por conservar-me digno, desprezam-me! Não compreendo.

— Não te aborreças! Agora conheces teus verdadeiros amigos. Eles, os que te condenaram, são pobres cegos que ainda não perceberam a verdade. Agarram-se às ilusões e temem quem lhes tomou a dianteira. Por isto te condenam, mas quando a vida torcer seus destinos e as ilusões se forem, chegarão às conclusões a que chegaste. Tu avançaste. Teu espírito tornou-se mais consciente, deixando-os para trás. Já passaste por inúmeros sofrimentos que eles fatalmente terão que suportar no futuro.

Pecos ouvia-o pensativo. Permaneceu assim por alguns instantes imerso em profunda meditação. Vendo que Jasar se calara, objetou:

— Mas se eu avancei no caminho do conhecimento, por que eles não procuram aproveitar-se da minha experiência?

— Pelas mesmas razões que te expus há pouco.

Por serem mais atrasados espiritualmente, são menos capacitados para compreender-te. Não podem aquilatar valores que desconhecem. Por isto, os evoluídos, quando nascem neste plano, são incompreendidos pela maioria. Aliás, esta é uma lei natural e lógica. Cada indivíduo sente a vida conforme sua fase evolutiva. Não se pode exigir de uma criança a compreensão, os conhecimentos de um adulto. Geralmente, estas mesmas crianças, quando adultas, reconhecem os valores que antes menosprezavam. O involuído, o homem que ainda necessita maior experiência como espírito, ainda é criança dentro da criação Universal. Não pode compreender aquele que já avançou mais. Eles te condenam porque não sentem como tu. Eu te previno, muitas lutas desta natureza certamente te reserva o futuro. Porque quando nos decidimos a combater uma de nossas fraquezas tentando vencê-la, superá-la, a vida, nossa amiga que é, encarrega-se de forjar oportunidades de luta, oferecendo-nos ocasião para provar nossa firmeza. Assim, forçados a aumentar a resistência se quisermos triunfar, dificilmente reincidiremos.

Jasar fez uma pausa e, vendo que os dois o ouviam interessados, continuou:

— Certamente, a oposição que fazem aos teus nobres propósitos deixa-te tentado a voltar à antiga vida, porém, lembra-te de que se traíres tua consciência, perderás a dignidade. Voltar atrás agora é reincidir. Se antes ignoravas o mal que fazias, agora sabes, e esse conhecimento torna-te mais responsável. Logo carregarás o peso da culpa e do remorso e isso te tornará infeliz. Creia, ir contra tua alma só te trará dor e sofrimento.

Pecos ouvia o irmão, fortemente emocionado. Jasar parecia-lhe esquisitamente diferente. Sua voz era mais grave, seu rosto empalidecera e seu corpo parecia agitar-se em ligeiras contrações nervosas. Dir-se-ia que Hórus falava pela sua boca.

Impressionado, Pecos falou:

— Vejo que alguém, algum Deus, por certo te inspirou ao pronunciares tão sábias palavras. Mas, crê, Jasar, que não temo a luta. Procurarei enfrentá-la com coragem, porém, o que me preocupa é Nalim. Temo criar para ela algum sofrimento.

— Não te preocupes por mim. Estarei contigo seja onde for e como for. Meu amor por ti vencerá todas as dificuldades.

Pecos sorriu mais sereno. Eles tinham razão. Ele estava certo! Tomada aquela decisão, sentiu-se mais calmo.

Nalim continuou:

— Jasar, não sei por que, tuas palavras me recordaram Solimar. Em meus difíceis momentos, era ela quem me falava como nos falaste hoje.

Ao ouvir mencionar Solimar, Jasar sobressaltou-se. Sentia-se angustiado por não saber o que lhe havia acontecido. A saudade dela e da paz que sentia a seu lado enchiam-lhe a alma de tristeza.

Com o olhar perdido num ponto distante, ele observou:

— Grande espírito. Grande criatura!

— Sinto-me angustiada ao pensar o que lhe aconteceu, onde estará...

— Tens razão — continuou Jasar. — Esteja onde estiver, será protegida sempre pela Divindade e nada de mal lhe terá acontecido.

— Será ainda viva? — aparteou Pecos — nós a procuramos por toda parte sem resultado. É bem possível que tenha morrido.

— Tu te enganas, Pecos. Tenho a certeza de que ela vive.

— Como, Jasar, acaso tiveste alguma notícia?

— Não, mas tenho a certeza de que se morresse, viria despedir-se de mim.

— Crês isso possível? — perguntou Nalim, admirada.

— Sim. Nada mais natural de que seu espírito, livre do corpo pesado, liberto no espaço, viesse dizer-me adeus. Eu, se partisse primeiro, certamente a iria ver.

— Dizes coisas estranhas, Jasar, que me fazem estremecer. Mudemos de assunto. E Otias está hoje melhor?

— Temo que não. Penaliza-me vê-la imóvel no leito, podendo apenas mover as mãos, sem poder falar.

— Tanto tempo faz, mas ainda guardo funda impressão daquela noite terrível. Avalio o choque quando ela penetrou no quarto.

— E tudo permaneceu em terrível mistério — murmurou Pecos.

— É verdade — tornou Jasar. — Se ao menos ela pudesse falar... Tenho a certeza de que teríamos a solução do desaparecimento de Solimar. Mas a esse recurso não podemos recorrer. Ela tem sofrido muito, e eu agora não teria mais ânimo para dirigir-lhe perguntas. Sei que seu raciocínio é lúcido e tem plena consciência de tudo quanto a rodeia. Aprendi a ler em seus olhos de morta-viva tudo quanto lhe vai no íntimo. Tenho percebido seu terror imenso. Em certas ocasiões, fica toda banhada em suor e seus olhos demonstram pavor. Quando nasceu teu filho, ela sentia-se mal todas as vezes que o via. Tanto que fui forçado a evitar sua presença no quarto. Parece que ao vê-lo, ela se recorda do nosso Matur! Se ele vivesse, seria já um rapazinho. Eram estes com certeza os motivos que a torturavam.

— Pobre irmão! Tens sido muito dedicado para com ela. Comove-me tua generosidade para com uma mulher que não amas e foi possivelmente a causadora de toda a desgraça que se abateu sobre esta casa.

— Vês mal, Pecos. Quem pode saber na realidade o que aconteceu? Crês por acaso que se Otias foi a causadora da morte do filho, não estará sofrendo terrivelmente, roída pelo remorso, sem poder desabafar? Já pensaste que uma criatura condenada à imobilidade, sem poder falar, forçosamente possuirá um mundo interior muito mais intenso? Se esse mundo for belo, será menos infeliz, mas se ele estiver composto de horrores e maus pensamentos, será um insondável abismo de torturante noite. Eu não sou infeliz, pois que ainda posso andar livremente, aspirar o perfume das flores, gozar o prazer de uma boa palestra, mas ela, castigada tremendamente em sua vaidade de mulher, transformada em uma pobre sombra humana, é digna de estima e de piedade.

— Realmente — murmurou Nalim sentindo um calafrio pelo corpo — ela sofre horrivelmente. Creio que tens razão, Jasar.

Enquanto eles conversavam amigavelmente, um olhar em fogo os envolvia a distância. Estendida em um coxim macio, Otias fora colocada no pátio externo para gozar um pouco da brisa e respirar o ar agradável do jardim. Do local onde se encontrava, podia divisar os três conversando. Seu pensamento agitado os contemplava com desespero.

Sentia-se presa, amarrada, sem poder mover-se. Seu pensamento trabalhava tanto que, em certas ocasiões, desejava morrer porque assim talvez ele parasse, dando-lhe repouso. Suas noites insones, sombrias, eram longas e intermináveis!

E... eles eram felizes! Nalim, a culpada de tudo, era feliz. Possuía o amor do marido, o filho amado, a fortuna ambicionada. A ela, tudo fora roubado. O marido não a amava, o filho fora vítima da inconsciência de Solias, somente restava parte da fortuna, mas que fazer agora com ela? De nada lhe valia.

Em certas ocasiões era assaltada pelo medo. Parecia-lhe ouvir o grito de terror dentro da noite. Via o corpinho de Matur envolto pela horrível víbora, e enchia-se de pavor. Uma voz lhe gritava incessantemente:

— Assassina! Tu mataste teu próprio filho! Assassina!

Otias fazia, então, enorme esforço para gritar, mas sentia que não podia emitir som algum. Permanecia assim longo tempo. A vida para ela transformara-se em terrível pesadelo, em uma horrível tortura.

Otias, voltada somente ao mundo exterior, preocupada com a vida mundana, foi forçada e voltar-se para seu mundo interior. Lá encontrou apenas o vazio e o que é pior, a lembrança de sua culpa e o remorso de seu crime.

Amargando o resultado de suas atitudes, Otias sofria. Acreditava estar sendo castigada pelos seus erros. Não sabia que a vida vacina as pessoas contra a maldade, inoculando nelas o próprio veneno. Que seu sofrimento não era castigo, mas o remédio que necessitava para libertar-se das ilusões e aprender.

Muitas vezes, de regresso ao passado, recordava sua infância cheia de sonhos e ilusões. Seu pai sempre carinhoso, os belos dias vividos e, então, arrependia-se sinceramente do mal praticado. Mas estes momentos eram raros.

Cerrou os olhos angustiada. Via Pitar, o filho de Nalim, que alegremente montado em um jumento, acercara-se dos pais e do tio. Sempre que o via, seu coração enchia-se de angústia. Seu belo porte já ereto e elegante aos nove anos, seus revoltos e crespos cabelos negros como os de sua mãe, seu belo rosto moreno de nobres traços, seu riso alegre e cristalino, tudo lhe lembrava que poderia ter seu filho assim, crescido, vivo e alegre.

Detestava-o. Ele, porém, sentia seu pequeno coração cheio de compaixão pela tia enferma. O espetáculo da felicidade de Nalim e Pecos, que adoravam o filho, fazia-lhe mal.

Puxou com esforço o cordão que tinha entre os dedos endurecidos, duas vezes, e duas escravas pressurosas acorreram ao chamado, transportando-a para dentro.

Assim estavam as coisas, naquele dia em que retornamos a Tebas. A situação política não era bem a mesma de antes. O povo estava cansado dos constantes assaltos do rei às suas posses.

Os tributos haviam aumentado, e as enchentes do

Nilo haviam diminuído, empobrecendo a terra. As colheitas dos dois últimos anos haviam sido pequenas, e o povo temia a seca, desejando encher os celeiros. Porém, tinham que pagar o pesado tributo e descontados também o consumo da família, nada lhes sobrava para armazenar.

O povo andava inquieto, aos cochichos nas ruas e mercados. Porém, o rei estava vigilante. Aumentara a guarda do palácio. Omar, que a comandava, era prepotente e irredutível. Deu ordem aos seus soldados que vigiassem qualquer agrupamento suspeito na cidade, proibindo o povo de parar nas ruas para conversar, o que era tão do gosto da época.

Aos contraventores, aplicava castigos severos, jamais perdoando a ninguém o que lhe valera a alcunha de "Torquemat" que quer dizer "rocha negra".

Apesar da situação irregular, ainda existia o perigo dos invasores estrangeiros. As riquezas de Quinit, famosas em todo o mundo, suscitavam a cobiça de outros povos, entre os quais, o assírio.

Farfah, seu rei, havia dominado a Pérsia e a escravizado. Certamente não ficaria aí sua ambição de poder. Os chefes do poder no palácio do Faraó em Tebas, que eram os sacerdotes, reuniam-se em secreto constantemente, em companhia do rei, para estudarem a situação.

Essa era a situação política quando retornamos a Tebas.

Alguns dias se passaram. A chegada de um dos espias do Faraó, vindo de Nínive, os alarmou. Recebido às pressas pelo Faraó e pelos sacerdotes, informou que Farfah estava reforçando extraordinariamente suas tropas em Barbah, pequena cidade persa, com intenção desconhecida. Mandara o grosso de seu exército lá se concentrar.

Excitados com a notícia, o Faraó, seus ministros e sacerdotes reuniram-se imediatamente, deliberando sobre a decisão a tomar.

Por fim, decidiram-se a mandar Omar reunir o exército, conduzindo-o aos pontos estratégicos de defesa, nas divisas de suas possessões. E que ele e mais alguns homens avançassem até a Pérsia para inspecionarem o ambiente. Se preciso, iriam disfarçados.

Potiar objetou na inconveniência de afastar o exército do palácio, deixando-o desguarnecido em uma situação tão grave da política interna. Reconhecendo-lhe a razão, resolveram dividir o exército para manter a ordem interna.

Pecos, surpreso e aborrecido, recebeu ordens de partir imediatamente. As últimas desilusões haviam-lhe tirado todo o prazer da aventura. O amor da família o prendia ao lar. Mas, precisava ir... Agora era soldado, não podia recusar-se e ser mais uma vez chamado de covarde. Triste, despediu-se da esposa com lágrimas nos olhos e sentiu um aperto no coração.

Beijou o filho amado que, entusiasmado, examinava seus aparatos de combate. Abraçou fraternalmente o irmão e saudou amigavelmente Otias, partindo depois, comandado por Omar, rumo ao desconhecido.

CAPÍTULO XVIII

Traição

A viagem era longa e penosa. Durante algumas semanas, trabalharam na reorganização do exército e, por fim, prosseguiram viagem rumo a Barbah.

Omar fazia questão de manter Pecos como seu imediato, procurando mostrar-se benevolente com ele, mas buscando de toda forma humilhá-lo, obrigando-o a serviços corriqueiros. Pecos tivera inúmeras alterações com ele, e Omar por diversas vezes o prendera como repreensão.

Os outros soldados, habituados a verem em Pecos seu chefe, não gostavam da forma como Omar o tratava. Muitos passaram a odiá-lo por causa disso.

No porto de Bordaim, entraram em uma embarcação rumo a Barbah. Os remos que os escravos movimentavam com precisão, derramando seu suor e muitas vezes seu sangue, eram vagarosos. Mal acomodados na pequena galera, sem conforto nem higiene, muitos adoeceram.

Seis homens foram escolhidos para espionagem. Disfarçados em mercadores e lavradores, já haviam traçado um plano de ação. Teriam que separar-se. Seguiriam rumos diferentes, dois a dois, procurando investigar todo o potencial do exército assírio.

Tinham para isso oito dias, findos os quais, deveriam encontrar-se no porto para o regresso, de posse de todas as informações. Assim, após o desembarque, entregando a cada um o necessário para sua manutenção, Omar dividiu-os em grupos, reservando Pecos para acompanhá-lo.

Este, desanimado, cansado, saudoso da família,

sentindo-se enfermo, irritou-se com a escolha. Sabia que Omar desejava tê-lo a seu lado para humilhá-lo. Apesar disto, não demonstrou o que lhe ia na alma, guardando silêncio.

Procuraram depois uma taberna para passar a noite pois que já era tarde. Iniciariam o trabalho no dia seguinte. Pecos, deitado na pequena cama em um quarto exíguo da taberna, pensava.

Recordava saudoso a esposa amada e o filho, enternecido. Contava regressar brevemente e estava ansioso para abraçá-los. O cansaço venceu-o e adormeceu, porém, seus sonhos não foram calmos.

Parecia-lhe estar em um local estranho, cuja cerração o envolvia aos poucos.

Do outro lado, sabia que estavam a esposa e o filho. Precisava vencer aquela neblina para ir ter com eles, entretanto, ela se adensava mais e mais, levando-o cada vez mais longe dos entes queridos.

Aterrado, ele gritava com todas as forças de seus pulmões, porém, sua voz saía abafada e as palavras ininteligíveis. Acordou, por fim, suspirando aliviado ao reconhecer ter sonhado, mas uma vaga sensação de tristeza o invadiu, como um mau presságio.

Levantou-se com o coração opresso. Abriu o pequeno postigo que dava para a rua. Agradável brisa com aroma levemente salino penetrou no quarto, fazendo-o sentir-se mais calmo. Mas era já muito tarde quando conseguiu novamente adormecer, vencido pelo cansaço.

Omar, por sua vez, assim que se recolheu ao quarto, não pôde esconder sua satisfação. Tudo caminhava bem e tinha-o agora praticamente em suas mãos. Odiava Pecos e há muito procurava uma ocasião para livrar-se dele.

Jamais conseguira esquecer Nalim, pelo contrário, se já a amava quando escrava, ao vê-la transformada em nobre, seus encantos, realçados pela suntuosidade de seu gosto apurado de mulher vaidosa, aumentara ainda mais o seu doentio desejo de possuí-la.

De todas as maneiras havia procurado despertar-lhe o interesse, mas a moça o tratava sempre como a um desconhecido.

Exasperava-o tal situação. E ao saber que ela amava o marido, considerou que se ele desaparecesse, forçosamente ela deixaria de amá-lo. Então, ele a conquistaria.

Como, porém, Pecos lhe era superior, nada pudera fazer, mas quando a situação o favorecera com a brilhante carreira e o desprestígio de Pecos, ele concebeu um plano para livrar-se definitivamente do odiado rival. Ao surgir aquela oportunidade, percebeu que a ocasião era propícia. Ficar só com Pecos, favorecia-lhe os planos.

Omar deitou-se, porém, não conseguiu adormecer. Seus pensamentos agitados, tramando seu tétrico projeto, o deixavam excitado.

Dissera a Pecos que repousariam até a metade do dia seguinte quando iniciariam o trabalho. Porém, mal o dia clareou, ele levantou-se e vestindo-se rapidamente, saiu cauteloso ganhando a rua.

Barbah era uma província relativamente grande. Seu porto era a porta de suas riquezas, pois que possuía intenso movimento. Os pescadores trabalhavam ativamente, negociando o produto do seu trabalho com os artigos de que necessitavam, no grande e curioso mercado local.

Seus tapetes eram famosos no mundo daquela época e negociados para outras terras.Também fabricavam lindos enfeites de cerâmica com arabescos coloridos. Era uma cidade comercial e logo cedo suas ruas estavam já movimentadas.

Omar, preocupado, indiferente ao burburinho das ruas, apressou-se em procurar o mercado que distava poucos passos dali.

Perguntou a diversas pessoas por um nome e por fim conseguiu encontrar quem procurava.Tratava-se de um indivíduo de miserável aspecto, com uma expressão perversa em seu rosto matreiro.

Omar foi recebido efusivamente, parecendo conhecerem-se muito bem, e conduzido ao interior de uma pequena habitação perto dali. Uma vez a sós, Omar foi direto ao assunto.

— Preciso de ti, Jubar. Muitas vezes te prestei auxílio ajudando tua fuga do meu país. Agora chegou o momento de retribuíres os favores recebidos.

Com um servilismo repelente, Jubar curvou-se, sorrindo e dizendo:

— Podes pedir. Devo-te muito e tudo quanto fizer jamais saldará minha dívida contigo. Mas não quero encrencas com a justiça, pois que já estou um tanto marcado pelas autoridades.

— Bem, o serviço não te comprometerá. Preciso livrar-me de um obstáculo que obstrui o meu caminho.

— Algum inimigo político?

— Não. Um marido impertinente.

Jubar casquilhou uma risada velhaca.

— Já percebo. Creio que poderei servir-te, mas creia — ajuntou lamuriante — que preciso de algumas moedas. Como sabes, estou em precária situação financeira.

— Dar-te-ei algumas jóias como pagamento. Combinado?

— Antes preciso vê-las, para depois fechar o negócio.

Omar, que fora preparado, tirou de um bornal que levava a tiracolo um pequeno saco, abrindo-o ante os olhos cobiçosos de Jubar.

— Pagamento adiantado. Como queres o serviço? Devo matá-lo agora?

— Não. Ele está só comigo na taberna e forçosamente as suspeitas de meus outros companheiros me incriminariam, porque sabem que eu o detesto. Precisamos agir de forma a salvar a minha reputação. Antes preciso de algumas informações tuas.

— Sabes que informação custa sempre caro. Minha memória é fraca e somente quando bem recompensada, ela se aclara.

— Bem, agora eu exijo adiantado. Primeiro fala, depois te gratificarei. Que sabes da concentração militar que está na cidade?

— Preparem-se. Creio que Farfah pretende dominar toda a costa mediterrânea. Mas estas informações são valiosas, porque se descobrem que os traí, certamente me matarão.

— Ouve — disse Omar de repente, assaltado por uma idéia que lhe pareceu a calhar — eles matam mesmo os traidores?

— Claro. Não ouviste ainda falar na crueldade de Assif?

— E se soubessem que viemos espionar suas atividades, certamente nos matariam! Prepara-te para receber minhas ordens. Daqui a seis dias, irás ao comandante e dirás que descobriste uma traição. Delata-lhe, então, meu companheiro como espião e certamente nos livraremos dele.

— Mas isso seria perigoso para ti.

— Não estarei com ele.

— E... se ele te delatar?

— Sei que não o fará. Ademais, não poderá imaginar que eu sou o responsável.

Despediram-se depois, ficando Omar de procurar Jubar no dia preciso para tratarem dos últimos detalhes do plano e entregar-lhe mais algumas jóias.

Ao separar-se do repelente indivíduo, Omar estava excitado, mas alegre. Finalmente se livraria do rival odiado. Traçaria bem o plano, que não poderia falhar. Retornou à taberna, indo diretamente a seu quarto e procurou descansar. Mas seu cérebro excitado não descansava um só instante.

Não podia dormir. Em seu pensamento, perpassavam todos os acontecimentos de sua vida, num emaranhado retrospectivo, principalmente seu amor por Nalim.

Inútil querer dormir.

O sono calmo e reparador é o reflexo da consciência tranqüila. Todo aquele que se desvia, desarmonizando sua vida, estabelecendo em torno de si um ambiente cheio de vibrações negativas, torna-se um perturbado, um doente mental frente às leis universais que, como certos medicamentos, utiliza-se do próprio mal para a cura do paciente.

Vendo que o sol ia alto, levantou-se novamente, aprontando-se rápido e indo em seguida à procura de Pecos. Seu rosto estava pálido e seus olhos com um brilho inquieto que ele tentava esconder.

Mais tarde, os dois saíram disfarçados em mercadores pelas ruas centrais da província para investigar.

Apesar de tantos exemplos fornecidos pela vida, as pessoas somente aprendem pela experiência própria. Lá iam os dois, lado a lado, um tramando o assassínio do outro. Omar voluntariamente plantando sofrimentos para o futuro. Não percebia a inutilidade do seu gesto cruel, nem os transtornos que lhe poderiam causar. Pecos, ingênuo, não podia imaginar que seu chefe o odiasse a tal ponto.

Os oito dias passaram e chegou finalmente o dia marcado para o encontro dos lanceiros.Haviam combinado estar no porto para o embarque. Quase todos estavam reunidos já, faltavam apenas Omar e Pecos. Finalmente chegaram.

Conversaram animadamente sobre as atividades de cada um, quando a certa altura, Omar, com um gesto de surpresa, murmurou:

— Hórus, me ajude! Perdi a sacola de jóias.

Assustado, pôs-se a procurá-la. Depois de algumas buscas infrutíferas, murmurou:

— Agora me recordo! Deixei-a em meu quarto na taberna! Não tenho mais tempo para buscá-la, pois que preciso conversar com o dono do barco para podermos seguir.

Imediatamente alguns dos lanceiros ofereceram-se para buscar a preciosa sacola. Omar, porém, agradeceu e dirigindo-se a Pecos, disse-lhe:

— Vai tu e traze-a. És conhecido na taberna e ser-te-á mais fácil fazê-lo.

Embora contrariado, Pecos não teve outro remédio senão obedecer, enquanto Omar tratava dos preparativos do embarque. Tudo pronto, Omar juntou-se a seus homens à espera de Pecos.

Vendo que ele tardava, designou um dos homens para ir à sua procura, indicando-lhe o caminho a seguir. O tempo passava e nenhum dos dois regressava.

Os homens esperavam preocupados. O barco já ia zarpar, mas a pedido de Omar, esperou mais algum tempo pelos retardatários.

Finalmente duas horas depois, surgiu o lanceiro que partira em busca de Pecos. Subiu na embarcação assustado e reunindo os homens a um canto, falou:

— Em má hora esquecestes vossa sacola de jóias. Não sei como chegou ao conhecimento de Assif, chefe das tropas de Farfah, a nossa visita a esta cidade. Quando me aproximei da taberna, vi muita gente à porta e o nobre Pecos preso entre uma escolta. Indaguei disfarçadamente de alguém a meu lado, por que o prendiam. Ele, então, disse que aquele era um espião egípcio e que ele estava perdido! Sem poder fazer nada, segui com o povo o carro onde conduziam o prisioneiro. Vi quando o levaram para uma fortaleza ocupada pelo exército e tratei de vir ter convosco para contar-vos o sucedido.

— Devemos salvá-lo! — disse um dos lanceiros.

— Impossível! — falou Omar. — Não podemos arriscar a vida de todos por um.

— É muito perigoso. Ouvi a conversa de dois soldados que o conduziam. Suspeitavam de cúmplices e iam percorrer toda Barbah para conseguir uma pista.

Omar foi ao comandante do barco e disse-lhe que podia partir. Voltando aos companheiros, alguns dos quais protestavam pela saída do barco, disse resoluto:

— Nada poderemos fazer. Infelizmente seria perigoso permanecermos por aqui. Estaríamos traindo a confiança do nosso Faraó se nos deixássemos levar por um sonho louco, arriscando-nos a pôr tudo a perder. Se morrêssemos, ninguém poderia levar as notícias ao nosso rei! Depois, nada poderíamos fazer. Seria impossível salvá-lo!

Os homens compreenderam que Omar tinha razão. Mudos, magoados com a penosa sorte do companheiro, olhavam melancólicos o porto que ia cada vez mais se diminuindo pela distância.

Mentalmente despediam-se do companheiro, pois que naqueles poucos dias haviam bem conhecido a crueldade de Assif, cuja predileção era torturar prisioneiros, matando-os pelas maneiras mais cruéis. Ninguém jamais escapara com vida.

Só Omar ia contente. Finalmente conseguira seu objetivo! Agora forçosamente Nalim seria sua! O caminho estava livre e ele saberia conquistá-la.

A embarcação singrava o mar conduzindo-o de retorno à pátria e, aos poucos, desapareceria na distância.

Pecos, angustiado, triste, mentalmente se torturava pensando na embarcação que deveria levá-lo de volta aos braços dos seus e que deveria estar ao largo. Tal era sua preocupação, que nem examinara o local onde o haviam atirado. Estava numa úmida e escura masmorra!

Após a surpresa de ser preso assim que entrara na taberna, fora levado depois de ligeiro interrogatório, àquela fortaleza e atirado na pútrida cela.

Angustiado, nervoso frente à transformação do seu destino, sentia-se inseguro quanto à sua vida. Não temia o desconhecido através da morte, nem as torturas físicas que pudessem atingir-lhe o corpo, mas o apego aos seus entes mais caros, a saudade e a incerteza de revê-los novamente formavam seu potencial de mágoa e desconforto.

Pensando bem em tudo quanto lhe acontecera, chegara à conclusão de que fora envolvido por uma trama tenebrosa. A imagem de Omar não se desviava dos seus pensamentos. Ele deveria de alguma forma ser o responsável pela sua prisão.

Pecos sofria! Um ódio indomável por Omar despertou mais forte do que nunca em seu coração. O tempo foi passando e Pecos não saberia dizer há quantas horas estava ali.

Parecia-lhe estar preso há um século, pois não podia vislumbrar se era dia ou noite. Não havia postigo algum na escura cela que desse para o ar livre. Somente na porta havia uma abertura pequena, rente ao chão, para ser introduzida a comida e a água.

O mau cheiro era tremendo, mas ele sentia muito mais as dores morais do que os sofrimentos físicos. Aos poucos, começou a sentir-se doente. Não via ninguém, o carcereiro de vez em quando jogava um prato de comida debaixo da porta e retirava-se em seguida.

O prisioneiro tentara inúmeras vezes falar com ele, mas não obtivera resposta. Aquele isolamento, a escuridão, a miséria, a constante preocupação sem nada poder fazer para modificar a situação, abateram-lhe muito o ânimo e ele quase não se alimentava.

Ao cabo de certo tempo estava febril e desorientado. Quantos dias estaria ali? Não saberia dizer. Grande prostração o abateu e ele não mais se levantava do monte de palha úmida que lhe servia de leito.

Assim foi encontrá-lo o carcereiro depois de três meses de reclusão. Viera buscá-lo. O chefe da guarda desejava interrogá-lo novamente. Não o fizera antes, pois estava ocupado com uma rebelião de seus homens. Por outro lado, acreditava que o prisioneiro resolvesse confessar, depois de tão triste hospedagem. Nada de positivo obtivera dele da primeira vez.

Dissera ser mercador e nada mais esclarecera a não ser que viera a Barbah negociar mercadorias. Instigado por Jubar, que fizera a delação dizendo conhecê-lo como chefe de lanceiros egípcios, decidira-se o chefe da fortaleza a interrogá-lo novamente.

Mas levava muito longe o castigo ao prisioneiro. O carcereiro correu a avisá-lo de que Pecos estava doente. Tinha muita febre e talvez fosse maligna.

Horrorizado, o chefe ordenou que ele fosse imediatamente transportado para longe da cidade e atirado nas areias escaldantes do deserto. Assim, seria punido e evitaria o contágio com a terrível febre que dizimava seus homens implacavelmente.

Era comum os prisioneiros daquelas celas tenebrosas saírem mortos, loucos ou atacados de febres malignas incuráveis.

Sem perda de tempo, o carcereiro providenciou a remoção do prisioneiro, que estava completamente inconsciente.

Envolveu-lhe o corpo com um grosseiro pano e auxiliado por um soldado, carregou-o até o pátio externo da fortaleza. Lá, puseram-no em um carro de combate e conduziram-no para o deserto.

Os dois soldados que o levavam iam despreocupados e alegres. Para eles, aquilo era comum. Desejavam afastá-lo o mais possível da aldeia, temerosos do contágio.

Viajaram durante toda a manhã e parte da tarde. Estavam já no deserto. Avançaram mais um pouco escolhendo um local que lhes pareceu apropriado, atiraram brutalmente o corpo de Pecos ao chão.

Retiraram com cautela o pano que o envolvia, depositando-o ao lado. Depois, calmos, empreenderam o caminho de regresso.

Um deles, ainda ao longe, voltou-se e vendo o ponto escuro que ficava cada vez mais distante perdido nas areias escaldantes, falou:

— Creio que não agüentará até o anoitecer. Amanhã os abutres terão um festim!

O outro deu de ombros e não respondeu. Continuou dirigindo o carro imperturbavelmente.

Logo, Pecos ficou só.

Muitas criaturas, quando venturosas, esquecem-se de construir um oásis para o futuro. Plantando o mal pelo caminho, acabam transformando suas vidas em um deserto escaldante colhendo os resultados da sua semeadura. Felizmente a vida tem o poder de conduzir os acontecimentos para melhor, de forma a ensiná-las a agir adequadamente.

Pecos continuava só. Seu corpo, gravemente enfermo, breve seria pasto dos temerosos abutres do deserto. Mas não dava acordo disso, pois que seu espírito descansava nas brumas da inconsciência!

CAPÍTULO XIX

O gosto da derrota

Voltemos agora a Tebas, alguns meses atrás, na amorável residência de Pecos.

Nalim, radiante, aprontava-se com esmero. Sabia que Omar voltara, e conseqüentemente seu marido dentro de poucos minutos deveria estar em casa.

Em alegre expectativa, juntou-se ao filho no pátio externo que dava para os portões principais. Ambos felizes, esperavam.

Vendo que tardava, resolveram caminhar um pouco pelos jardins próximos aos portões de entrada.

Mas o tempo passava e Pecos não chegava. Apreensiva, ao cair da noite, ela recolheu-se com Pitar, que estava decepcionado.

A noite desceu de todo e a esposa de Pecos sentia o coração envolto em lúgubres pressentimentos. Disfarçando em presença do filho, obrigou-o a recolher-se dizendo-lhe que certamente seu pai demorava-se, porque ficara retido no palácio do Faraó por obrigações militares.

Porém, quando se viu a sós, terrível angústia a dominou. Suspirou aliviada quando Jasar regressou à casa. Estivera fora o dia todo. Assim que entrou, após os cumprimentos, perguntou:

— Estou terrivelmente aflita, Jasar! Soube que Omar está na cidade e até agora Pecos não apareceu. Tu poderias ir ao palácio investigar?

— Irei. Antes preciso ver Otias e saber do seu estado. Não me demorarei. Estive fora o dia todo, e ela deve estar preocupada.

Jasar saiu para ir ver a esposa e Nalim, aflita, esperava um tanto impaciente que ele voltasse quando Jertsaida veio lhe anunciar que Omar desejava falar-lhe.

Sobressaltada, com o coração envolto em negros presságios, ordenou ao servo que o conduzisse ao salão.

Logo depois, Omar, sério, com certo ar preocupado, penetrou no aposento. Saudou-a cortesmente, assentando-se em seguida no delicioso coxim que lhe oferecia.

— Minha presença aqui prende-se a um assunto muito desagradável. Sabeis o quanto vos estimo! Tudo enfrentaria para não vos causar o mais leve desgosto!

— Por favor, nobre Omar. Vossas palavras vêm aumentar a angústia do meu coração. Onde está meu marido?

Omar lançou um olhar no rosto pálido e contraído da jovem mulher. Um sentimento de acerbo ciúme o dominou ferozmente. Eram para o odiado rival os pensamentos dela! Amava-o tanto que sofria por ele a tal ponto!

Uma íntima satisfação dominou-o quando disse:

— As notícias que vos trago são más, não vos posso negar. Muitas vezes em minha carreira, em defesa do nosso rei e do nosso país, nos empenhamos a tal ponto que arriscamos a vida constantemente.

A moça bebia-lhe as palavras com avidez, sentindo-se desfalecer.

Ele continuava:

— Sinto dizer-vos que vosso esposo está morto! Morreu a serviço da pátria!

Nalim, olhos desmesuradamente abertos, faces de cera, parecia não haver compreendido bem.

Sacudindo a cabeça como a expulsar tal idéia da mente, perguntou com voz sumida:

— Que dizeis?

— Vosso esposo está morto. Morreu nobremente em defesa da pátria.

Sacudindo a cabeça com violência, Nalim

perguntou:

— Não creio! Estás mentindo! Ele não pode estar morto!

— Pois está. E morreu como um verdadeiro herói!

Jasar, que penetrava no aposento, ouvindo aquelas palavras, correu para Nalim, que cambaleava trêmula, amparando-a com carinho.

Dirigindo-se a Omar, secamente disse:

— Senhor! Creio que abusastes das noções de cavalheirismo! Jamais se transmite tal notícia assim, de pronto, a uma mulher!

Omar, um pouco contrariado pela interrupção, disse:

— Fui precipitado, mas, de alguma maneira, precisavam saber. Fui franco.

— Conta-nos como foi — exigiu Nalim, com olhos secos e brilhantes de exaltação. Sua voz era metálica e fria.

Preocupado, Jasar, que a amparava solícito, sugeriu:

— Deixemos os detalhes para mais tarde, agora estás muito nervosa!

Ele também sentia-se abalado profundamente. Estimava o irmão com verdadeiro carinho e sofria! Esforçava-se para controlar-se, mostrar-se forte e socorrer a cunhada.

— Não. Estou perfeitamente bem. Podeis falar — ordenou Nalim.

— Bem, falarei se assim o desejais. Nós estivemos em Barbah, uma província persa, onde havia uma concentração do exército de Farfah. Fomos incógnitos, disfarçados em mercadores para espionar-lhes as condições. Tudo caminhou bem e na hora do embarque de regresso, percebi que esquecera a minha sacola de jóias na taberna. Pecos ofereceu-se para apanhá-la, uma vez que eu precisava ultimar o nosso embarque com o dono do barco. Infelizmente, havíamos sido descobertos e ele foi preso. Como resistisse, negando-se a denunciar-nos, foi morto no mesmo instante pelos soldados do bárbaro Assif. Um dos meus homens viu e nos contou tudo. Embora pesarosos, fomos forçados a nos retirar, porque se ficássemos, poríamos tudo a perder. Eis tudo quanto aconteceu...

A moça ouvira calada e pensativa.

Quando ele terminou, ela ergueu-se de um salto e estendendo seu dedo acusador, gritou-lhe enlouquecida pelo desespero:

— Assassino! Covarde! Não creio em uma só das tuas palavras. Odiavas meu marido, porque te desprezei e tu o mataste! Mas crê que meu ódio perseguir-te-á o resto dos teus dias. Acreditavas, talvez, que ele desaparecendo, eu seria tua! Mas jamais te pertencerei, porque te desprezo, te odeio! Ainda chorarás lágrimas de sangue pelo crime que praticaste.

Cobrindo o rosto com as mãos, ela atirou-se aos braços do cunhado.

— Estás enganada, Nalim — foi o que Omar, pálido, pôde balbuciar, ainda mal refeito da inesperada atitude da moça.

Mas ela, notando-lhe o embaraço, exasperou-se ainda mais, gritando-lhe:

— Fora daqui, miserável assassino! Fora desta casa, traidor perverso. Que nunca mais eu te veja em meu caminho, porque serei capaz de matar-te com minhas próprias mãos!

Omar fez-se branco como cera ao ouvir a acusação. Sentiu a garganta seca e um suor frio o dominou.

Era possuidor de extremo domínio próprio, mas a atitude inesperada da mulher que amava, assustava-o, fazendo aumentar a apreensão que sentia desde que planejara o extermínio de Pecos.

Jasar olhava a ambos e embora sentisse a mesma impressão que Nalim, dominando-se falou:

— Ouvistes bem as ordens que vos deu a senhora desta casa. Retirai-vos, compreendendo a situação. Em outra oportunidade, irei procurar-vos e conversaremos melhor sobre o assunto.

Omar preparou-se para retirar-se, dizendo:

— Lamento o que aconteceu. Um dia reconhecereis a minha inocência. Todos os homens que estavam conosco, disso são testemunhas.

Dito isto, inclinou-se ligeiramente e, voltando-se, saiu por fim de cabeça erguida. Ao ver-se na rua, respirou a largos haustos.

Estava nervoso, irritado. Nalim odiava-o tanto quanto amava ao marido! Uma onda de rancor o invadiu. Sentiu ímpetos de retornar à casa e obrigar aquela mulher a amá-lo, de qualquer maneira.

Aos poucos, porém, foi serenando. Naturalmente, era justificável que ela estivesse nervosa, pensou. A notícia fora chocante e penosa. Precisava ter paciência, dar tempo ao tempo. Ela haveria de conformar-se. Acabaria por esquecer o marido e, então, ele conseguiria conquistá-la.

Faria tudo para destruir qualquer suspeita de sua participação no crime. Mais animado, chegou à casa recolhendo-se imediatamente. Logo caiu em sono profundo.

Sonhou que estava ao lado de sua mãe que, desfeita em lágrimas, lhe dizia:

— Novamente fracassas! Cometes o mesmo crime de sempre. Assim, jamais encontrarás a felicidade! Retorna enquanto é tempo ao bom caminho e procura remediar o mal que fizeste. Perdoa aquele que conseguiu a conquista da mulher que amavas e busca salvá-lo do abismo onde o arremessaste. Lembra-te de que não são somente os laços do amor que unem as criaturas. Os laços do ódio e do crime também. Meu amado filho, se os laços do amor unificam no bem representando alegria e felicidade, os do ódio provocam sofrimentos e só se desfazem quando o mal for eliminado. Ainda é tempo, meu filho! Procura reparar o mal que fizeste e perdoa!

Omar tudo ouvia, tomado de pânico.

As palavras de sua mãe chorando e seu tom amoroso tocaram-lhe a alma profundamente. Quis responder-lhe algo, mas não conseguiu. Viu quando ela tristemente se afastou e acordou com o coração envolto em terrível tristeza.

Levantou-se, andou um pouco pelo quarto e mais calmo pensou:

— "Foi apenas um sonho! Devo conservar-me calmo, senão acabarei doente. Perdoar Pecos! Como se eu pudesse fazê-lo! Depois, o que está feito não tem remédio. Agora, ele já deve estar morto e seria impossível salvá-lo".

Suspirando profundamente, Omar pensou que mesmo que pudesse salvá-lo, jamais o faria!

Pobre daqueles que calcam aos pés sábios conselhos dos que desejam sua felicidade, por serem contrários aos seus interesses escusos.

Seguindo-os, estariam evitando muitos sofrimentos futuros. Mas ninguém aprende pelo esforço alheio e sim pela própria experiência. Iludido, Omar acabava de plantar o mal. Só os resultados dolorosos da sua semeadura poderiam ensiná-lo a valorizar o bem.

Na casa de Pecos reinava desolação e mágoa. Nalim, abatida, só tinha palavras de vingança e ódio. Em vão, Jasar tentava convencê-la da inutilidade daquela atitude.

Os dias sucediam-se tristes e sem encantos. Nada haviam contado a Pitar sobre o pai, aguardando ocasião oportuna. O pequeno preocupava-se com o abatimento da mãe, mas esta desculpava-se dizendo que estava nervosa, porque seu pai demoraria a regressar.

Jasar dividia seu tempo entre as duas mulheres. Comumente saía em visita aos doentes e às pessoas necessitadas de conforto moral e material, dando-lhes o que podia. Desde que recebera a triste notícia, permanecia mais em casa procurando auxiliar a cunhada.

Percebia que esta necessitava de forte amparo moral a fim de não se deixar arrastar pelo seu temperamento arrebatado e violento.

Procurava distraí-la, palestrando sobre assuntos que sabia serem-lhe agradáveis, aproveitando as oportunidades para indiretamente dar-lhe conselhos.

Mas, pouco conseguira. Nalim estava muito abalada. Sua situação era-lhe insuportável. Considerava que uma fatalidade implacável envolvia sua vida, destruindo os entes que amava.

Somente o desejo de vingança e o pensamento de ódio alimentavam seu espírito. Pouco se alimentava, empalidecendo e emagrecendo a olhos vistos.

Jasar chamara-a à responsabilidade, tentando fazê-la compreender que seu filho necessitava do seu apoio e eles, por sua vez, deveriam poupar-lhe preocupações e desgostos.

Assim, despertou nela certa noção da realidade. Ela se dissimulava em presença do filho, conservando intimamente seu ponto de vista. Foram penosos para eles os dias que se seguiram!

Tudo se transformara. Somente a alegria de Pitar parecia dar um pouco de colorido ao ambiente.

Nalim transformara-se em uma mulher fria, de fisionomia dura e um certo brilho metálico no olhar.

Jasar percebia que uma crosta de gelo envolvera seu coração, e ela estava vivendo de maneira estranha ao seu temperamento. Sabia que somente uma forte emoção poderia modificar-lhe este estado de espírito, causado pelo choque que sofrera! Compreendia o que ela sentia, mas como ajudá-la?

O Criador, o Deus Onipotente que aprendera a conhecer e amar, confiara-lhe aquelas três criaturas. Deveria educar-lhes os sentimentos, preparando-as para o futuro, ensinando-lhes a se harmonizarem com a vida.

Com Otias procurava conversar amigavelmente, confortando-a e ao mesmo tempo, tentando elevar-lhe o espírito a uma compreensão mais ampla. Embora ela não pudesse responder, percebia que se comovia algumas vezes com suas palavras.

O tempo foi passando, deixando para trás um amontoado de melancólicas recordações dos trágicos acontecimentos.

CAPÍTULO XX

Esquecimento, remédio para a alma

Dez anos são passados. Embora a situação na casa de Pecos seja a mesma, as pessoas mudaram.

Jasar continua em sua elevada tarefa de espiritualização das criaturas. Um pouco grisalho, conserva o mesmo porte. Mais amadurecido, seu rosto refletia a bondade de seu espírito.

Nalim modificara-se sensivelmente. Sua tristeza ainda transparecia em seus belos olhos negros. Porém, agora, já havia em seu rosto uma expressão mais amena de resignação.

Como conseguira Jasar tal transformação? A princípio, tentara vários expedientes sem obter resultados. Um dia, porém, resolveu levá-la consigo em visita aos enfermos e necessitados. Conhecia-lhe o temperamento arrebatado, amoroso até a meiguice.

Para convencê-la a acompanhá-lo, pediu-lhe ajuda no tratamento de um paciente. Com certa indiferença, não querendo negar um obséquio ao cunhado a quem tanto devia, ela aceitou e juntos saíram ao romper do dia, levando Pitar, que tagarelava alegre durante o trajeto.

Caminharam durante algum tempo, chegando finalmente ao humilde casebre em miseráveis condições e onde faltava o necessário. Foram recebidos à porta por um casal de velhos um tanto acanhados com a presença dela e que os convidaram a entrar.

Sentindo uma certa repugnância, pois gostava do luxo e do conforto, ela penetrou na pequena sala, seguida pelo cunhado e pelo filho.

Enquanto conversavam, Jasar e os donos da casa, Nalim pensava no amargo destino das criaturas que eram forçadas a viver em tal situação.

Despertou de suas reflexões, quando ouviu Jasar convidá-la para entrar no quarto da enferma. Seguiu-o, mas assim que penetrou no aposento, sentiu-se dominada por grande emoção.

Estendida sobre um pequeno leito, jazia pálida uma linda criança. Seu rostinho emagrecido conservava-se belo, apesar dos sofrimentos físicos que nele transparecia. Comoveu-se.

Enternecida, acercou-se dela, que deveria contar seis ou sete anos, pousou-lhe a mão na fronte em um gesto espontâneo, acariciando-a levemente.

A pequena abriu os olhos e vendo-a debruçada sobre o leito, sorriu.

Jasar assistiu à cena satisfeito. Ao cabo de alguns instantes, Nalim tomou conta da situação. Inteirou-se de tudo quanto dizia respeito àquela gente, procurando orientá-los nos problemas domésticos, prontificando-se dali em diante a auxiliá-los.

Soube que a pequena contava oito anos e chamava-se Sinat. Sendo órfã de pai e mãe desde tenra idade, fora criada pelos avós paternos, pobres velhos lavradores que devido à sua saúde precária haviam chegado à mais extrema miséria.

Comovida com a espontânea amizade de Pitar pela pequena e principalmente pela sua orfandade, sentiu desejo de ajudá-los.

Quando se retiraram da pequena casa, Nalim estava interessada nos problemas daquela família, e Jasar sentia que conseguira seu objetivo. Ela humanizara-se, por fim, voltando a interessar-se pelos outros.

Dias depois, com aprovação de Jasar, ela resolveu levar seus protegidos para os seus domínios, instalando-os com relativo conforto em pequena mas alegre habitação.

Tratou da pequena Sinat com desvelo e carinho, cuidando da sua alimentação pois que sua enfermidade era proveniente de grande anemia, trazida pela miséria em que vivera.

Jasar, receando que Nalim recaísse em seu estado anterior e querendo estimular sua bondade, convidou-a muitas vezes e ela acabou por gostar daquelas atividades que lhe causavam tanto bem-estar, fazendo-a esquecer sua tristeza.

Acabou por tornar-se assídua colaboradora de Jasar sem se preocupar com a ingratidão de alguns, sentindo o prazer de ajudar.

Sinat estava agora com 18 anos. Quando seus avós morreram, Nalim, que a estimava sinceramente, trouxera-a para casa, onde a tratava como filha.

A moça conquistara a estima geral e Nalim a apreciava muitíssimo. Seus traços lhe recordavam Solimar, de quem nunca havia se esquecido. Ela e Jasar falavam muito nela recordando agradáveis momentos que haviam desfrutado a seu lado.

Pitar era agora um jovem de vinte anos, belo e forte. Como o pai, abraçara a carreira militar, contrariando os desejos da mãe. Mas, apesar de adorá-la, ele não podia resistir ao fascínio que lhe causava tal carreira.

Incapaz de contrariá-lo, Nalim concordara por fim, e ele ingressara no exército do Faraó, valendo-se do prestígio do pai. Seu temperamento alegre e sincero despertava a simpatia de todos. Como seu pai, possuía olhar e sorriso fascinantes.

E Otias? Encerrada na redoma do corpo imóvel, também sofrera modificações com o correr dos anos. Muda testemunha dos acontecimentos, percebera coisas que dantes não via. A hipocrisia das amizades mundanas que tanto cultivava e que ao vê-la agora, dela se afastaram com evidente repulsa.

A dedicação do marido aumentava-lhe ainda mais os torturantes remorsos. Muitas vezes se perguntava por onde andaria Solimar. Durante os primeiros anos de sua imobilidade, vivera voltada quase exclusivamente para sua tragédia, com amargura, revolta e horror. Mas, agora, depois de tanto tempo, havia se modificado. Já não tentava inutilmente sair daquela situação.

Por vezes era acometida de um medo terrível. Começava a perceber o cruel engano que a arrastara ao crime hediondo. Contudo, seu coração ainda permanecia endurecido pelo rancor e pelo ciúme.

Odiava Nalim porque esta era bela e perfeita, odiava a mocidade de Sinat porque lhe recordava o que perdera, odiava a Pitar porque lembrava-lhe o filho que era seu constante tormento. Somente a Jasar ela amava! Seu coração inundava-se de luz quando ele se aproximava, sereno, bondoso, dedicado. Suas palavras confortadoras ajudavam-na a tolerar o inferno em que vivia submersa.

Seus cabelos totalmente embranquecidos, sua extrema magreza, sua pele macilenta, nada recordava a Otias de ontem, cheia de mocidade e beleza.Triste destino para uma vaidosa mulher!

Seu estado de saúde era precário, fisicamente estava fraca e cansada, porém seu espírito lutava, porque temia a morte do corpo. Não possuía a luz confortadora do conhecimento de Deus e de suas santas leis, e carregava o subconsciente saturado de penosas passagens que vivera em outras existências após o desencarne.

Assim estavam os acontecimentos na casa de Pecos, depois de tantos anos decorridos, mas... e ele? Teria realmente morrido?

Voltemos novamente o relógio do tempo e procuremos investigar o que lhe acontecera.

Atirado pelos soldados de Farfah nas areias escaldantes do deserto, inconsciente e enfermo, naquele dia terrível, Pecos estava realmente destinado a uma morte lenta e horrível. As horas se sucediam e o crepúsculo se aproximava. O moribundo, às vezes, agitava-se e gemia fracamente.

Na paisagem, só areia, areia e céu de um azul magnífico, coberto roseamente pelos últimos raios solares. Tudo era silêncio e quietude. O ar parado e o mormaço característico daquela região tornavam-na quase irreal.

De repente, rasgando o silêncio, um tropel de cavalos se fez ouvir à distância. O ruído tornou-se mais forte e aos poucos foi se aproximando do enfermo. Tratava-se de uma caravana de mercadores.

O homem que a conduzia, parou surpreso ao ver, ainda longe, o corpo de Pecos e fustigando o animal, dele aproximou-se acompanhado por um dos homens. Sem descer do animal, com calma dirigindo-se ao outro disse:

— Creio que está morto. Sabes, não gosto nada de encontrar cadáveres no deserto. São sempre mau agouro!

— Nobre amigo Charif, ele vive! — respondeu o outro também com calma.

— Bem... antes assim. Já estava receoso. Mas creio que pouco lhe resta de vida. Está com a pele muito queimada, deve ter ficado exposto ao sol forte.

— E agora? O que faremos? Podíamos matá-lo. Seria um alívio para ele.

— Nem pensar nisso, Jofre. Atrairíamos a má sorte! Poderíamos levá-lo. Chegados a Tagur o entregaríamos às autoridades, isto no caso de viver, o que não creio.

— Mas... e se ele estiver doente? As febres estão se alastrando e ele pode ser um dos que foram expulsos da cidade próxima. Creio que seria perigoso levá-lo.

— Bah! Andas vendo perigos em toda parte. Este pobre diabo certamente sofreu um acidente no deserto e possivelmente perdeu-se.

O outro calou-se. O caso era comum. Muitas vezes haviam divisado, ao atravessarem o deserto, viajores perdidos, vencidos pelas areias sem fim.

Agora já o resto da caravana estava ao lado deles. A uma ordem de Charif, embrulharam o corpo de Pecos em uma manta, colocando-o sobre um animal.

Viajaram durante mais algumas horas. A noite descera já sobre eles, e Pecos ainda desacordado, indiferente ao que o rodeava, permanecia inconsciente. De vez em quando, de seus lábios ressequidos escapava um gemido doloroso.

Finalmente, atingiram uma pequena aldeia. Iam cansados e ansiosos por desembaraçar-se do incômodo fardo. Pretendiam entregá-lo a alguma pessoa caridosa, mas isto era difícil em virtude do avançado da noite.

Todos, em sua maioria pescadores, pois que estavam nas costas do Mediterrâneo, recolhiam-se muito cedo em virtude do seu trabalho, que os obrigava a madrugar.

Finalmente, como não encontrassem ninguém, resolveram atirá-lo no pátio central da aldeia, pensando que ele seria encontrado ao romper do dia.

Estenderam-no nas pedras do pátio e foram-se rápidos, com a intenção de alcançar a aldeia vizinha para repousar. Mais uma vez fora Pecos abandonado ao sabor da sorte. Seu corpo suportara a dura prova até aquele instante, porém, já estava exausto.

O rosto em fogo pelo sol que lhe queimara as carnes e pelo ardor da febre. Veria ele o amanhecer?

As horas sucediam-se lentas e dolorosas para ele, imerso em traumatizante modorra. Quando porém, o dia já principiara a raiar, um grito de terror fez correr ao pátio alguns dos habitantes da pequena vila.

Uma mulher que se dirigia à fonte em busca de água, nele tropeçara, assustando-se terrivelmente.

Dentro de alguns instantes, Pecos estava rodeado por inúmeras pessoas. Os comentários ferviam. O aparecimento daquele homem em circunstâncias tão misteriosas espicaçava-lhes a curiosidade. Seu miserável aspecto infundia-lhes receio. Ninguém ousava tocá-lo, nem socorrê-lo. Alguém alvitrara a possibilidade de um mal contagioso.

O homem misterioso, como o designaram, continuava atirado gemendo nas pedras do pátio. Até que por fim, surgiu entre eles uma venerável anciã que, aproximando-se de Pecos, colocou-lhe a mão sobre o peito.

Rápida, ergueu-se e gritou autoritária:

— Que Tamar vos persiga, covardes! Vão deixar morrer o pobre homem? Se ninguém o socorre, eu não tenho medo, vou socorrê-lo. Mas não posso carregá-lo, pelo menos ajudem-me, turma de poltrões, a levá-lo até minha casa!

A velha Tarsa era muito conhecida de todos e sinceramente estimada. Ninguém estranhava o desabrido modo de falar que lhe era característico. Eles sabiam que sobre aquele aspecto rabugento e irritadiço, ocultava ela seu bom e compassivo coração.

Raros eram na aldeia os que não haviam recebido de suas mãos caridosas inúmeros serviços em situações difíceis e, por isto, alguns que lhe eram particularmente gratos, apressaram-se a obedecer-lhe.

Apenas um objetou:

— Estás certa de que irás tratá-lo? E se ele estiver atacado das febres?

— E crês que vou deixá-lo morrer sem ao menos tentar salvá-lo? Já pensaste como seria diferente tua opinião, se em lugar dele estivesse tu mesmo, atirado ao longo do caminho em terra estranha, doente e só?

O outro calou-se confundido. O argumento fora decisivo. Embora receosos, carregaram Pecos transportando-o até a pequena cabana de Tarsa, retirando-se em seguida.

Imediatamente ela se pôs em atividade. Desapertou-lhe as vestes e como estas estivessem muito sujas, substituiu-as por uma cômoda túnica de linho que fora do seu filho já falecido. Ajeitou-lhe o leito com o maternal carinho.

Feito isto, banhou-lhe as partes expostas ao sol

com ungüento, mas a febre era muita e ela não sabia o que fazer. Deu-lhe algumas gotas de um remédio calmante, enfim, dispôs de todos os recursos que conhecia para ajudá-lo.

Porém, ele continuava inconsciente, não registrando a mais leve melhora. A boa e dedicada mulher afligia-se vendo-o assim.

Súbito, teve uma idéia. Geralmente pela manhã, o velho Samir costumava dar seu passeio pelas proximidades da aldeia. Ele poderia ajudá-la!

Rápida, atirou uma manta sobre os ombros, saiu deixando a porta encostada.

Ganhou destramente os sítios onde ele costumava permanecer durante seus passeios e suspirou aliviada quando conseguiu encontrá-lo, sentado numa enorme pedra, imerso em profunda meditação.

— Perdoai, senhor, mas preciso falar-vos com urgência!

Vendo-a, Samir sorriu com bondade, respondendo:

— És tu, Tarsa. Fala o que desejas.

— Preciso da vossa ajuda para um enfermo.

Em seguida relatou tudo quanto acontecera naquela manhã. Samir prontificou-se a acompanhá-la. Ao ver o ferido, Samir manifestou estranho brilho no olhar. Aproximou-se dele, examinando-o detidamente.

— Está muito mal — disse ao cabo de certo tempo — se quisermos salvá-lo, precisaremos envidar tremendos esforços.

— Dizei, senhor, o que devo fazer? — redarguiu Tarsa ansiosa.

— Bem, em primeiro lugar, senta-te aqui, ao lado dele.

Tarsa obedeceu meigamente. Ele por sua vez sentou-se também à cabeceira do enfermo.

— Agora — disse — deves ajudar-me. Procura banir do pensamento todas as idéias referentes às tuas preocupações diárias. Que nele apenas permaneça a imagem do nosso enfermo. Em seguida, pensa com firmeza em sua cura. Deseje isto com toda força da tua mente e permaneças assim até quando eu disser.

Tarsa obedeceu. Sua confiança ilimitada na sabedoria de Samir tornava-a dócil aos seus desejos.

Ele, por sua vez, cerrando os olhos parecia dormir. De quando em quando seu corpo era agitado por ligeiros tremores, porém sua atitude era serena.

Depois de permanecer assim por alguns minutos, levantou-se sem abrir os olhos, colocando as mãos sobre a fronte do paciente, murmurou algumas palavras que Tarsa nem sequer ouviu. Feito isto, suspirou profundamente, dizendo:

— Por hoje basta, Tarsa. Agora, prepararei algumas poções que lhe ministrarás de quando em quando.

Pecos ainda dormia, mas seu sono estava um pouco mais calmo agora. A bondosa mulher, notando a ligeira melhora do paciente, sem poder conter-se, perguntou:

— Podereis ensinar-me vosso sistema de curar? O que aconteceu? Senti qualquer coisa estranha ainda há pouco. Parecia que algo saía de mim e caía sobre o doente. O que era?

— Eram vibrações do teu pensamento.

--- Como pode ser isso?

— O pensamento é uma força viva. Poderás usála para o mal ou para o bem, cabendo a cada um a responsabilidade do uso que faz dela.

— Quereis dizer que se eu realmente desejar a cura do enfermo e pensar nela, ele ficará curado?

— Não digo que a cura depende só disso. Ele está muito mal. Porém, agindo assim, estarás contribuindo bastante para essa cura. Agora vou preparar os remédios. Deixa-me ver que ervas possuis em tua casa.

Tarsa, pressurosa, pôs à sua disposição todos os remédios de que dispunha. Samir preparou algumas beberagens e, dando a Tarsa toda orientação a respeito do tratamento, retirou-se prometendo retornar à tardinha.

Alguns dias se passaram. Tarsa, incansável, cuidava de Pecos com desvelos maternais. Este, porém, continuava na mesma. Seu rosto, seus pés e braços estavam em carne viva devido às horríveis queimaduras que sofrera. Isto contribuía para que a febre não cedesse. De vez em quando ele murmurava palavras ininteligíveis e sem nexo.

Samir ia duas vezes por dia visitá-los, com amorosa atenção. Finalmente, após quinze dias de luta constante, Pecos apresentou sensíveis melhoras.

Samir e Tarsa exultaram.

— Até que enfim! — disse Tarsa alegremente. — A febre cedeu.

— Demos graças ao Criador de todas as coisas — respondeu sorrindo, Samir.

— Agora ele poderá contar-nos seu aparecimento misterioso aqui na aldeia. Seu nome, seu cargo. Talvez tenha família!

— É muito cedo para interrogatórios. Ele já conversou contigo?

— Perguntou apenas quem eu era. Respondi e perguntei-lhe por minha vez o nome, mas não obtive resposta.

— Uhm... — fez Samir pensativo. — Vou vê-lo. Talvez consiga conversar com ele.

A passos leves penetrou no quarto onde estava o enfermo. Pecos estava muito diferente do que fora. Seu rosto magro e macilento, sapecado de manchas de um vermelho vivo, dava a impressão de não mais pertencer ao mundo. Seu corpo havia perdido o antigo aspecto de força e saúde, estava alquebrado e enfraquecido. Seus cabelos haviam encanecido.

Mas estava sereno e ao penetrar no aposento, Samir olhou-o fixamente. Em seu olhar havia uma interrogação.

— Então, como vai hoje o meu querido doente? — perguntou-lhe bondosamente.

Com voz sumida, fraca, ele respondeu:

— Nem sei... agora parece que me sinto melhor... mas o que me preocupa não é propriamente a saúde. Desejava falar-vos e esperava ansioso pela vossa chegada!

Samir sentou-se junto ao leito dizendo:

— Podes falar, meu filho. Em que te posso servir?

— A minha vida, senhor, tornou-se um horrível pesadelo. Não sei como vim parar aqui. Talvez possais explicar-me. O que sabeis a respeito?

— Sinto, meu amigo, mas pouco posso favorecer-te nesse pedido. O que sei é quase nada.

E Samir relatou-lhe seu aparecimento misterioso na aldeia. Fê-lo em poucas palavras, aguardando depois que Pecos se manifestasse. Este permaneceu silencioso por alguns instantes. Em seu rosto transparecia uma terrível luta moral. Por fim, não mais podendo conter-se, disse com grande esforço:

— Parece-me que o pesadelo continua em um emaranhado de visões, mas uma névoa tremenda cobre-me as idéias e por mais que me esforce não consigo recordar do passado. Tudo para mim é estranho e novo. Sinto que a vida começou ontem, pois nada mais posso recordar.

Sua aflição era manifesta. Nos olhos de Samir havia certa preocupação que ele tentou esconder dizendo com voz calma:

— Domina-te. Não te deixes arrastar por emoções fortes. Teu estado ainda é delicado. Tua saúde está muito abalada. Posso curar-te, mas necessitas confiares em mim. Esquece estas preocupações.

— Não posso! É uma sensação de vácuo que me enche de terror! De onde vim, como me chamo, o que fazia? São inúmeros os porquês que se apresentam como problemas insolúveis em minha mente!

— Isto será temporário. Pelo teu estado, creio que estiveste exposto ao sol ardente do deserto. Teu rosto e parte do corpo apresentam fortes queimaduras. Com certeza este acontecimento perturbou-te a memória, mas à medida que fores melhorando, as recordações te hão de voltar. Agora descansa. Não deves abusar das tuas forças.

— Confio na vossa bondade e sabedoria, mas desde que acordei, apesar de não me recordar de nada, sinto-me perseguido por uma angústia estranha. Tenho a impressão de que preciso ir para alguma parte e não recordo onde! Sinto que tenho algo a realizar, mas o quê?

— Não te tortures, meu filho. Deves ter sido vítima de algum assalto e com certeza ainda conservas o reflexo penoso daquela emoção. Espera e confia na bondade do Deus que criou o Universo e todas as coisas. Ele te protegerá. Sua mão bondosa colocou Tarsa em teu caminho, fez ainda mais, restaurando teu corpo. E se assim fez, se concedeu-te a cura, foi porque resolveu conceder-te mais uma oportunidade de conquistares um lugar melhor em sua obra. Não deves por ora olhar para trás. Acordaste com a mente envolta nas brumas do esquecimento, porque talvez a verdade mais te angustiasse. Os desígnios do Alto são sempre sábios.

— Vossas palavras fazem-me recordar alguém que conheci, mas quem?

— Não deves forçar demais a mente, tentando recordações. Assim, não farás mais do que excitá-la inutilmente, aumentando a confusão. Calma. Descansa. Procura não pensar em nada. Dorme, teu estado necessita repouso.

Samir falava suavemente alisando a fronte do enfermo. Vencido por uma força maior, Pecos sentiu que suas pálpebras pesavam e adormeceu brandamente.

Samir permaneceu ainda alguns instantes em profunda meditação, depois foi ter com Tarsa que na outra sala aguardava-o ansiosa.

Logo que o viu, perguntou:

— Então, senhor, que dizeis?

— Tarsa, estou preocupado.

— Por quê? Acaso ele piorou?

— Não. Seu estado geral é bom, mas creio que ele foi abatido por uma angustiante moléstia...

— De que se trata?

— Do esquecimento. Esqueceu-se de tudo. Somente se recorda de haver acordado ontem.

— Então não sabe quem é?

— Não. Acredito que o sol lhe tenha traumatizado o cérebro. É possível que jamais recupere a memória.

Tarsa não conteve um gesto doloroso.

— Pobre homem! Se ao menos pudéssemos ajudá-lo a encontrar a família! Mas nada sabemos sobre ele!

— Não lastime, Tarsa. É possível que o senhor tenha apagado a luz de sua memória para acender, em seguida, naquele cérebro vazio, uma luz maior vinda da sua santa sabedoria. Saibamos respeitar a vontade superior e procuremos ajudá-lo em tudo que pudermos, uma vez que ele nos foi confiado pela vida. Que o Misericordioso nos conceda esclarecimentos para cumprir nossa parte.

Samir despediu-se de Tarsa, prometendo voltar mais tarde como era seu costume. Esta, pensativa, não pôde sustar uma lágrima pela desventura daquele homem.

CAPÍTULO XXI

Destinos que se cruzam

Com o passar dos dias, Pecos foi melhorando. Como não se recordava do nome, apelidaram-no de Morat. Alimentava-se melhor e estava em franca convalescença. Contudo, continuava angustiado. Sentia dentro de si aquela vontade cada vez mais viva de ir a alguma parte, mas onde? Torturava-se constantemente, procurando voltar ao passado sem conseguir.

A bondosa Tarsa compreendia o drama íntimo daquele homem e tudo fazia para auxiliá-lo a adaptar-se à sua situação atual. Ele era-lhe infinitamente agradecido pela generosa acolhida. Contudo, esperava Samir ansiosamente, pois sentia grande calma e bem-estar em sua presença.

É que Tarsa agasalhara e protegera seu corpo, mas Samir, além de curar o corpo, iluminara-lhe o espírito. Naqueles momentos de incerteza, ele representava apoio, segurança. Confiava-lhe seus íntimos receios como a um pai extremoso. Esperava com alegria sua palavra serena e sábia.

Um dia, após sua chegada, Samir deliberou fazer com que Pecos se sentasse no leito e, apesar de sua fraqueza extrema, conseguiu. Estava salvo!

À medida, porém, que ele se restabelecia, outros problemas surgiram com referência a seu meio de vida, seu futuro e mesmo seu destino. Ele sabia que Tarsa era pobre, lutava com dificuldade para mantê-lo.

Sabia ser ele de origem egípcia, pois que suas maneiras e linguagem eram peculiares àquele povo. Deveria certamente ter amigos, família, talvez esperando pelo seu regresso. Mas como descobrir?

O tempo foi passando. Um ano depois de ser recolhido por Tarsa, Pecos, agora com o nome de Morat, ainda morava com ela.

Restabelecido completamente, mudara de aspecto, emagrecera, envelhecera. Perdera a postura altiva, havia um brilho de mágoa e insegurança em seu olhar. No rosto, pequenas cicatrizes revelavam as lutas pelas quais passara.

Desde que se levantara, cuidara de trabalhar, a fim de não tornar-se pesado à pobreza de Tarsa. Poucos reconheceriam em Morat a figura altaneira e orgulhosa do guerreiro Pecos.

Ele não sabia fazer coisa alguma, não se recordava da sua profissão. Via-se que não fora lavrador, pois que desconhecia completamente esse gênero de trabalho.

A princípio, desanimara e pensara deixar a vila em busca de uma pista sobre o passado. Samir, com bondosa paciência, lhe mostrara a insensatez de tal aventura, aconselhando-o a permanecer em companhia de Tarsa até que estivesse completamente restabelecido.

Samir, após esta palestra com Morat, instruíra Tarsa no sentido de proporcionar algo que fazer ao enfermo, pois que a ociosidade, sempre perniciosa, era naquele caso verdadeiramente desastrosa.

Cabia a Tarsa o dever de ensinar-lhe discretamente pequenos serviços na lavoura. Para não melindrá-lo, ela deveria deixar transparecer a necessidade do seu auxílio.

Isto despertaria nele o interesse pelo trabalho, libertando-o do seu angustioso estado íntimo. Era evidente que ele sentia-se embaraçado de viver ocioso, estando em boas condições físicas, sabendo a luta em que Tarsa se empenhava para arranjar-lhe o sustento.

Este plano deu bons resultados, e ele acabou habituando-se àquela vida, não mais pensando em ir-se embora. Para Tarsa, que perdera seu filho único, era uma verdadeira alegria a companhia de Morat.

Agora ela possuía novamente alguém para cuidar. Chegava mesmo a chamá-lo constantemente de "meu filho", esquecendo-se de que não lhe conhecia sequer a origem.

Os habitantes da aldeia aos poucos habituaram-se com a presença daquele desconhecido e, passado certo tempo, ninguém mais encontrava prazer em comentar sua estranha história.

Muitos até puseram de lado suas superstições e desconfiança, passando a tratá-lo cordialmente. Ele, porém, apesar de cortês, era arredio e pouco comunicativo. As únicas pessoas que de fato lhe despertaram estima e para as quais não tinha segredos eram Tarsa e Samir. Havia algo na pessoa do velho sábio que o empolgava. Sempre o recebia com infinito prazer.

Era uma bela manhã, Morat preparava-se com alegria. Ele e Tarsa iriam à casa de Samir. Fazia já alguns dias que não o viam e, indagando, souberam que ele encontrava-se ligeiramente enfermo.

Alegre, chamou por Tarsa, que já pronta, terminava a arrumação de um cesto de magníficas frutas. Sorrindo, ela disse:

— Colhi as mais saborosas, para presentearmos nosso amigo. Sei que ele as apreciará.

Saíram. A velha Tarsa apoiou-se ao braço forte de Morat, que carregava o cesto com a outra mão. A casa era distante. Durante o trajeto, o ex-lanceiro não escondia sua curiosidade. Era a primeira vez que ia à casa de Samir.

Como viveria ele? Apesar da grande amizade que os unia, Morat de repente percebeu que Samir jamais falara de si mesmo, de sua vida, de seus desejos. Sempre ouvira suas palavras e o consolara, continuando incógnito.

Sabia por Tarsa que ele jamais se casara e que residia em companhia de alguns servos e uma jovem parenta, que as más línguas diziam ser talvez um pecado de sua mocidade.

Lá chegaram extenuados, mas contentes. A casa era pequena e agradável. Foram conduzidos a um pátio interno onde o servo os mandou esperar.

Dentro de alguns minutos, ele voltou convidando-os a entrar em uma sala agradável. Mandou-os sentar.

A Morat, tudo parecia natural, mas Tarsa, habituada aos costumes da época, sentia-se emocionada ao ver-se tratada como uma senhora, apesar da sua humilde posição.

O servo retirou-se e, dentro de alguns minutos, passos leves se fizeram ouvir e uma suave figura de mulher penetrou na sala. Era jovem ainda e seu rosto sereno despertava em quem a encarava uma sensação repousante.

Ao vê-lo, a moça assustou-se, levando a mão à boca para impedir o grito que sem querer lhe brotara dos lábios. Fixando Morat, ela parecia estranha, mas agradavelmente surpreendida.

Ele também se levantara como que fascinado. Aquele rosto lhe falara ao coração, mas... onde? Quem era aquela mulher? Fatalmente o conhecia, pois que manifestara surpresa ao vê-lo.

Ficaram ambos parados, olhando um para o outro. Tarsa, surpresa, não encontrara palavras para dizer. Percebendo, porém, que não poderia recordar-se, Morat, levando de repente as mãos ao rosto, murmurou, deixando-se cair em um dos coxins existentes na sala:

— Não posso! É inútil. Esta tortura é infinita. Mas vós podeis ajudar-me, senhora, pois que pareceis me haver reconhecido. Dizei, vos peço, quem sou eu?

Dolorosamente surpreendida, a moça respondeu:

— És um homem que sofre. Portanto, justo será que imploremos ao nosso Deus, sua piedade para o teu sofrimento.

— Como vos chamais? — volveu ele, esperançoso.

— Solimar — respondeu a moça fitando-o novamente.

— Solimar... Solimar... — repetiu ele querendo lembrar-se.

— E tu, como te chamas?

— Morat. Foi o apelido que me deram ao chegar aqui.

— És tu então o enfermo que Samir ia visitar na vila! Já estou a par do teu caso.

Solimar envolveu-o com um olhar de infinita ternura. Sentia o coração dolorosamente contraído pelas emoções que experimentava ao encontrar-se com Pecos em tão estranhas circunstâncias.

Sem saber o que fazer, sentiu-se aliviada com a chegada do velho Samir, que prazenteiro, viera receber suas visitas.

Sua aparência era boa, mas notava-se em seus olhos um certo cansaço. Assim que penetrou no aposento, notou que algo havia sucedido entre eles.

— És tu, meu nobre amigo — murmurou Morat em um suspiro, esquecido já dos propósitos de sua visita, voltado às suas emoções. — Vens em boa hora. Necessito que me ajudes.

— Acalma-te, meu filho — pediu o bondoso ancião — conta-me o que te aflige.

— Desculpa-me a maneira tão indelicada de portar-me em tua casa. Preciso explicar-te, porém. Viemos trazer-te estes frutos e saber de tua saúde, que nos é cara, mas ao sermos recebidos por esta jovem, experimentei grande emoção. Tive a certeza absoluta de a ter conhecido, mas onde? Como? Infelizmente não consigo lembrar-me. Isto me tortura infinitamente. Percebi que ela também me conhece, mas talvez por delicadeza não ousa revelar-me a verdade. Peço-te que a aconselhes a tirar-me desta dúvida cruciante.

— Escuta, Morat, tua situação é penosa e delicada. É provável que tudo isto não seja mais do que o produto da tua imaginação. Em todo caso, Solimar não se negará a esclarecer-te, tenho a certeza. Mas, tu, Tarsa, não me saúdas sequer?

— Perdoai, senhor. As emoções perturbam uma velha sonsa como eu.

Solimar experimentava uma estranha sensação. De um lado, antevia a angústia de sua amiga Nalim, com o desaparecimento do amado esposo, de outro, o receio de sua revelação perturbar ainda mais a agitada mente de Pecos.

Que fazer? Somente Samir a compreendia, mas ele saberia quem era realmente Morat? Naquele instante, uma das portas do pátio abriu-se e penetrou na sala um homem curvado, envelhecido prematuramente, com o olhar brilhante e irrequieto.

Apesar do fogo que ardia em seu olhar, seu aspecto era humilde e temeroso. Todos voltaram-se para ele. Morat, porém, sentiu que inexplicável horror, misto de repulsa, o envolveu.

Via-se que era um demente e ele não desviava o olhar do rosto angustiado de Morat.

Tarsa quis interferir, mas estacou obediente a um sinal imperioso de Samir.

Frente a frente com Morat, depois de observá-lo durante alguns instantes, disse quase em soluço:

— Tu vens buscar-me. Teu desejo é matar-me, mas a culpa não foi minha! A víbora foi culpada. Sabes, — ele agora ria significativamente de forma estúpida — a rosa vermelha, a rosa vermelha. Eu a vi naquela porta. Sabes tu que lá não estava a bela escrava. Somente havia uma pobre criança. Mas... ela dorme... dorme... Tu me perdoas? Eu não queria, mas ela tentou-me, a serpente infame! Mas... eu a mato, vês? — exclamou estendendo ambas as mãos quase tocando a face de Morat, o qual sentia náuseas sem saber porquê.

— Posso matá-la — continuava ele. Seus olhos estavam furiosos agora, e todo ele tremia violentamente. — Eu a odeio, mas sabes por que não o faço? Porque tenho medo! O rosto aparece no escuro da noite e eu tenho medo...

De repente, prorrompeu em convulsivos soluços.

Vendo que Morat fazia enormes esforços para acalmar-se, Solimar, receosa, aproximou-se do pobre demente, tomando-o suavemente pela mão e disse:

— Nada receies, Solias. Tudo já passou. Agora estás na companhia de pessoas que te estimam e te protegerão. Vem comigo. Levar-te-ei a um lugar seguro onde ninguém te possa encontrar.

Ao pousar o olhar na moça, operou-se nele grande transformação. Espelhava-se em seus olhos profunda emoção. Via-se que ela possuía grande ascendência sobre ele. Docilmente, deixou-se conduzir por ela para fora da sala.

O silêncio caiu sobre os três que envoltos em íntimos pensamentos não se atreviam a quebrá-lo.

Morat foi quem primeiro falou, dirigindo-se a Samir.

— Nobre amigo. Preciso conversar contigo seriamente. Não sei o que se passa comigo. Agora chego a temer pela minha sanidade mental. Aconteceram hoje muitas coisas que não podem deixar de preocupar-me. Teria porventura o sol do deserto, que me dissestes ser o causador do meu esquecimento, roubado também minha razão?

— Não. Podes estar tranqüilo. Sei que te encontras frente a novas emoções que te parecem inexplicáveis, mas não temas. Tudo não passa de fruto trazido pela insegurança da tua nova situação. Este pobre demente que aqui entrou por acaso, emocionou-te o cérebro fatigado, nada mais.

— Não sei. Se atestas minha sanidade mental, como explicar o que senti há pouco? Não foram sentimentos de medo, temor ou piedade que me assaltaram ao ver o pobre louco, mas todo o meu ser vibrou de repulsa, ódio e revolta! Parecia-me conhecê-lo e suas estranhas e desconexas palavras, por mais absurdas que pareçam, encontraram eco em meu íntimo. Oh! quisera saber de uma vez toda a verdade! Que crime ou que tragédia me envolve a vida?

Morat, trêmulo, pálido, emocionado, cobriu o rosto com as mãos, evidenciando o desespero que lhe ia na alma.

Solimar, aflita, olhou para Samir como a implorar socorro. Seus olhos úmidos lutavam para suster as lágrimas de emoção.

Pecos! O orgulhoso e autoritário guerreiro reduzido a um pobre anônimo de humilde condição e ainda atravessando pesada prova moral!

Samir, correspondendo-lhe o olhar, acenou-lhe afirmativamente com a cabeça.

Ela compreendeu. Samir sabia de tudo! Poderia ela revelar a Pecos toda a verdade?

O velho Samir, porém, aproximando-se de Morat, pousou-lhe firme as mãos nos ombros. Morat, descobrindo o rosto, olhou para ele. Um olhar angustiado, suplicante.

Samir, pondo energia na voz serena, falou:

— Morat. Existem muitas coisas que precisas saber. Solimar conhece parte do teu passado, mas além disto que ela vai te revelar, deverei ministrar-te conhecimentos de certas leis que nos regem e que ignoras. Não nos encontramos atirados neste mundo, ao acaso. Embora tenhamos liberdade de ação, somos dirigidos por essas leis que têm como função manter-nos no equilíbrio dentro do nosso círculo evolutivo. Tens curiosidade e te torturas à procura do teu passado. Mesmo com o cérebro vazio das recordações, continuas com as mesmas reações sentimentais. Para conseguir serenidade, terás que construir um novo mundo interior que te dê o alimento espiritual que necessitas. Enquanto permaneceres carregando contigo restos do passado, não encontrarás a paz. Deves ter coragem, porque posso afirmar-te que esse esquecimento será temporário. Nós somos eternos dentro do Universo! Uma existência na Terra não passa de uma rápida passagem na eternidade! Nós já vivemos inúmeras existências neste mundo, nascemos, morremos, tornamos a nascer, sempre no sentido da elevação do nosso espírito.

Morat suspirou aliviado. Escutara as palavras de Samir, como o sedento que vislumbra água. Sentia-se envolvido por uma agradável sensação de paz.

Permaneceu pensativo por alguns instantes, depois perguntou dirigindo-se a Solimar:

— Então, nobre senhora, sabeis a verdade sobre o meu passado?

Solimar, sorrindo docemente, respondeu:

— Sim. Conheci-te em outros tempos. Há alguns anos passados. Contarei tudo.

Calmamente, a moça revelou a Morat como o havia conhecido, seu nome, posição, seu casamento com Nalim, enfim, tudo quanto sabia, omitindo por delicadeza certas particularidades que na atual situação o magoariam.

Pecos ouvia tudo com enorme interesse e quando ela terminou, ele permaneceu quieto, interdito, sem saber o que dizer.

— Como te sentes? — perguntou Samir.

— Não sei... creio que a angustiosa indagação permanece. A história que ouvi, parece-me de uma outra pessoa que jamais conheci. Custa-me a crer que seja minha própria história. Não que eu duvide da tua veracidade, mas... — ele calou-se visivelmente transtornado.

— Não te aborreças, Morat — disse Samir. — É natural tua rejeição. Creia-me, somente confiamos em nós próprios e em nossas experiências. Por este motivo é que jamais outros poderão aprender por nós. Necessitamos da vivência. Perdeste com a memória, o mundo de preocupações e pensamentos em que gravitavas. Solimar tentou devolver-to, mas em vão. Ninguém o poderá fazer a não ser o Deus, criador do mundo. Volta-te para Ele e pede. Apagaste as idéias do passado para compreender novos valores, mais verdadeiros. Conheceste a riqueza e agora enfrentas a dura luta dos humildes para viver. Foste nobre, poderoso, lutavas pela força, com armas nas mãos, agora deves aprender a fortalecer teu espírito na humildade e vencer-se a si mesmo.

— Compreendo, tens razão. Mas o que deverei fazer? Estava ansioso por conhecer minha história, agora que a conheço, apercebo-me de que não sou mais aquele. Tenho uma esposa que me espera. Como estará?

— A resolução depende de ti mesmo. Estás em uma encruzilhada. Ou constróis um mundo novo, uma nova personalidade, ou permanecerás para sempre neste martírio das dúvidas sem fim. Escolhe e conta comigo para ajudar-te.

— Não sei. Em todo caso, preciso retornar aos meus, ver minha esposa. Quem sabe se sua presença me devolverá a memória?

— É um direito que te assiste, o retorno ao meio familiar. Deves tentá-lo.

— É... — volveu Pecos como que a pedir auxílio — devo voltar. — E tu, Tarsa, o que dizes?

A bondosa velha acompanhara o rumo inesperado da palestra com indizível interesse e de coração apertado. Pressentia que teria de separar-se daquele que aprendera a estimar como a um filho. Reunindo toda a sua coragem, disse:

— Faze o que teu coração ditar, meu filho. Não posso, apesar do desejo que sinto de ter-te a meu lado, deixar de reconhecer que certamente tua esposa te espera ansiosamente e que cumprirás teu dever retornando ao lar.

Pecos, um tanto aturdido, passou os dedos entre os cabelos, murmurando:

— É o que me resta fazer. No entanto, tudo foi tão inesperado que preciso refletir mais alguns dias.

— É justo, meu amigo — reconheceu Samir. — Deves buscar antes equilibrar-te na nova situação. Ainda mais uma tão longa viagem requer preparativos demorados.

Conversaram mais algum tempo amistosamente e ao cabo dessa palestra, Pecos e Tarsa despediram-se.

A sós com Samir, Solimar não mais se conteve, perguntando:

— Desde quando sabias que Morat era Pecos? Como o soubeste? Não o conhecias!

— Minha filha, eu não conhecia Pecos, mas seu espírito já é muito meu conhecido de outras épocas. Assim como te reconheci, reconheci a ele também.

— Tens razão, Samir. Esquecia-me desta tua faculdade. Fiquei tão emocionada com a presença dele, que me tornei algo perturbada. Ó! Samir, ainda sinto por ele uma imensa compaixão. Quisera poder ajudá-lo!

— Bem sei, minha querida, mas o que podias fazer já fizeste. Resta-nos apenas rogar ao nosso Deus por ele.

— Sinto-me preocupada, Samir. Como Nalim terá sofrido! Sua situação era terrível como estrangeira na terra de Pecos! Quisera ir ter com ela para abraçá-la. Sinto imensa vontade de revê-la!

— Iremos, minha filha, mas deveremos pensar nos pobres doentes que vivem nesta casa sob teus cuidados. Seria justo abandonar tudo, quando a tarefa é imensa e já produz frutos?

— Por um momento, meu coração falou egoisticamente. Tens razão como sempre. Nossa tarefa é aqui, junto às responsabilidades que assumimos.

— És justa e sincera, mas assim que pudermos, eu te prometo, iremos a Tebas onde reverás tua amiga.

Permaneceram silenciosos, imersos em profunda meditação. Solimar harmonizava-se perfeitamente com o sábio e as palavras entre eles eram quase sempre desnecessárias.

Muito havia aprendido com ele e o amava como a um pai. Juntos estudavam, pesquisando astros, realizando experiências químicas, criando medicamentos que forneciam aos lavradores gratuitamente.

Visitavam os doentes e necessitados, fornecendo-lhes alimentos e carinhosa solicitude espiritual. Haviam recolhido diversos estropiados, socorrendo-os com seus conhecimentos médicos e espirituais. Desenvolviam uma imensa atividade e eram estimados por todos.

Naturalmente, havia os maledicentes, mas eles nem sequer os notavam, tão elevado o nível de seus pensamentos.

Mais uma vez, o destino de Solimar se cruzara com o de Pecos, transformando-lhe a vida. O que lhe aconteceria?

CAPÍTULO XXII

Tributo aos erros do passado

A madrugada ia alta quando Pecos saiu de Dresda, um mês após os últimos acontecimentos.

Levava um jumento com sua pobre bagagem e uma angústia extrema comprimindo-lhe o peito. Iniciara enfim a viagem de regresso ao lar, para ele agora desconhecido.

Seus olhos estavam vermelhos pelo esforço realizado no sentido de conter as lágrimas da despedida. Estimava realmente a velha e rude camponesa e ao vê-la trêmula e chorosa ao despedir-se, sentira o peito opresso e os olhos úmidos.

Estivera também, no dia anterior, junto de Samir e Solimar que lhe deram uma caixa de madeira de presente para sua esposa.

Sua esposa! Como estaria ela? Como o receberia? Seria justo voltar para um lar que ele não mais conhecia?

Seus pensamentos eram tristes e torturantes. Quem o visse passar, jamais reconheceria nele o antigo soldado. Mudara bastante. O rosto manchado ainda pela horrível queimadura que sofrera, o corpo curvado, os cabelos quase brancos, o tornavam um velho aos quarenta e dois anos.

Seus trajes limpos, mas humildes, eram comuns aos camponeses mais pobres. Sua bagagem pouco numerosa atestava sua penúria.

Entretanto, não era a situação financeira que o preocupava, mas somente seu drama interior. Para um homem sem passado, aquelas roupas e aquela situação eram naturais, para o antigo lanceiro, seriam talvez dolorosamente humilhantes.

O esquecimento temporário do passado é uma trégua concedida ao espírito e uma oportunidade para novas experiências. Um dia, quando voltar a recordar-se do que foi, estará enriquecido por diferentes vivências e amadurecido por valores mais verdadeiros.

Samir entregara-lhe, ao despedir-se, um pequeno saco com algumas jóias, dizendo que o fazia a título de empréstimo.

Percebendo a delicadeza do ofertante, ele, embora enrubescido, não se atrevera a recusar. Tinha assim recursos para atingir o objetivo da viagem.

Dois meses levou Pecos para chegar ao termo de sua jornada. Quando finalmente entrou na cidade, seu coração batia fortemente. Aquela deveria ser a sua terra! Sua gente! Parecia-lhe mesmo muito conhecidas aquelas ruas pedregosas e tortuosas. Sentia que já vivera ali.

Era meio-dia, e a atividade nas ruas era grande. Pecos, cansado, coberto de pó, sujo e angustiado não sabia o rumo a tomar.

Ninguém reparava nele, pois que os viajores eram comuns na cidade. Ninguém suspeitou sequer de sua identidade e se ele contasse, talvez não acreditassem. Ele caminhou a esmo pelas ruas.

Ao atingir o portão do palácio do Faraó, sentiu por momentos esquisita emoção. Permaneceu longo tempo frente ao enorme pórtico, lutando com aquela vaga reminiscência.

Cansado, abatido pelo supremo esforço realizado, sentou-se ao chão para descansar. Um lanceiro aproximou-se dele e pensando que fosse um mendigo, gritou-lhe exasperado:

— Retira-te. Não sabes que é proibido parar aqui? Avia-te, antes que te obrigue a sair à força!

Surpreso, com o rosto em fogo, Pecos levantou-se e gritou-lhe:

— Cala-te! Não deves falar-me assim. Sou teu superior e vais te arrepender. Sou Pecos, o guerreiro!

Sonoras gargalhadas acudiram-lhe aos ouvidos, zombeteiras.

— Ouves? — gritou o lanceiro rindo sonoramente, dirigindo-se a um seu companheiro que se aproximava. — Este nobre senhor diz que nos pode castigar e que é nosso superior! Ainda intitula-se o grande herói que deu a vida pela nossa pátria! Vamos dar-lhe uma lição.

Rápidos, pegaram-no brutalmente, balançando-o no ar e atiraram-no com força na estrada. Pecos sentiu que lhe enfiavam facas pelo corpo. Uma dor aguda na cabeça e, atordoado, perdeu os sentidos.

Quanto tempo permaneceu assim? Não pôde precisar. Quando voltou a si, o corpo lhe doía terrivelmente. Sentia na carne o ardume provocado pelas pedras do chão que lhe haviam coberto algumas feridas que ainda sangravam.

Com dificuldade, arrastou-se para uma das margens do caminho e, apesar da perturbação que lhe ia no íntimo, pôde perceber que lhe chegavam aos ouvidos palavras de zombaria dos transeuntes que o supunham ébrio.

Quando pôde recordar-se do sucedido com clareza, sentiu uma dúvida terrível invadir-lhe o íntimo.

Como lhe doera a humilhação! Haviam zombado dele e não o reconheceram! Ah! Se ao menos ele pudesse recordar-se do passado! Mas a névoa ainda obscurecia sua memória.

E... se Solimar estivesse enganada? Ele poderia não ser o guerreiro Pecos.

A princípio esta idéia assaltou-o levemente, mas depois ganhou força e a dúvida voltou a dominar-lhe os sentimentos.

Ele não era Pecos. Se fosse, os soldados tê-lo-iam reconhecido.

Que fazer? Que rumo tomar? Ir até a casa onde residia a família que não lembrava ser sua? E se lá o esperassem novas humilhações? Poderiam rir-se dele e nem sequer recebê-lo.

O tempo ia passando, e ele cada vez mais engolfado por pensamentos torturantes, não percebia sequer que estava ali havia algumas horas. A luta interior continuava.

O que deveria fazer? E se de fato ele fosse o guerreiro Pecos?

O crepúsculo descia, e ele ainda permanecia sentado num canto à beira do caminho.

Por fim, decidiu-se não ir imediatamente à procura da mulher que diziam sua esposa. Procederia primeiro a algumas indagações e, depois, de acordo com o que viesse a saber, decidiria.

A custo ergueu-se e só então lembrou-se de que não se havia alimentado durante todo o dia. Sentindo-se fraco e desanimado, resolveu procurar uma estalagem barata, pois que possuía poucos haveres para o pagamento, a fim de refazer-se. No dia seguinte iniciaria as indagações.

Assim decorreu para Pecos seu primeiro dia de retorno à terra natal. No dia imediato, levantou-se cedo e, preparando-se rapidamente, saiu para a rua. Ia decidido a usar todos os meios para obter as informações de que necessitava.

Instintivamente caminhou para o pátio do mercado que, apesar da hora matinal, já formigava. Sua presença nenhuma atenção despertava entre o povo e era natural que não fosse reconhecido. Seu aspecto era bem outro! O rosto marcado pelas cicatrizes, seus cabelos embranquecidos, o corpo algo encurvado, nem de leve faziam lembrar a imponente figura do guerreiro Pecos, belo, forte, no esplendor de sua forma física, arrogante e altivo.

Depois, Pecos vestia-se com riqueza e esmero e agora estava transformado em miserável camponês sujo e humilhado.

Não. Ninguém sequer pensaria em tal. Todos haviam se esquecido depressa do triste destino que tivera o guerreiro Pecos, outrora favorito e por ocasião de sua morte, tão diminuído pela substituição de cargo.

Caminhava por entre o povo e, a certa altura, lembrou-se de comprar alguma coisa para comer, a fim de entabular palestra com o mercador.

Escolheu um que pela aparência deveria ser da terra, e pela idade já bem avançada, de muito deveria se lembrar.

Acercou-se dele, informando das mercadorias e, com jeito, iniciou uma palestra amistosa com ele.

A certa altura, chegada a ocasião propícia, entrou no assunto:

— Tu que conheceste muitos homens importantes da terra, ouviste falar por acaso de um guerreiro chamado Pecos?

O outro, com uma leve curiosidade brilhando no olhar, satisfeito por mostrar seus conhecimentos, assentiu dizendo:

— Queres dizer, o que era o favorito do Faraó?

— Não conheci pessoalmente, porém, ouvi falar muito nele. Prestou um grande serviço à minha mãe, que na hora da morte incumbiu-me de vir procurá-lo com algumas lembranças. Não pude negar e aqui estou.

Ansiosamente, Pecos esperou a resposta.

Este sorriu com superioridade, mostrando uma boca vazia de dentes e respondeu:

— Não creio que possas cumprir estas determinações. Se queres, contar-te-ei a história do guerreiro. Ele era forte e belo, poderoso, rico, as mulheres o queriam e era o favorito da corte. Mas, certa vez, ele foi raptado por alguns escravos que fugiam, vivendo por sua vez cativo durante alguns anos. Ao cabo de certo tempo, deram-lhe liberdade, mas obrigaram-no a casar-se com uma nobre da terra. Ele regressou, mas nunca mais foi o mesmo. Perdeu o gosto pelas excursões e não mais negociava escravos. Além do mais, sua mulher era estrangeira e portanto mal vista na corte, que somente a recebeu por sabê-lo o favorito do Faraó. Assim, ele foi perdendo o prestígio até ser rebaixado do posto que ocupava. Um dia, saiu em viagem para muito longe, tendo por chefe o nobre Omar e nunca mais voltou. Omar disse que ele morrera em uma batalha, mas dizem as más línguas que ele o matou, porque se tomou de amores pela sua linda mulher.

Pecos, emocionado, indagou:

— E ela?

— Jamais quis recebê-lo, dizendo que ele foi o assassino do marido. Isto tem lhe valido muitos aborrecimentos, porque Omar é poderoso e a tem perseguido, bem como ao filho.

Pecos sobressaltou-se. Um filho? Acaso seria dele? Solimar nada sabia, pois não lhe contara este pormenor.

— O filho é dela e do guerreiro?

— É. O rapaz era de pouca idade quando perdeu o pai.

Estaria o velho dizendo a verdade? Sem certeza de si mesmo, ele duvidava de tudo e de todos.

Procurando ocultar o que lhe ia no íntimo, indagou:

— Mas como podes saber todos estes detalhes? Estás certo do que dizes?

— Muito. Olha, minha neta vive lá no castelo do guerreiro. Filha de uma das escravas é fruto de um amor de meu filho que não pôde desposá-la conforme a lei. Ela vem sempre ver-me e transmite-me todas as notícias.

Então era verdade tudo quanto ouvira! Ele não poderia duvidar!

Depois de mais algum tempo de palestra, aparentando indiferença, perguntou:

— Tu conheceste o guerreiro, podes dizer-me como era ele?

O velho olhou de soslaio para Pecos, como que procurando lembrar-se de algo, dando importância às próprias palavras.

— Era forte como o vento, belo como um deus do templo. Seus negros cabelos vastos e brilhantes emolduravam uma tez morena. Seu olhar sabia atrair e impor aos seus subalternos a confiança e a disciplina. Era um guerreiro perfeito. Dizem que seu casamento com a estrangeira foi que lhe trouxe a desgraça.

Sem poder conter-se por mais tempo, Pecos perguntou:

— Dize-me, era parecido comigo?

O velhinho olhou-o surpreso e medindo-o de alto a baixo, respondeu irônico:

— Contigo? Ele era um nobre soberbo e forte! Era jovem e irradiava força, poder, segurança. Vestia-se ricamente. Tu és mais velho, curvado, vencido! Nem sequer podes disfarçar tua origem de camponês! És completamente diferente dele! Além do mais, ele era mais alto, com o rosto belo e sem cicatrizes. Que idéia é esta, a que veio a pergunta?

Envergonhado, respondeu:

— Por nada. Empolguei-me porque minha mãe me havia dito que nós éramos muito parecidos. Disse mesmo que poderiam nos confundir, tal a semelhança. Foi por isso que perguntei.

— Qual — casquilhou o ancião com uma risadinha incrédula — somente os olhos maternos seriam capazes de tal visão. Pois tire as ilusões. Nada tens de parecido com o nosso famoso guerreiro.

Pecos, murmurando uma ligeira desculpa, despediu-se e quando se afastava, pôde ouvi-lo dizer abanando a cabeça:

— Qual, qual, cada pretensão! Com certeza anda doente das idéias. Comparar-se ao nobre Pecos. Pobre coitado!

Pecos, tapando os ouvidos para não ouvir, rumou apressadamente para a estalagem onde estava hospedado.

Em seu quarto, atirou-se ao leito deixando que as lágrimas ardentes de desespero e angústia lhe banhassem o rosto pálido e emagrecido.

De fato, o ancião jamais poderia nele reconhecer o antigo herói. Vira-o algumas vezes a distância, sempre em trajes de gala, no esplendor de sua beleza física e de sua mocidade. Como poderia vê-lo na figura insegura e quase humilde do pobre homem de cabelos grisalhos, encurvado, magro, com quem conversava?

Em sua insegurança, Pecos não pensava assim. Imaginava-se vítima de um lamentável engano por parte de Solimar.

Ah! se ele pudesse recordar-se! Por que sua memória se havia perdido nos escaninhos do tempo?

Sem rumo, não sabia para quem apelar; ninguém o conhecia e ele não conhecia ninguém.

Deveria ir até a viúva do guerreiro? E se ela também o desprezasse? Certamente o mandaria pôr para fora de sua casa. Esta idéia era-lhe insuportável.

Quanto tempo permaneceu assim, ele jamais o soube. Sua tortura era tamanha, que perdeu a noção do tempo.

De repente, recordou-se das palavras do sábio Samir. Elas lhe haviam aconselhado a criação de um novo mundo mental, onde pudesse viver dali por diante. Se o passado se fora, o presente seria no futuro o passado. Deveria criá-lo bom para possuir no futuro boas recordações.

À medida que estas idéias lhe acudiam ao cérebro, sentia-se mais sereno e confortado.

Alguém, um dedicado amigo do mundo espiritual, estava a seu lado, comovido pelo seu sofrimento. Com a mão em sua fronte, transmitia-lhe as vibrações de coragem, sussurrando-lhes novas idéias tentando ajudá-lo.

Pecos não podia ver, mas sentia o efeito benéfico de sua amiga assistência. Extenuado pelas emoções sofridas, adormeceu.

Liberto pelo sono, seu espírito desprendeu-se parcialmente do corpo físico e, admirado, vislumbrou a entidade espiritual que o assistira e permanecia ainda a seu lado.

Agradavelmente surpreso, pareceu-lhe reconhecer vagamente aquela figura simpática que lhe sorria.

Conversaram longo tempo, porém, quando Pecos despertou na manhã seguinte, não guardava daquilo que ele chamava de um bom sonho, senão detalhes imprecisos, mas sentia-se mais animado, com mais coragem.

Iria até a casa onde sabia morar a mulher que poderia ser sua esposa. Desejaria apresentar-se bem vestido e com boa aparência, mas infelizmente não possuía boas roupas, nem meios para adquiri-las.

Seu aspecto, reconhecia, não era dos melhores. Fez o que pôde para melhorá-lo e saiu, por fim, com o coração aos saltos.

Havia se informado do local onde ficava o castelo. Não teve que caminhar muito, pois a propriedade não era distante e ao chegar ante os portais, sentiu-se dominado por forte emoção. "É natural", pensou ele, em virtude da importância que o momento representava para seu destino.

Parado, sem saber o que fazer, permaneceu olhando os magníficos jardins que circundavam a esplêndida casa.

De repente, quando ia penetrar por um dos portões, sentiu que duas mãos o agarravam com força enquanto uma voz lhe dizia firme:

— Estás preso, em nome do senhor que governa estas terras. Tenho ordem para levar-te.

Surpreso, Pecos bradou inquieto:

— Mas por quê? Nada fiz e não mereço castigo!

O lanceiro que lhe falava, ordenou-lhe que se calasse.

Pecos, angustiado, alçou o olhar perscrutador para o interior da propriedade. Naquele instante, viu algo que o fez perder a noção do tempo e das coisas.

Uma mulher passeava pelos caminhos floridos pensativa e triste. Ele sentiu que conhecia aquela mulher e foi dominado por incontrolável emoção.

Era ela certamente!

Os lanceiros, porém, indiferentes, sem nada terem percebido, procuravam arrastá-lo para o carro que estava a poucos metros.

Pecos, sentindo que os adversários ganhavam terreno, transtornado pela estranha emoção que o envolvia, sem saber o que fazia, gritou:

— Senhora!... Senhora!...

Aquela voz! Reconhecê-la-ia sempre dentre todas as outras. Era ele! ELE!

Aflita, correu para a estrada e teve tempo ainda de ver o carro dos lanceiros que, conduzido por cavalos ágeis, distanciava-se rapidamente.

Nalim, pois que era ela, sentiu que as lágrimas deslizavam pelas suas faces pálidas. Tivera a nítida impressão de que fora Pecos quem a chamara.

Sem saber o que fazer, procurou por Jasar para contar-lhe o que se havia passado.

Este ouviu atenciosamente e quando ela terminou, disse:

— Muitas vezes tenho duvidado da morte de Pecos. Tenho meus motivos para julgá-lo vivo, porém, não creio que fosse ele! Dizes que chamou-te "senhora". Só poderia ser um desconhecido. Se fosse ele, a teria chamado pelo nome!

Nalim suspirou profundamente, murmurando:

— Tens razão. Não pude ver-lhe o rosto com clareza, mas creio que era muito mais velho do que ele. Com certeza, ao ser preso, chamou por mim para que eu intercedesse em seu favor. Mas sua voz era igual à dele... Jamais pude esquecê-la e agora essa recordação voltou com mais força. Não sei o que pensar. Gostaria de ir ao forte onde ficam os prisioneiros para vê-lo! Não sei por que sua figura impressionou-me tanto.

— Se quiseres, iremos ao forte, mas lembra-te que fatalmente encontrarás Omar, o que te será sumamente desagradável.

— Talvez valha a pena correr o risco.

Enquanto isto, Pecos era conduzido para o forte do castelo. Esforçava-se por compreender o que estava acontecendo, mas inutilmente.

Por que o prendiam? Nada fizera de condenável que merecesse punição.

E... aquela magnífica mulher, seria sua esposa?

Tinha como que um pressentimento de que ela estava ligada de certa forma ao seu passado.

Seria, então, ele na verdade o guerreiro Pecos, e ela a sua esposa?

Empolgado pelo fio de suas íntimas reflexões, deixou-se conduzir indiferente.

Já haviam chegado ao forte. Depois de ligeira espera, fizeram-no penetrar em uma cela fria e escura.

Era uma das tenebrosas masmorras onde habitualmente eram atirados os infelizes que caíam em desfavor perante o Faraó.

Não compreendia o que estava acontecendo. Por que estava preso? Naturalmente seria um engano fácil de desfazer-se. Esperançoso, permaneceu aguardando pacientemente que alguém fosse à sua cela.

Mas as horas sucediam-se e ninguém aparecia. Decorrido certo tempo, que ele não pôde precisar, pois que a cela era escura, a porta abriu-se e um homem penetrou por ela, cerrando-a após si.

Era moço ainda e por seus luxuosos trajes reconhecia-se sua alta posição social. Seu rosto demonstrava ansiedade e um certo pavor.

Pecos levantou-se respeitoso e fixou seu interlocutor. Desde logo, um estranho mal-estar apossou-se dele. Esforçou-se por banir da mente estas sensações, mas pela dificuldade que encontrou, percebeu que antipatizava profundamente com aquele homem.

Entretanto, não querendo ser descortês, percebendo que ele talvez representasse sua liberdade, disse:

— Senhor, certamente viestes em meu socorro.

Não sei por que me prenderam. Nada fiz contra o regulamento geral. Acaso poderíeis esclarecer-me?

O outro, um tanto surpreso e já mais seguro de si, falou:

— Desejo ajudar-te, mas antes preciso conhecer tua vida. Como te chamas?

Pecos sentiu-se ligeiramente embaraçado. Detestava mentir, mas somente poderia dar seu último nome.

— Morat — respondeu, um tanto inseguro.

Omar fitou-o surpreendido.

Ele, desde que tramara contra Pecos e realizara seu plano maléfico, não mais pudera descansar em paz. Era dominado por pesadelos horríveis e não podia esquecer-se das palavras de Nalim, acusando-o de assassino.

Muitas vezes fora dominado pelo terror de não saber ao certo o destino de Pecos. E... se ele estivesse vivo? Era pouco provável, mas não impossível. Se ele retornasse a Tebas, contaria certamente toda a verdade.

Omar sabia que o Faraó o puniria gravemente pelas mentiras que lhe pregara sobre Pecos e ainda por traição a um companheiro.

Seria a desonra, a perda de sua magnífica situação no palácio real, talvez até a morte.

Nalim não cedera jamais e isto o deixava mais torturado. Seu amor, embora à sua maneira, era sincero, e ele seria capaz de tudo para consegui-la.

Havia sabido do incidente que ocorrera nos pórticos do palácio entre Pecos e os lanceiros, pois que estes comentavam o caso, divertindo-se pela lição que julgavam ter aplicado no insolente, mas Omar, sempre temeroso do retorno de Pecos, suspeitou do caso e estas suspeitas tomaram vulto quando um dos lanceiros, justamente o que conversara com Pecos, forneceu-lhe os sinais do homem.

Imediatamente, seu cérebro começou a trabalhar. Investigaria o caso e se suas suspeitas se confirmassem, ele não sairia vivo desta vez.

Se fosse ele, pensou Omar, certamente iria rever a família.

Designou, então, alguns lanceiros para vigiar a casa de Nalim, ordenando-lhes deter todo homem desconhecido que se assemelhasse aos sinais por ele fornecidos.

Assim, foi Pecos detido. Logo que o informaram da ocorrência, ele dirigiu-se para a cela com intuito de vê-lo.

Ao fitar o prisioneiro, apesar de sua modificação radical, reconheceu-o imediatamente. Apenas percebeu que não fora reconhecido. Isto intrigou-o.

O que teria acontecido? Por que se apresentava com outro nome? Teria a intenção de ludibriá-lo?

— Onde nasceste? — volveu Omar, desejando mais detalhes.

— Não sei, senhor. Mas disseram-me que foi aqui em Tebas.

— Disseram-te? Acaso o ignoravas? — perguntou ainda Omar.

— Senhor, necessito confiar-vos meu segredo. Estou doente. Perdi a memória, não me recordo quem fui, o que fazia. Nem sequer sei como tudo aconteceu.

— Mas isto é extraordinário! — murmurou Omar, intimamente aliviado.

Para ele, o esquecimento de Pecos fora providencial.

Seu cérebro matreiro trabalhava ativamente, desejoso de tirar o máximo proveito da situação.

Imediatamente, uma idéia extravagante e sinistra tomou conta de sua mente.

Pondo-a logo em prática, ele disse, deixando transparecer na fisionomia muita desconfiança:

— Crês que me enganas com tais palavras? Pois foste reconhecido por mim e por meus homens! Não precisas fingir mais. Agora caíste em nossas mãos e terás que pagar pelos crimes cometidos.

Ao ouvir estas palavras, Pecos sentiu-se tomado por uma angústia infinita.

O que teria feito no passado? Sentia que uma tragédia enorme envolvia sua vida. Seria ele um criminoso?

Completamente descontrolado pelas emoções dos últimos acontecimentos, balbuciou com desespero:

— Sou sincero, senhor. Não me recordo do passado.

— E o que vieste fazer aqui? Todo o exército te procurava há muito, para ajustar as contas, pois que negros foram teus crimes. Traíste teu rei e ainda assassinaste um de seus soldados.

Pecos, estarrecido, não sabia o que dizer.

Além de traidor, ele era assassino! Ele, que se julgava um defensor de seu rei, fora simplesmente um vulgar traidor! Repugnavam-no sobremaneira tais crimes e parecia-lhe impossível havê-los cometido.

O outro insistiu, sentindo prazerosamente a tremenda humilhação que infligia ao odiado rival.

— O que vieste fazer aqui? Terás acaso um tenebroso plano de nova traição?

Desalentado, peito opresso, Pecos abanou a cabeça negativamente.

— Se aqui vim não foi com intenção criminosa, mas porque me haviam dito que eu era um guerreiro de nome Pecos e possuía família em Tebas.

Omar intimamente sentiu-se preocupado.

Então, havia alguém que conhecia Pecos e o sabia vivo! Isto era perigoso para ele. Precisava desfazer-se de Pecos sem deixar vestígios.

Se ele permanecesse preso ali no forte, alguém poderia reconhecê-lo.

Controlando admiravelmente seus sentimentos, Omar desatou a rir sonoramente, dizendo:

— Tu, Pecos? Como pudeste acreditar em tal? É verdade que fisicamente são parecidos, mas eu que o conheci pessoalmente e fui seu particular amigo, posso garantir-te o absurdo de tal suposição. Ademais, ele morreu e eu assisti-lhe a morte. Tu és o foragido que eu procurava há muito tempo.

— Entretanto, — continuou após ligeira pausa — sei que vão condenar-te a morrer em suplícios pelos teus crimes. Eu, porém, tenho piedade de ti. Antes perseguia-te, mas agora que estás reduzido a um farrapo e nem sequer podes suportar o peso da existência, não terei forças para entregar-te ao julgamento oficial dos sacerdotes de Amon-rá. Mas não poderei deixar-te sem punição, porque estaria traindo os interesses do meu rei e senhor. Amanhã, partirá uma expedição levando uma carga de escravos que trabalharão na edificação do templo de purificação às margens do Cibela. É o máximo que posso fazer por ti.

Procurando dar uma entonação mais bondosa na voz, a fim de não levantar suspeitas, disse:

— Convém que disfarces o mais possível teu rosto, pois que poderiam reconhecer-te, o que me impediria de ajudar-te. Agora preciso ir e amanhã virei pessoalmente buscar-te.

Após a saída de Omar, Pecos deixou-se cair no duro chão batido da cela e no auge do desespero deu livre curso às lágrimas.

Terrível angústia o dominava. Sua mais forte impressão era justamente a acusação terrível de traição ao rei!

Por que não tivera forças para recusar a piedade daquele homem?

Não temia a morte, antes a preferia do que a vida como escravo, vivendo dentro de um enorme desequilíbrio moral.

O que era ele afinal? Um simples farrapo humano, sem origem, sem ninguém que se sentisse ferido com sua morte.

Ele não aceitaria a proposta daquele malfadado visitante. Se era um traidor, deveria receber o castigo.

Depois repugnava-lhe profundamente aquele homem. Sem saber por que, não desejava dever-lhe obrigações. Não propriamente por vaidade, mas pela instintiva aversão que ele lhe despertava.

Iria dizer-lhe, quando regressasse, que preferia ser julgado e mesmo morto a continuar viver sua atribulada existência.

Os pensamentos pessimistas sucediam-se em sua mente atribulada. Não conseguiu conciliar o sono.

Sobressaltou-se quando o carcereiro atirou pelo pequenino postigo junto ao rés do chão, a ração costumeira. Era assim, pelas refeições, que media o tempo.

— Deve ser outro dia — pensou ele.

Apanhou maquinalmente a mísera ração que consistia em um pão e uma bilha de água. Enquanto comia, meditava ainda.

Não pactuaria com os planos daquele orgulhoso senhor. Queria ser julgado e se o matassem, tanto melhor.

Firme nesse propósito, esperou resoluto.

O tempo foi passando, e Pecos, extenuado mentalmente, dormiu um sono leve e cheio de sobressaltos. Acordou assustado quando a porta da cela se abriu.

Omar estava novamente com ele. Parecia em trajes de viagem, mas vestira-se como um homem comum, sem as honrarias do alto cargo que ocupava.

— Vamos — falou secamente — acompanhe-me. É chegada a hora.

— Senhor, — balbuciou Pecos, acordando — antes preciso falar-vos.

— Sê breve. O tempo urge.

— Não vos preocupeis comigo. Peço-vos o obséquio de não se dar ao incômodo de uma viagem tão longa, somente para levar-me. Agradeço-vos o interesse, mas não desejo ir.

Pecos falara em tom respeitoso e amigo, esforçando-se por vencer a íntima aversão.

— Como? -- bradou Omar perdendo a calma — na hora da partida te recusas a ir? Não sabes que és um patife e que se eu não te proteger, serás morto?

— Rogo-vos que me deixeis entregue ao meu próprio destino. A vida torna-se-me por demais angustiosa. Vivê-la assim é um suplício ainda maior.

— Cala-te, imbecil! — bradou Omar entre os dentes. — És meu prisioneiro e farei de ti o que quiser. Teus pontos de vista não me interessam. Avia-te, vamos.

Pecos estava surpreso, sem compreender. Por que demonstrava ele tanto empenho em salvar-lhe a vida, mesmo contra sua vontade, incomodando-se em levá-lo pessoalmente de encontro à expedição?

Uma vaga suspeita de que lhe interessava ver-se livre de sua presença por motivos ocultos, esboçou-se em sua mente.

Mas Omar não lhe dava tempo para reflexões.

Pecos ainda quis resistir, dizendo:

— E... se eu recusar-me a ir?

O rosto de Omar contraiu-se em uma demonstração de cólera.

— Como te atreves a desobedecer uma ordem minha?

Tomando-o pelos ombros, sacudiu-lhe o corpo magro e enfraquecido. Pecos enfrentou-lhe por instantes o colérico olhar. De repente, empurrando-o fortemente, Pecos, com indescritível horror na voz, gritou-lhe:

— Tu! Conheço-te, odeio-te!

Omar, de rubro passou à palidez. Seu rosto cobriu-se de um tom esverdeado. O terror brilhava em seu olhar.

Pecos estava ainda sob forte emoção. Por alguns instantes, julgava haver reconhecido em Omar um velho inimigo. Mas o facho de luz fora rápido e toda a negação de sua mente continuava.

Trêmulos, fitaram-se. Omar esperava rancorosamente que Pecos se explicasse. Conhecendo-lhe, porém, no olhar a indecisão e o esforço sobre-humano que fazia para recordar-se, arriscou-se a dizer:

— Creio que estás me reconhecendo como teu perseguidor, tua mente esforça-se para recordar.

Pecos, fitando-o frente a frente, falou convicto:

— Entre nós existiu algo mais do que a relação de um soldado perseguindo um malfeitor. Senti o que disse.

Omar, querendo terminar de vez com a situação que lhe era sumamente desagradável, volveu firme:

— Tu divagas. Chega, porém, de arengas. Vamos, pois que precisamos aproveitar o resto da noite para sair da cidade. Se fores reconhecido, nada poderei fazer por ti. Ordeno-te que me obedeças.

Fosse pela tremenda luta que se travava em seu cérebro ou pela indiferença quanto ao futuro, Pecos desistiu de opor resistência. Acenando afirmativamente, prontificou-se a acompanhá-lo.

Já na estrada, Omar esclareceu:

— Vou conduzir-te à expedição que partiu hoje ao crepúsculo. Não deve estar muito longe.

Pecos sequer respondeu. Eram-lhe indiferentes os pormenores da viagem. Encerrou-se em um mutismo completo, onde transparecia o desânimo que lhe ia na alma.

Omar, compreendendo, calou-se por sua vez. Seu cérebro, porém, funcionava ativamente.

Desde que tramara a entrega do rival aos chefes da expedição de escravos, não pudera descansar um só instante. Os detalhes do plano, entremeados de pensamentos temerosos, acudiam-lhe à mente.

Poderia matá-lo durante o trajeto, mas para quê? Ele talvez não agüentasse muito tempo.

Sabia que o trabalho era pesado e o trato, severo. Pecos, alquebrado como estava, não resistiria.

Omar, como todo traidor, era covarde. Nas batalhas, temeroso por sua segurança, ficava sempre na retaguarda. Vencera devido à astúcia subjetiva, traço predominante de seu caráter.

Repugnava-o matar Pecos com suas próprias mãos, porque temia a cena do crime. Sempre encarregava a outrem dessas façanhas. No caso de Pecos, porém, receava colocar alguém a par do seu segredo.

Estava satisfeito com o fim que destinava ao rival. O local para onde o conduzira era distante da aldeia, sendo pouco provável que Pecos fosse descoberto.

O lanceiro comandante da guarnição que conduzia os prisioneiros, não conhecera Pecos.

O dia raiava já, quando alcançaram a caravana. O carro conduzido por Omar era veloz, tendo este fustigado os animais para chegar logo.

Envolveu seu prisioneiro com uma longa capa de viagem e conduziu-o diretamente ao chefe da expedição.

Após trocarem saudações, Omar expressou desejo de conversar particularmente com ele, recomendando a Pecos que o seguisse.

Os três reunidos em um canto discreto longe do olhar curioso dos demais, Omar principiou a falar com o chefe da caravana nestes termos:

— Jardaht, este prisioneiro não é como os demais. É preciso que vigieis constantemente, até que o entregues ao destino.

Pecos fora deixado alguns passos atrás, onde aguardava indiferente ao que conversavam.

Omar continuou, após ligeiro olhar na direção de Pecos.

— Trata-se de algo que muito interessa ao nosso rei e senhor. Convém que o saibas servir.

Mais alguns minutos conversaram e Omar, por fim, sem querer repousar, apenas trocando os animais do carro e alimentando-se de um pouco de pão e vinho, empreendeu a viagem de regresso.

Mais de uma vez, ele, com suas próprias mãos, torcia a rota de uma vida humana, mas o futuro lhe provaria que somente Deus tem sabedoria suficiente para fazê-lo. Os homens pretendem manipular a vida sem ter a mesma capacidade. Criando para si problemas não resolvidos, alongam seus próprios caminhos, atrasando a conquista do progresso do seu espírito e os benefícios do desenvolvimento da consciência.

Enquanto Pecos amadurecia colhendo os resultados de seus feitos no passado, Omar angariava dolorosas provas para o futuro.

CAPÍTULO XXIII

A volta de Solimar

Voltemos, porém, novamente, à casa de Nalim em Tebas, do ponto onde nos detivemos, exatamente dez anos após o desaparecimento de Pecos.

Morria a tarde, e o sol se despedia vagarosamente transmitindo ao céu maravilhosamente azul de Tebas, um delicado tom róseo.

Recostada em um coxim, Nalim lembrava o passado. Pensava em Solimar, há tantos anos desaparecida. Nunca mais tivera notícias dela. Por onde andaria? Teria morrido?

Como seria feliz se pudesse revê-la! Quanto conforto daria ao seu coração torturado pela saudade!

Inútil acalentar tal sonho. Tanto ela como Pecos deviam ter morrido. Lembrava-se da louca esperança que sentira despertar em seu coração aquela tarde no jardim, ouvindo aquela voz chamando-a.

No dia seguinte, correra com Jasar ao forte, mas disseram-lhe que lá lhe haviam dado a liberdade, pois se tratava de um pobre camponês detido por engano.

Ela regressara à casa, triste e abatida. Não fora Pecos, mas recordava-se sempre da emoção que a dominara quando ouvira aquela voz tão semelhante à dele. Alguns anos passaram, mas ela não conseguia esquecê-la.

Estava imersa em suas reflexões e nem sequer ouviu os passos que se aproximavam.

— Senhora, está aí uma pessoa que deseja ver-vos.

Nalim sobressaltou-se. Receava a insistência de Omar. Ele não esmorecia e, apesar de tanto tempo decorrido, ainda a perseguia. Valia-se de sua situação de estrangeira para causar-lhe toda sorte de aborrecimentos.

Desde a morte de Pecos, Nalim não mais freqüentara a corte, mas ainda assim, ele, abusando de sua posição favorecida, percebendo que ela o odiava, tomado de rancor, valia-se das mínimas coisas para envolvê-la no desprestígio e na antipatia de todos.

Ela não se incomodava com isto, mas preocupava-se sinceramente com o futuro do filho. Pitar, sujeito à chefia militar de Omar, era constantemente espezinhado por ele, pois sua figura lhe recordava o odiado rival.

Pitar, por sua vez, antipatizava com Omar, apesar de ignorar o que acontecera no passado.

Arrancada assim de suas recordações, Nalim, num sobressalto, perguntou:

— Quem me procura?

— Não deu o nome, senhora.

Temerosa, tornou a indagar:

— Acaso algum senhor?

— Não. Trata-se de uma senhora.

Tranqüilizada já, ergueu-se solícita. Com certeza, alguma das que recorriam à sua caridade.

Ao chegar, porém, à sala onde a aguardava a visitante, seu coração bateu violentamente e não pôde conter um grito de alegria e surpresa:

— Solimar!

Em rápido instante, as duas estavam abraçadas estreitamente.

Tolhida pela emoção, Nalim não pôde mais calar a mágoa que guardava no coração e chorou... Solimar, sentindo também que as lágrimas deslizavam-lhe pelas faces, apertava carinhosamente a amiga nos braços.

Compreendeu que ela sofria. Por acaso, Pecos não teria recuperado a memória? Não querendo ser indiscreta, deixou que ela se acalmasse e quando serenou a emoção mais forte, Nalim pôde enfim falar:

— Enfim, te encontro! Vinte anos de separação, na incerteza do teu destino! Ah! Solimar, como tenho necessitado da tua presença amiga, do conforto de tua estima, do calor de tua amizade! Mas conta-me, que aconteceu contigo?

Após efusivas demonstrações de amizade e de Nalim refazer-se um pouco, assentaram-se, e Solimar narrou o que lhe acontecera, principalmente a loucura de Solias, o encontro com o nobre Samir, sua vida, suas atividades.

Por sua vez, inquiriu a amiga sobre tudo quanto se passara após o atentado de que fora vítima.

Nalim, tristemente, contou por sua vez as amarguras que guardava no coração há tanto tempo, sofrendo as dolorosas recordações do passado.

Ao conhecer a extensão da tragédia que acontecera ao homem que amava, que de um só golpe perdera o filho, a mulher que espiritualmente amava e ainda arcara com a triste situação de Otias, Solimar sentia que lágrimas de compaixão e ternura desciam pelo seu rosto.

Como ele deveria ter sofrido... Alegrou-se com a notícia do filho de Nalim, mas surpreendeu-se com a narrativa da morte de Pecos.

Quando Nalim terminou sua narrativa, inquiriu firme:

— Acreditas seriamente na morte do nobre Pecos?

— Às vezes, chego a duvidar. Mas por fim sou forçada a acreditar. Se ele não estivesse morto, certamente viria para casa. Não posso crer que não o fizesse.

— Preciso contar-te o que sei. Pensei que ele estivesse aqui.

A calma certeza com que Solimar falava, surpreendeu Nalim que tomando-lhe nervosamente as mãos, suplicou:

— Porventura sabes alguma coisa? Oh! Dize-me,

por favor. Sabes o que foi feito dele?

— Calma. No momento não sei onde se encontra, mas o que posso garantir-te é que ele, há precisamente uns oito anos, estava vivo. Disseste que faz dez anos que ele desapareceu.

Nalim, com o coração batendo loucamente, tomada de súbita emoção, abanava a cabeça esforçando-se para não perder nada do que a amiga dizia. Sofrera por tanto tempo sua morte, que tinha receio de agarrar-se a uma ilusão.

Mas Solimar, abraçando-a carinhosa, disse:

— Creio, Nalim, que teu marido não morreu como pensas e que ainda poderás encontrá-lo. Não sei o que lhe aconteceu depois, mas garanto que ele partiu de nossa casa de regresso ao lar.

Nalim bebia-lhe as palavras, procurando compreender bem o que significavam.

— Mas então como se explica o fato de nunca haver chegado aqui? O que te disse ele? Quando, como foi?

— Bem, deixa-me explicar-te. Ele havia estado doente e Samir o havia tratado. Mas vou contar-te tudo desde o início.

Enquanto Solimar contava, Nalim ouvia bebendo avidamente suas palavras.

Ao ter conhecimento do doloroso drama de Pecos, uma enorme angústia transpareceu em seu olhar e ela gritou surpresa:

— Então... era ele! Com certeza era ele! Oh! por que não corri ao seu encontro, não permitindo que o levassem?

Enquanto elas, embebidas, trocando confidências, permaneciam esquecidas de tudo o mais, alguém penetrava na sala e ao ouvir-lhes as vozes, parara surpreso.

O sangue lhe fugira do rosto já naturalmente pálido, o coração latejava descompassado sem querer acalmar-se: era Jasar!

Vinte anos não haviam conseguido apagar em sua

sensibilidade a suavidade daquela voz.

Era ela!

Parou algum tempo na soleira procurando controlar as emoções. Ouvindo o grito angustiado de Nalim, foi ter com elas.

.Nalim ao vê-lo, bradou nervosa:

— Não te disse? Aquele homem era ele! Oh! Meu coração adivinhava.

Embora surpreso com as palavras da cunhada, Jasar fixou o olhar na mulher amada.

Esta, por sua vez, sentindo-se estremecer sob o império de tão grande emoção, levantou o olhar e seus olhos se encontraram!

Foi o bastante. Compreenderam-se.

Nada havia mudado entre eles. O amor puro que os unia, vencera o tempo e a distância, sobrepondo-se às intempéries da vida. O sentimento que os unia continuava forte e firme. Triunfara da vida, venceria na morte!

Cedendo a um impulso sincero e irresistível, Jasar abraçou-a com carinho, dizendo comovido:

— Muitas vezes busquei encontrar-te. Meu sonho hoje se realiza.

Ela, vencida por doce ternura, murmurou:

— Também sou feliz em rever-te. O tempo passou, nós mudamos um pouco, envelhecemos, porém, a situação ainda é a mesma.

Ele compreendeu. Ela não voltara àqueles anos todos para não prejudicar-lhe a ventura doméstica e talvez não pretendesse ficar.

Nalim, aflita com seu próprio drama, os interrompeu, pedindo a Solimar que repetisse a Jasar o que lhe contara.

Este, profundamente surpreendido, ao término da narrativa, meditou por alguns instantes, depois disse:

— Existem muitas coisas inexplicáveis no caso. Eu bem previa que ele não havia morrido! Pareceu-me deveras estranha a maneira pela qual os acontecimentos se desenrolaram! Certa vez, tive ocasião de interrogar o espírito do meu venerando mestre. Sua resposta deixou-me duvidoso acerca do assunto.

— Não me contaste este pormenor — volveu Nalim, surpresa.

— Bem, não estavas a par dessas experiências que venho realizando há algum tempo já. Depois, tudo não passava de hipóteses e eu não possuía nada de positivo. Teria por acaso o direito de roubar tua paz de espírito? O que teria de acontecer ninguém poderia impedir. O que se passa neste instante é uma grande prova da força superior que rege nossos destinos.

— Mas conta-nos tua experiência e tua palestra com o personagem que aludiste.

— Talvez não creias, como eu, que estamos rodeados por espíritos dos mortos e que agora são invisíveis para nós. Conforme procedemos, atraímos esses espíritos. Se somos bons, teremos ao nosso lado amigos que nos prestarão socorro e amparo nas duras lutas deste mundo. Se formos maus, teremos ao nosso lado seres maus e conseqüentemente sofreremos até aprendermos a ser bons.

— Então, será um castigo do Deus que dizes ser a suprema potência? — perguntou Nalim.

— Não, Nalim. Colhemos os resultados dos nossos atos. É dessa forma que as leis do universo nos ensinam a ter responsabilidade. Por exemplo: se eu prejudiquei uma pessoa, se ela reagir e me odiar, ficaremos unidos dali para frente. Nossas vidas passarão a girar uma ligada à outra, criando assim um destino inevitável e desagradável já que ficamos unidos pelo ódio. Se a pessoa me perdoar, se libertará, mas eu, enquanto mantiver a atitude que gerou o desentendimento, vou atrair em minha vida pessoas e fatos que me farão sofrer tudo que eu houver infligido a outrem. Só o esquecimento de todo mal e o perdão das ofensas liberta e evita um mal maior. Por isto que sempre te peço para te esqueceres daquele a quem odeias. Deves perdoar.

Embora evites sua proximidade, no íntimo do teu coração deves perdoar. Fazendo isso serás livre, cortarás o traço que os une, e ele desaparecerá de tua vida.

Jasar sentara-se em um dos coxins, frente às duas mulheres. Falara suave, mas energicamente.

Enquanto Nalim discordava de tudo quanto ouvia sobre as vantagens do perdão, Solimar olhava para aquele semblante com enlevo. Bebia-lhe os conceitos elevados, feliz porque suas idéias coincidiam.

Intimamente, pensava comovida:

—"É por isto que eu te amo! Amo tua alma bela e nobre, teus elevados sentimentos."

Nalim, porém, não concordava com tais pensamentos. Para ela, o ódio e a vingança eram necessidades.

— Mas, Jasar, eu sei que sempre te serves das ocasiões para me falares neste assunto. Entretanto, já conheces minha maneira de pensar. Deixemos este ponto para mais tarde, antes conta-nos o caso que me parece tão interessante.

Ele sorriu com certo ar compreensivo e principiou:

— Está certo. Confiar-te-ei meus segredos. Solimar já os conhecia, mas tu não.

Nalim voltou-se surpresa para a amiga. Era tão interessante a semelhança que existia entre os dois! Compreendiam-se tanto! Recordou-se que em tempos passados eles se haviam amado!

Jasar continuava.

— Certo dia, estava preocupado com a morte do meu irmão. Foi justamente naquela ocasião que, logo após a notícia ser trazida por Omar, eu estivera no forte oficialmente para saber dos detalhes do caso. Estivera também no palácio do Faraó a seu chamado para as homenagens de praxe à figura do morto. Apesar de tudo quanto contaram os homens que haviam estado com ele naquela fatídica viagem, não me convenceram de sua morte, porque não o viram morto. Apenas Omar e outro lanceiro afirmaram que os soldados que o capturaram haviam-no morto sumariamente. Quando de lá saí, estava angustiado, triste, e dirigi-me até a gruta que, de quando em quando, visito e onde vivi algum tempo em companhia do velho Silas. Lá chegando, extenuado, sentei-me no local costumeiro sobre uma grande pedra e comecei a meditar. Uma vez sonhara com Silas naquele mesmo local, e ele me oferecera seu amparo quando eu estivesse em dificuldades. Outra vez já havia recorrido a ele, quando a tragédia entrou em minha vida e ele não me faltara. Consolara-me e indicara-me o caminho a percorrer. Assim, confiante, chamei por Silas, pedindo que as forças do bem e da natureza criadora o permitissem. Após alguns minutos de súplica sincera, senti-me atordoado e sonolento. Dormi e acordei sentindo o corpo leve e uma sensação de alegria. Tudo era nebuloso ao meu redor, mas logo dissiparam-se as trevas e ele, meu querido amigo, ali estava a meu lado. Sem poder me conter, falei-lhe suplicante:

— Desculpa-me perturbar teu repouso, mas preciso da tua ajuda!

— Eu sei, meu filho, o que se passa contigo, mas não julgues que nós vivemos ociosos... Aqui, mais do que no mundo, aprendemos o valor do trabalho. Realizar o bem, construir utilidades que facilitam a vida, experimentar a própria capacidade, traz alegria e consciência do próprio poder. Foram os preguiçosos da Terra que inventaram a lenda de um paraíso ocioso depois da morte, acreditando que seriam felizem se pudessem viver sem fazer nada. Entretanto, meu filho, a natureza opera constantemente, renovando-se. E nós somos parte da obra criadora de Deus Onipotente. Cada ser tem uma função no universo! Estamos criando, produzindo, renovando, participando do movimento universal. Nós não estamos em repouso como pensas, nós somos vivos! Somos seres pensantes, inteligentes. A vida aqui continua. Os problemas, aqui, continuam!

— Realmente assim deve ser, — murmurei deslumbrado com a revelação.

— Quando estamos vivendo na Terra, nos iludimos com as aparências. A Terra parece-nos ser o centro do universo. Ela não é senão uma pálida sombra dos mundos espirituais. Os espíritos, ao nascerem no mundo, revelam o que são e tentam materializar tudo que viram em seu mundo de origem. Os que residiam em lugares densos e primitivos são partidários da violência, têm gerado grandes lutas e sofrimentos no mundo. Mas também têm colhido os resultados da sua semeadura, o que os faz amadurecer. Quando desconhecem as leis sagradas da reencarnação, a eternidade do espírito, envolvem-se com mais facilidade no negativismo, criando círculos negativos e viciosos que os mantêm atados à Terra, sem forças para levantar vôo a planos mais altos. Continuamos, meu filho, aqui talvez com maior sensibilidade, a sofrer, a amar, a trabalhar e a aprender.

— O que me contas, mestre, abre em meu espírito novas résteas de luz.

— Sinto a tua angústia e desejaria ajudar-te.

— Para isto vim. Dizem que meu irmão morreu, porém eu tenho dúvidas. Os fatos são obscuros e gostaria de saber a verdade. Só tu podes esclarecer-me.

— Sabes que as leis da vida atuam infalivelmente. Todas as ações que praticamos são por elas registradas e em tempo oportuno colhemos os resultados. A Terra é uma escola onde diferentes níveis de pessoas se misturam para trocar experiências úteis para todos. Sendo múltiplas e particulares as necessidades espirituais de cada um, é justo que para atendê-las, as pessoas tenham de separar-se durante algum tempo. Terminado um ciclo na aprendizagem, haverá um período de descanso para o aproveitamento. Nesse tempo, sua vida decorrerá sem grandes mudanças e ele será relativamente feliz, realizando suas aspirações. Nosso Deus é bom e justo. Posso vos dizer que um dia estarão reunidos novamente. O ser é eterno e o amor une as criaturas.

— Queres dizer que ele não morreu? Ainda o veremos nesta vida?

— Não nos é dado antecipar os desígnios de Deus. O que poderia dizer-te, já disse. Medita sobre o conteúdo das minhas palavras e nelas talvez encontres a resposta que procuras. Agora, adeus.

— Antes que eu pudesse dizer mais alguma coisa, Silas desapareceu e logo em seguida acordei.

— Não compreendi muito bem — murmurou Nalim, pensativa.

— Na ocasião, esta visão aumentou minha desconfiança sobre a morte de Pecos. Se ele estivesse morto, Silas me teria dito. Nas suas palavras, havia reticências e agora, a par da verdade, elas se me tornam perfeitamente claras. Que dizes, Solimar?

— És muito feliz por possuíres tão dileto amigo. Certamente vela por ti, amparando-te nas horas amargas que tens atravessado. Confio que ainda nesta vida estaremos todos reunidos. Espero ter a alegria de vos contemplar nesse dia.

— Naturalmente ficarás agora conosco! — volveu Nalim.

— Apenas por algum tempo. Tenho obrigações a cumprir.

— Falaremos do assunto oportunamente, Solimar, mas fica certa de que não te deixarei partir. És para mim mais do que a amiga, és a irmã. Sinto que preciso de ti, de tuas palavras serenas e de tua amizade. Queres nos deixar para ficar com Samir?

— Não, Nalim, Samir morreu no ano passado. Outros são os motivos que me forçarão a deixá-los. Mas espero passar algum tempo convosco.

Jasar acompanhava a palestra com o coração aos saltos, sentia-se feliz com a esperança de tê-la a seu lado para sempre. Embora seu amor fosse impossível, devendo permanecer ignorado, ele poderia usufruir do prazer imenso de sua companhia, de sua palestra inteligente, da suavidade serena e bela do seu rosto delicado.

Ele ansiava por meiguice, amor e carinho! Sua esposa, revoltada, espectro do que fora, jamais o compreendera.

Seu amor egoísta, impulsivo, arrebatado, pesara-lhe na existência e somente sua bondade natural aliada à vontade de iluminar aquela alma que sabia em trevas, deram-lhe forças para suportar aquele fardo.

Solimar representava o raio de sol nas trevas dos seus sofrimentos.

Embora o espírito seja esclarecido, possuindo como Jasar a compreensão do "porquê" da existência, das leis da vida e suas atuações, embora ele deseje cumprir resignado e estoicamente sua tarefa na Terra, sua sensibilidade reclama compreensão, amor e felicidade. Encontrara a mulher que o compreendera, que tinha os mesmos ideais, amava-a, era correspondido. Era doloroso ter que renunciar à alegria desse amor que, embora fosse espiritual, desejava extravasar-se em gestos de carinho. Desejaria dizer-lhe tudo quanto sofrera naqueles anos tormentosos, abraçá-la, beijá-la de novo, trocar juras de amor e de ventura! Jasar sentia tudo isto naquele momento. Tudo lhe fora negado! Esperava e confiava no porvir.

A noite descera de todo, e Sinat viera lembrar-lhes que a ceia estava pronta. Apresentada a Solimar, abraçaram-se ambas tocadas por espontânea simpatia.

Abraçando Sinat carinhosamente, Nalim murmurou com ternura:

— Conheces minha filha. Estou impaciente para que conheças meu filho!

Sinat, agradecida pelo trato carinhoso, retribuiu-lhe o abraço.

Solimar sorriu satisfeita, trocando um olhar com Jasar como a perguntar-lhe o motivo da mudança operada em Nalim.

— Infelizmente, ele está fora viajando, mas nestes dois dias creio que regressará. Sabes, ele tem estado sempre fora em patrulhas e manobras. Omar é o responsável também por isto!

A ternura desaparecera de seu rosto, e a Nalim de outros tempos reapareceu. Ela continuou:

— Jasar, precisamos descobrir o paradeiro de Pecos, se é que ainda vive! Oh! estou tão emocionada que receio não poder participar convosco da ceia.

— Calma, querida Nalim. Vamos nos alimentar e amanhã começarei logo cedo as pesquisas. O tempo passou e nos será muito difícil conseguir o fio da meada. Mas deveremos confiar na força dos imortais.

— Pois eu — ajuntou Nalim convicta — começaria por investigar a vida de Omar e também do lanceiro que te disse haver presenciado a morte de Pecos. É claro que mentiam e se o fizeram, deveriam possuir uma razão oculta. Somente eles poderão nos fornecer a pista.

— Sim, Nalim, mas somente poderia arrancar-lhe a confissão do crime. Eles talvez ignorem o destino de Pecos. Lembra-te de que ele está doente mentalmente e talvez não saiba retornar ao lar.

— Esquece-te, Jasar, de que Solimar revelou-lhe a verdade? Se de fato, como eu penso, foi ele quem aqui esteve, uma vez preso, quem nos garante que Omar não tenha nada a ver com seu atual desaparecimento? Já pensaste, por exemplo, no que aconteceria à sua carreira se Pecos fosse encontrado e pudesse revelar ao Faraó toda a verdade?

Nalim, com sua intuição de mulher, desejando a todo custo encontrar seu amado esposo, acertara em cheio com a verdade.

Jasar, pensativo, murmurou:

— Podes ter razão. Que ele esteve aqui, não duvido, pois tu lhe ouviste a voz. Foi preso como presenciaste e bem poderia ter sido reconhecido na prisão por Omar.

— Tê-lo-iam morto, talvez? — murmurou Nalim, pálida de terror.

— Tudo seria possível. Sabes que os criminosos

buscam encobrir seu crime a todo custo e para isto não hesitam em cometer outros, mas algo me diz intimamente que ele não morreu e haveremos de tornar a vê-lo!

— Eu também penso assim — ajuntou Solimar sorrindo para encorajar Nalim, que ainda parecia preocupada.

Sucumbida pelas diversas emoções que sofrera naquele dia, Nalim não mais pôde suster a torrente de lágrimas que brotavam de seus lindos olhos.

Solimar abraçou-a ternamente, murmurando:

— Chora, que o pranto balsamizará tuas feridas. Eu te compreendo. Mas que ele não seja de desânimo ou de tristeza, porque se teus sofrimentos foram inúmeros, penso que agora estão no fim. Haveremos de encontrar teu amado companheiro e ainda sereis felizes!

Mais confortada após aquele desabafo nervoso, Nalim foi com eles ao salão de refeições, presidir a ceia.

Depois de leve refeição, foram sentar-se em um dos pátios, conversando. Fazia poucos minutos que lá estavam quando uma das servas, curvando-se frente a Jasar, murmurou:

— Senhor, a nobre Otias recusa-se a tomar sua refeição e está muito perturbada. Não faz mais nada do que chorar.

Jasar corou imperceptivelmente. Só então, lembrou-se de que chegara e nem sequer fora ver a esposa. Talvez fosse esse o motivo do seu desgosto. Sentiu-se culpado por havê-la esquecido.

Tanto o emocionara a visita de Solimar e as notícias que trouxera que chegara a faltar com seu dever, não de esposo, mas de enfermeiro carinhoso.

Disposto a reparar o que lhe parecia falta, respondeu à serva:

— Deixa. Irei vê-la.

Pedindo licença, levantou-se, dirigindo-se aos aposentos da esposa.

Solimar sentiu o coração apertado. Certamente

Otias teria sofrido muito! Seu bondoso coração confrangia-se ao pensar na situação penosa daquela mulher que lhe roubara o amor de Jasar e ainda tentara contra sua vida. Mas a meiga ex-escrava já se esquecera do ódio que Otias lhe votara e de suas más ações.

Em seu pensamento, apenas estava a mulher enferma, inutilizada, vendo ruir por terra seus sonhos de ventura conjugal, seu amor de mãe, sua juventude radiosa! Como deveria ter sofrido aquela orgulhosa e tempestuosa mulher reduzida à imobilidade!

Jasar, entrando no quarto da esposa, notou que a serva não mentira.

Otias parecia atravessar uma de suas crises de terror e de nervos.

Seu corpo magro e macilento estava coberto de um suor. Os olhos, desmesuramente abertos, exprimiam a torrente de sentimentos contraditórios que inundava sua alma.

Penalizado, Jasar sentou-se a seu lado, alisando-lhe os cabelos molhados.

Em seguida, com uma toalha, enxugou-lhe carinhosamente as faces pálidas. Olhando-a bem, com infinita ternura Jasar murmurou:

— Por que te inquietas assim? Vejo em teus olhos que desejas perguntar-me algo, o que é?

As pálpebras da enferma baixaram em sinal de assentimento.

— Estavas preocupada por que não tinha ainda vindo ver-te? Sabias que eu tinha chegado?

Novamente ela concordou. O pensamento de Otias, entretanto, trabalhava freneticamente. Pensava:

--- "Por que será que não vieste? Naturalmente estás cansado de mim, da minha doença, do meu quarto! Oh! Sei que nunca me amaste, eu sei, mas se te afastardes de mim, não suportarei! És tudo quanto me resta. Deixa-me amar-te, ver-te de quando em quando!"

— Ouve, querida, — continuou Jasar como se falasse a uma criança — sempre ao chegar, minha primeira visita é logo para ti. Se hoje tal não ocorreu, foi porque outros assuntos inesperados e importantíssimos ocuparam-me até há pouco.

Vendo que ela parecia mais calma, ele continuou:

— Vou contar-te a notícia extraordinária: Pecos não morreu! Está desaparecido, mas não morto. Foi visto há alguns anos, vivo. Apenas estava doente da cabeça. Perdera a memória, por isto não regressou à casa. Solimar foi quem o encontrou.

Ao ouvir o nome da mulher que odiava, Otias sentiu que enorme emoção a invadia.

--- "Solimar! Então ela vivia e ele a vira!"

Aflita, cravava os olhos súplices e interrogativos no rosto do marido. Jasar pronunciara com certa hesitação o nome de Solimar, mas não poderia ocultar-lhe a presença da moça na casa.

Seria impossível. Se ele o fizesse, outros não o fariam, o que seria muito pior. Achou, pois, conveniente, ser sincero com ela, procurando ao mesmo tempo demonstrar-lhe que nada precisaria temer.

Jasar contou então ligeiramente o retorno de Solimar, frisando que ela breve partiria, assim como as aventuras da ex-escrava quando de lá saíra. Procurou atenuar as recordações dolorosas que poderiam magoar a esposa.

Otias estava desesperada. Solimar era viva, bela, sã. Ela era um espectro, uma morta-viva, uma sombra de mulher!

Como poderia disputar-lhe o amor do marido? Os ciúmes torturavam-na, o despeito e a raiva que lhe causavam sua impotência frente aos acontecimentos, lhe obscureciam a razão. Lágrimas abundantes rolavam sobre suas faces, lágrimas de revolta, de ódio e de terror!

Jasar, notando a excitação da esposa, apressou-se a preparar-lhe um sedativo a fim de que ela pudesse dormir.

Havia algum tempo já que Otias não conseguia dormir sem os sedativos. Seus nervos por demais exaustos se haviam desequilibrado.

Seu pensamento trabalhava! Pensava com horror na possibilidade de dormir, porque ele talvez a deixasse e fosse buscar conforto nos braços de Solimar. Com certeza voltaria a ser seu amante! Agora mais do que nunca, ele sentiria desejos de procurar com Solimar o que ela, como esposa, não mais lhe podia dar! O calmante já lhe entontecia o cérebro e ela ainda lutava para manter-se acordada a fim de vigiar o marido.

Por fim, dormiu. Jasar, suspirando tristemente, deixou o aposento recomendando à escrava que a vigiasse.

A saúde de Otias estava completamente arruinada. Definhava dia a dia. Somente o terror da morte e o amor egoísta que sentia pelo marido a prendiam à vida.

Otias não tinha crença no sobrenatural. Jamais se interessara pelos problemas profundos do destino dos seres e dos mundos. Acreditava mesmo, contrário ao que aprendera na infância, que a alma desaparecia com o corpo e não haveria um além.

Mas era justamente este "não existir" que a aterrorizava. Era o pavor de não mais poder sentir, sofrer, amar. Era, enfim, a vaidade e o orgulho que se recusavam a pensar que ela se tornaria pó, apodrecendo no sepulcro.

Embora sofresse todos os tormentos imagináveis, ela se julgava ainda de posse do seu "eu". Sentia sua personalidade. Desaparecer, deixar o caminho livre ao marido para desposar outra mulher, ser esquecida por todos, ignorada, estes eram os sentimentos que a mantinham com vida.

Oh! Se ela soubesse que agindo assim mais e mais tornava sua vida torturante e odiosa. Se pudesse saber das maravilhas do mundo espiritual, certamente entregar-se-ia à morte com prazer.

Ela, às vezes, desejava o descanso, quando sentia-se envolvida pelos torturantes pesadelos e pelo remorso, mas logo reagia aterrorizada.

Ao deixar o quarto da enferma, Jasar voltou ao pátio onde havia deixado as duas mulheres.

Esperava reiniciar a palestra, mas lá chegando, observou, algo decepcionado, que elas já se haviam recolhido.

Resolveu, então, por sua vez, recolher-se. O dia seguinte seria de preocupações. Estava disposto a empenhar-se seriamente a fim de esclarecer o mistério que envolvia o desaparecimento do irmão.

Esperaria também a volta de Pitar, que certamente o auxiliaria na delicada empresa.

Pitar, nobre e bondoso, franco e inteligente, era para o tio uma sincera e grande afeição. Preenchera o vácuo que lhe deixara a morte do filho.

Apenas notava nele o orgulho acentuado que, embora pernicioso, era atenuado em virtude do seu excelente caráter.

Nessa disposição, recolheu-se. E naquela noite, em suas orações figuravam também, mais do que nunca, votos de felicidade para Solimar.

CAPÍTULO XXIV

A visão

Na tarde do dia seguinte, Solimar e Nalim conversavam. Nalim aguardava impaciente a chegada do filho.

Sinat veio também sentar-se junto delas, e seu coração alvoroçado descompassava-se a cada ruído, demonstrando a impaciência com que esperava o regresso do rapaz, bem como a emoção profunda que esse acontecimento lhe causava.

As duas mulheres, entregues a animada palestra, não perceberam o alvoroço da jovem.

Ao cabo de certo tempo, os portões principais abriram-se, e um cavaleiro entrou. Imediatamente Nalim levantou-se, murmurando:

— É ele, por fim!

Solimar olhou para Sinat, que com as faces ruborizadas pela emoção, não conseguiu ocultar seus sentimentos e sorriu.

Impaciente por chegar, Pitar esporeou o animal. Vendo-as no pátio, parou e saltando ao chão agilmente, correu a abraçar sua mãe.

A cena doméstica, terna, singela, tocou fundo o coração amante de Solimar. Aquele belo e elegante rapaz, de traços nobres, negros olhos, negros e revoltos cabelos impressionava.

Após beijar a mãe, abraçou Sinat afetuosamente e havia em seu olhar uma chama apaixonada que não escapou à argúcia de Solimar.

Por fim, vendo-a, inclinou-se sorridente, murmurando delicado:

— Desculpai, nobre senhora. Tantas saudades trazia que não notei vossa augusta presença.

— Meu filho, esta senhora é uma velha amiga nossa e creio que já a conheces de nome. Eis a Solimar de quem tanto temos falado.

Surpreendido, algo curioso, Pitar contemplou-a por alguns segundos.

A serena meiguice que irradiava a bela fisionomia daquela mulher, falou-lhe ao coração. Sentia como se sempre a houvesse conhecido.

Foi, pois, com grande e sincero prazer que a abraçou dizendo:

— Conhecia através de tio Jasar e de minha mãe a beleza do vosso espírito. Conheço agora a beleza do vosso rosto. Sentir-me-ei feliz se dispensar-me a mesma estima que dispensais aos meus!

Pelo olhar límpido de Solimar passou um lampejo de emoção. A franqueza e sinceridade existentes em Pitar eram irresistíveis.

Solimar compreendeu que ele possuía a mesma fascinação irradiante do pai.

— Sou-te muito grata pela gentil acolhida. Quisera mesmo vir a ser tua amiga. Quanto a minha estima, creio que independente da amizade que me une a tua família, já a conquistaste.

Agradavelmente reunidos, sentaram-se, e Nalim pediu ao filho que contasse tudo quanto fizera fora de casa. Depois, por sua vez, narrou-lhe as notícias trazidas por Solimar.

Emocionado, Pitar escutou calado até o fim.

Nalim jamais contara ao filho as suspeitas e o motivo real pelo qual odiava Omar. Conhecendo o temperamento orgulhoso e arrebatado do rapaz, receara criar-lhe dificuldades no exército, uma vez que Omar era seu comandante. Mas agora a situação modificara-se.

Com o coração angustiado, não pôde esconder do filho suas suspeitas. Narrou-lhe também parte do passado, o persistente e perigoso amor que Omar lhe devotara.

Revoltado, Pitar prometeu à sua mãe dedicar-se

inteiramente às pesquisas, não tendo outro objetivo na vida senão descobrir o que fora feito de seu pai.

Quando o perdera, era ainda um menino e conservava dele a mais cara lembrança. Ele fora sempre, para sua exaltação juvenil, um herói, um bom e grande homem. Amava-o. Respeitava-o. A crença de que ele tivesse sido vítima de uma trama tão repugnante, revoltava-lhe a alma naturalmente nobre e generosa.

Nalim dizia:

— Deves ir conversar com tio Jasar. Ele espera-te. Deseja traçar contigo uma diretriz para o início das diligências.

O rapaz levantou-se imediatamente. Curvando-se frente às mulheres:

— Vou ter com ele. Sinto-me ansioso por ouvir-lhe a opinião.

Sem mesmo mudar o traje empoeirado da viagem, Pitar a passos rápidos encaminhou-se para o gabinete do tio.

Nalim, por sua vez, retirou-se a fim de providenciar sobre a bagagem do rapaz e diligenciar tudo a seu gosto.

Solimar, a sós com Sinat, passou-lhe o braço pelos ombros carinhosamente, quando perguntou:

— Ele sabe que é amado?

Sobressaltada, Sinat corou sem saber o que dizer. Mas vencida pela ternura da voz de Solimar, respondeu:

— Não. Nem sequer posso pensar em tal! Ele me quer como a uma irmã. Depois, senhora, apesar de todos me tratarem com carinho e consideração, sabeis que sou pobre e de origem humilde. Jamais poderei imaginar que esse amor um dia venha a tornar-se um direito. Não levanto meus olhos para o alto! Apenas não posso resistir a este sentimento que tomou conta de mim. Faço tudo para ocultá-lo, mas penso que nem sempre com êxito.

— Querida filha, és nobre e desinteressada. Sabes amar, mereces ser feliz. Quem sabe ainda não o serás com o homem amado?

Sinat suspirou resignada e murmurou:

— Não, não conservo ilusões. A nobre senhora que me acolheu, coloca muito alto a hierarquia da nobreza. Já me conformei em não sonhar o impossível.

Solimar calou-se. Sabia que Sinat em parte tinha razão. Nalim nesse ponto sempre fora intransigente.

Comovida com a bondade da jovem, Solimar intimamente resolveu ajudá-la a realizar seus sonhos.

Investigaria o assunto. Se Pitar também a amasse, como entrevira em seu olhar, ela removeria as barreiras que Nalim eventualmente erguesse.

Sinat seria a esposa terna, bondosa e honesta, possuindo beleza de corpo e de espírito capazes de tornar venturoso quem a desposasse.

Sentaram-se as duas novamente, ficando desta vez cada uma imersa em seus próprios pensamentos.

Pitar, por sua vez, já abraçara o tio e em seu gabinete, conversavam sobre o assunto que os preocupava.

Parecia-lhe difícil, realmente, descobrir alguma pista. Seguir os passos de Omar teria sido excelente medida, mas na ocasião em que Nalim ouvira o chamado angustioso de Pecos. Agora, depois de tantos anos, de nada lhes serviria.

Falar-lhe sobre o assunto, obrigá-lo pela força a uma confissão, como desejava Pitar em sua impaciência, seria uma temeridade inútil. Omar era uma potência político-militar. Realmente eles estavam frente a um dilema. Que fazer?

Conversaram durante longo tempo, mas nada de positivo resolveram. O tempo decorrido dificultava-lhes a ação.

Entretanto, nem por um instante pensaram em abandonar o caso. Agora que conheciam parte de uma verdade tão dolorosa, não descansariam enquanto não descobrissem tudo.

Por fim, Pitar resolveu que logo na manhã seguinte iria ao forte e lá procuraria investigar o assunto disfarçadamente.

Eram muitos os soldados, mas quem sabe se o acaso os ajudaria? Procuraria palestrar com os que já estavam lá na ocasião em que suspeitavam ter sido Pecos preso.

Esperançoso, com esta decisão, Pitar saiu dos aposentos do tio, podendo enfim mudar suas roupas e preparar-se para o agradável jantar com a família.

Na manhã seguinte, Pitar saiu cedo rumo ao forte. Solimar viu-o esperançoso. Gostava de levantar-se cedo e aspirava com real prazer o aroma agradável dos jardins floridos.

Jasar, vendo-a, dirigiu-se alegre ao seu encontro, dizendo:

— Madrugaste. Como passaste a noite?

— Oh! Muito bem. Apenas um pouco preocupada. Deixei alguns doentes aos cuidados de pessoas amigas, mas sinto que talvez necessitem de mim.

— Estou certo disso, mas naturalmente estarão bem cuidados.

— Jasar — perguntou Solimar após ligeira hesitação — Otias sabe que estou aqui?

— Sim. Contei-lhe logo no primeiro dia.

Solimar calou-se pensativa.

Ela sempre receara voltar por causa do ciúme de Otias. Não desejava empanar sua paz doméstica. Mas havia ainda um motivo mais constrangedor: o crime que certamente pesaria na consciência daquela mulher e que sua presença forçosamente a faria recordar.

Solimar sabia toda a verdade. Conhecera-a através da longa convivência com o infeliz Solias durante a sua moléstia, que acompanhara até o derradeiro instante, tendo ele recuperado alguma lucidez na hora extrema.

Nobremente, guardava consigo este segredo, não querendo revelá-lo a Jasar e a sua família.

Otias, vítima de indizível tragédia, sofria o resultado do caminho que escolhera. A vida já a justiçara.

Teria ela, Solimar, o direito de perturbá-la ainda mais com sua presença?

Apesar do que ela lhe fizera, não lhe guardava rancor. Em seu coração só havia sincera compaixão. Desejaria ajudá-la, como amiga, como enfermeira, como irmã. Mas ainda não tivera coragem de ir vê-la. Não desejava entristecê-la, mas ajudá-la!

Vendo-a pensativa e triste, Jasar perguntou:

— Por que estás triste? Acaso não te sentes feliz entre nós?

Solimar levantou para ele seus belos olhos verdes, sinceros e úmidos.

— Sabes que viver aqui para sempre seria para mim a suprema ventura. Mas não posso evitar de pensar em tua esposa e lamentar a tragédia de que foi vítima. Desejaria vê-la, entretanto...

— Continua — pediu ele.

— Sei que ela nutre por mim uma antipatia profunda em virtude de nossa sincera amizade — corando por mencionar o amor que os unia, ela continuou — receio que minha presença não lhe beneficie a saúde.

— De fato, Otias jamais poderia compreender o afeto que nos une, — murmurou ele — sua pureza está acima do seu entendimento. Mas creio que poderias pelo menos tentar uma visita. Quem sabe conseguirias efeito benéfico?

Ouvindo-o falar "no afeto que nos une", Solimar sentiu-se recompensada pelo esforço da longa viagem de volta.

Sentia que ele conservava-se ao lado da esposa, cumprindo nobremente seu dever, procurando elevar aquela alma sofredora e cega. Por que ela não poderia ajudá-lo?

O amor sempre foi mais forte do que o ódio, e ela possuía tanta capacidade de amar que derrotaria o ódio de Otias, libertando-a dessa tremenda tortura.

Haveria de provar-lhe com dedicação e carinho sua estima, seu esquecimento completo das ofensas e do terrível atentado do qual fora vítima.

Agora, seus olhos brilhavam e Jasar viu que neles se acendia uma chama entusiasta. Foi assim que ela respondeu:

— Irei vê-la. Farei o possível para desfazer a má impressão que guarda de mim.

— Agora?

— Sim.

— Vem comigo. Eu te conduzirei.

Chegados à porta do quarto de Otias, Solimar parou dizendo:

— Deixa-me ir só. Será melhor. Depois contar-te-ei tudo.

Ele aquiesceu, prontificando-se a esperá-la na sala contígua.

Solimar entrou. O que viu fê-la esquecer as preocupações que trazia. Seu coração apertou-se ao reconhecer naquele corpo hirto e macilento a figura de Otias. Como fora justiçada!

Otias abriu os olhos e vendo-a, demonstrou susto e terror.

Durante aqueles dias não pensara noutra coisa que não fosse Solimar. Debatera-se na dúvida se ela viria vê-la ou não. Naquele instante, esqueceu o ciúme doentio para ver nela apenas a vítima do seu crime e a culpada pela tragédia de sua vida!

Ela viera! Que desejaria? Com certeza lançar-lhe em rosto sua situação de vencedora. Recriminar-lhe o passado! Divertir-se com o espetáculo de sua miserável condição!

Vendo que Otias parecia presa de indizível terror, deixando transparecer uns laivos de ódio no olhar, Solimar aproximou-se e sentando-se a seu lado, falou-lhe docemente:

— Vim ver-te. Lamento encontrar-te em circunstâncias tão dolorosas, mas crê que no futuro espero ver-te em uma situação bem diferente.

Solimar começara a falar docemente como o faria

a uma criança muito querida.

Notando que o rosto de Otias cobria-se de suor, calmamente começou a enxugá-lo com delicadeza e naturalidade. Continuou:

— Sei que não tens muitas esperanças de cura nesta vida, mas podes crer que o futuro revelar-te-á uma grande surpresa: a de sermos eternos. Agora sofres. Tua alma deve viver presa de um pesadelo constante. Teu mundo interior deve ser confuso e lancinante, porque ininterrupto. Atravessas uma dura prova e naturalmente dela sairás amadurecida e venturosa.

Otias não podia compreender-lhe a atitude. Esperava palavras de ódio e de acusação, e ela estava ali, serena e doce. O ser é eterno, pensava ela, seria mesmo verdade? Seria ela, então, eternamente perseguida pela consciência de seu crime?

Imediatamente lembrou-se dos lamentáveis acontecimentos daquela trágica noite e sentiu que caía novamente em um torturante pesadelo.

Viveu mentalmente toda a passada tragédia. Seus olhos extraordinariamente abertos refletiam o pavor que lhe ia no íntimo.

Penalizada, Solimar ajoelhou-se ao lado do leito e orou pedindo ajuda aos espíritos de seu pai e de Samir que sempre a auxiliavam, para que aliviassem os pungentes sofrimentos de Otias. À medida que orava, sentia-se adormecer, levada por irresistível força.

Otias olhava sem ver o que se passava ao seu redor, presa às recordações dolorosas, mas, de repente, aquela visão do passado desfez-se, e ela viu que uma branca fumaça se adensava sobre a cabeça pendida de Solimar.

Esta parecia envolta em uma auréola de luz. Fascinada diante de tão estranho fenômeno, Otias não conseguia desviar a atenção da cena e viu com enorme surpresa que aquela fumaça se agigantava, tomando enfim a forma do seu velho e querido pai.

Impossível descrever o estado de ânimo de Otias.

Desejaria gritar, sair daquela imobilidade terrível, sufocante! Que significaria aquilo? Seu pai ali ? Estaria sonhando?

Ele avançara para ela, parando ao lado do leito. Irradiava vida e luz, porém, seu olhar estava triste e preocupado quando disse:

— Filha, ainda é tempo! Não voltes constantemente ao passado, mas tira apenas dele as lições proveitosas que te ministrou. Reage aos sentimentos que te oprimem o espírito. Sê boa. Acaso ainda recordas passados ódios? Não vês, minha filha, o abismo que cavaste? Os imortais deram-te o bondoso amparo de um marido bom e leal. Ouve-lhe os sábios conselhos e serás feliz. Erraste no passado, é verdade, mas, filha, não deves persistir no erro! Quiseste matar uma jovem inocente a quem odiavas, e a vida desviou esse golpe e obrigou-te a assumir as consequências das tuas atitudes. Aquela que pensaste ter atingido e ainda hoje odeias firmemente, é boa e pura. Jamais maculou sua vida sequer em pensamentos. Deverias amá-la pois que ela procura ajudar-te! Se assim não fora, eu não teria conseguido hoje aparecer-te e falar-te. Foi sua súplica sincera em teu favor que me possibilitou o auxílio para aqui vir. Aprende com ela a perdoar!

Otias contemplava profundamente emocionada a fisionomia grave de seu pai, entre lágrimas que derramava copiosamente.

Sob o influxo daquela bondosa influência, pôde Otias, pela primeira vez em sua vida, entrever a verdade. Mas, pensava ela, haveria perdão para seu crime? E o filho?

Percebendo-lhe o angustioso estado de espírito, lendo-lhe as perguntas no pensamento, Osiat continuou:

— Teu filho vive! Não te odeia nem recrimina. Compreende e perdoa! Se mereces esta dádiva, intercederei junto aos meus superiores para que ele possa vir ver-te. Mas de ti dependerá tal acontecimento. Mataste-lhe apenas o envoltório terreno que é o corpo. Seu espírito é indestrutível. Sê paciente. Perdoa e procura amar os que te cercam. Todos são bons e te estimam. Sê bondosa e serás feliz, porque receberás carinhosa assistência de tua família. Estes pesadelos que tens, são originários de tua consciência. Quando compreenderes a realidade, o alcance do mal que praticaste, eles deixarão de existir. Ora sempre e estarei contigo. Um dia virei buscar-te e serás livre. Rasgarás as cadeias e poderás ser feliz, mas até lá, terás que aprender a amar, perdoar e tolerar. Agora, adeus...

Acariciando-lhe docemente os cabelos, a visão desapareceu e Otias, por mais que tentasse, não viu mais o velho pai. Sentiu grande bem-estar. Aquilo fora tão extraordinário que ela não conseguira ainda concatenar as idéias. Compreendeu que Jasar tinha razão quando lhe falava que os mortos podem aparecer aos vivos. Que a morte não é o fim!

Teria Solimar sido sincera? Seu pai não lhe mentiria de nenhuma maneira. Mas então ela estaria enganada? Seria Solimar tão boa a ponto de desejar ajudá-la?

Otias desejaria poder falar, contar a todos a visão maravilhosa. Sofria duplamente as emoções sem poder extravasá-las.

Solimar acordou sentindo uma sensação agradável de leveza. O que teria acontecido?

Levantou-se pressurosa e fitou o rosto doentio de Otias. Estava ansiosa para verificar suas melhoras. Sentiu que a doente a olhava de maneira diferente. Talvez um pouco mais humana.

O coração de Solimar palpitou de contentamento. Ignorava o que ocorrera, mas estava certa de que a situação se modificara.

Decidida a aproveitar-se da vantagem conquistada, começou por providenciar carinhosamente mais conforto à enferma.

O próprio temperamento orgulhoso, revoltado e arredio de Otias a havia conduzido, com a moléstia, a um isolamento que seria completo sem a assistência carinhosa de Jasar. Mas a este, apesar de dedicado, faltavam cuidados e delicadezas que somente um coração de mulher pode sentir.

As escravas nunca conseguiram afeiçoar-se à doente e como o trabalho era penoso, faziam-no com má vontade, certas de que Otias não poderia queixar-se ao senhor.

Solimar, condoída, compreendera de um realce a situação e, decidida, começou a cuidar dos aposentos.

Otias observava seus movimentos, surpresa. Com o correr dos anos havia se habituado àquele descaso das servas, mas sofria percebendo o abandono a que fora relegada.

Dentro de poucos minutos, o aspecto do aposento se modificou. Solimar afofou as almofadas do leito, esticou os lençóis, escovou os cabelos da doente, depois, quando julgou tudo pronto, sentou-se ao lado da cama e olhando Otias de frente, perguntou humilde:

— Não está contrariada com minha presença?

Os olhos da doente permaneciam abertos, havendo neles uma expressão indefinível.

— Poderei vir ver-te à tardinha quando estiveres só? Consentes?

Otias cerrou os olhos e Solimar, exultante, percebeu que ela concordara.

Tocada por infinita alegria, Solimar despediu-se da enferma e num impulso natural, beijou-lhe levemente a fronte.

Os olhos de Otias encheram-se de lágrimas. Há muito não recebia uma carícia. Seguiu com o olhar o vulto de Solimar até a porta.

Ficando só, começou pela primeira vez em sua vida a sentir vergonha de suas atitudes passadas.

Talvez que a culpa do sucedido tivesse sido unicamente sua. Mas seria mesmo Solimar tão bondosa?

Mais calma, Otias cerrou as pálpebras desejosa de repousar. Sem saber como, caiu em plácido sono.

Jasar esperava impacientemente do lado de fora. Vendo que Solimar se demorava, imaginou com acerto que as coisas não tivessem corrido tão mal.

Quando viu Solimar sair, compreendeu pela irradiação feliz do seu semblante que tudo correra bem.

Sentaram-se ambos e Solimar contou-lhe tudo quanto se passara menos a visão, da qual não tomara conhecimento.

— Que teria sucedido para que a enferma mudasse tão rapidamente? — inquiriu Solimar por fim.

— Não sei. Mas algo deve ter acontecido enquanto dormias. Disseste ser um sono estranho e diferente. Permaneceste de joelhos, apesar de tudo. Sinto que espíritos amigos nos ajudaram. Sei que minha missão neste mundo é a de iluminar, principalmente aquela alma. Compreendi isto, desde o dia em que o destino forçou-me a tomá-la como esposa e muito mais quando a tragédia nos visitou. Serei profundamente feliz se conseguir que ela descubra seu lado bom, se torne mais compreensiva, mais humana, mais nobre. Oh! Solimar, — murmurou ele emocionado — se ela me possui para ampará-la na Terra, eu sem dúvida, por minha vez, tenho a tua ajuda. A recordação do teu elevado espírito de nobreza e sacrifício é que tem me sustentado nesta luta dolorosa! Agora, contando com teu auxílio, sinto que será mais fácil sensibilizá-la e ajudá-la a crescer.

— Podes contar comigo. Farei tudo quanto estiver em meu alcance para auxiliá-la.

— Agora, irei vê-la — disse. — Costumo fazê-lo todas as manhãs. Que as bênçãos do Deus eterno caiam sobre tua cabeça.

Com estas palavras, afastou-se comovido. Lá chegando, surpreso, constatou que Otias dormia calmamente. O aspecto do aposento era mais agradável.

Bem impressionado, sentou-se ao lado da cama, velando, à espera de que Otias acordasse.

CAPÍTULO XXV

A partida de Pitar

Dois meses passaram sem nenhuma notícia de Pecos. Não sabiam o rumo a tomar. Desanimados, haviam quase perdido a esperança de encontrá-lo.

Contudo, Otias se modificara. A assistência devotada e sincera de Solimar operara milagres. Começara por alegrar Otias levando-lhe flores todos os dias, distribuindo-as harmoniosamente pelo aposento. Escolhia aquelas quase sem perfume, para não causar mal-estar à doente. Cuidava do asseio do quarto e do seu asseio pessoal.

Diante dessa atenção tão delicada e constante, as servas, chamadas à ordem, passaram a dispensar maiores cuidados à enferma.

Solimar conversava com ela constantemente, contando-lhe casos alegres e muitas vezes conduzindo-a ao pátio externo a fim de gozar da aragem deliciosa das árvores do jardim.

Convencera Sinat da tristeza de viver como Otias, e a moça, comovida, resolvera-se a ajudá-la.

Pouco a pouco a situação de Otias foi se modificando. Já não sofria tanto isolamento, nem demonstrava desagrado com a presença dos demais membros da família.

Ultimamente assistia às conversas da família ao crepúsculo, e todos demonstravam-lhe simpatia.

Às vezes, ela sofria crises nervosas, pesadelos, mas as orações de Solimar eram o bálsamo que lhe curava as feridas.

Aprendera naqueles meses que lhe cabia culpa pelo isolamento a que fora relegada. Era ela quem não aceitava a presença dos outros. Demonstrava rancor e indiferença e não poderia deles receber carinho.

Assim são as pessoas como Solimar. Tanta luz possuem interiormente, que onde aparecem, certamente iluminam o ambiente.

Uma tarde, estavam Nalim, Sinat e Solimar conversando no pátio, sentadas nos grandes bancos de pedra, quando Pitar chegou apressado.

Pela sua expressão, Nalim compreendeu que estava contrariado. Cumprimentando as mulheres, ia penetrar na casa, mas Nalim o deteve.

— O que aconteceu, meu filho?

— Trago notícias nada agradáveis. Por isso desejava retardar o momento de transmiti-las.

— Mas sabes que não podes ocultar de tua mãe as tuas contrariedades. Conta-me tudo.

— Está bem. Devo preparar-me e amanhã partirei com uma patrulha para muito longe. Tardarei a regressar. Transferiram-me para as obras de Darda Seir.

— Como? — perguntou Nalim, pálida. — Certamente mais um golpe de Omar! Oh! mas não consentirei que partas. Irei, se preciso for, ao forte, interceder.

— Não adianta, minha mãe. Nestas circunstâncias, torna-se-me uma questão de honra partir. Sou soldado, terei de obedecer. Mas um dia talvez possa ajustar contas com esse homem que nos tem perseguido cruelmente. Agora irei ver tio Jasar. Necessito de sua palavra sensata. Penso mesmo em pedir-lhe alguns conselhos.

Depois que o rapaz se foi para o interior da casa, Nalim, desolada, falou às duas amigas.

— Quantos aborrecimentos e tristezas nos reservará o futuro?

— Não sejas pessimista, Nalim — respondeu Solimar. — Nem deves incitar o ódio de teu filho contra Omar. Por tudo quanto passaste em tua vida já deverias ter compreendido que uma força superior rege nossos destinos. Se ele foi escalado para essa viagem, foi porque deveria fazê-la. E quem sabe, não regressará mais nobilitado por haver cumprido serenamente o seu dever? Não há melhor remédio para aparar os golpes com que os outros nos tentam atingir, do que a serenidade e o cumprimento do dever. Deixa-o, pois, desempenhar sua tarefa.

Enquanto elas conversavam, Sinat, aproveitando de sua distração, retirou-se para o jardim. Seu coração estava apertado e triste. Ele ia partir!

Conformava-se em sufocar seu amor, mas não vê-lo, era-lhe um suplício muito mais doloroso.

Foi caminhando distraída e deixando-se arrastar por um sentimento de amargura, sentou-se embaixo de uma árvore, oculta por algumas folhagens, dando livre curso às suas lágrimas de desespero. Soluçou durante muito tempo.

De repente, sobressaltou-se. Mãos nervosas entreabriram as folhagens, e uma voz autoritária perguntou:

— Quem está aí?

Sinat, reconhecendo Pitar, levantou-se rápida, preparando-se para fugir.

Mas ele foi mais rápido, tomou-lhe o pulso obrigando-a a virar-se para ele. Surpreendera-se com aqueles soluços ao passar pelo jardim e quisera ver quem sofria. Estupefato, encarava Sinat, que envergonhada, desejava desaparecer dali.

— Choras? O que aconteceu? Conta-me.

A moça permaneceu silenciosa. Seus olhos úmidos, faces enrubescidas pelo pranto e pela vergonha, os cabelos em desalinho, caindo como cascatas sobre suas lindas espáduas.

Como poderia ela contar-lhe o motivo do seu pranto? Desorientada pela torrente emotiva há largo tempo sopitada, as lágrimas recomeçaram a rolar, enquanto Sinat a custo tentava retê-las, sufocando ao mesmo tempo os soluços que lhe brotavam ao peito arfante.

Pesaroso, sem saber o que fazer, Pitar, querendo consolá-la, passou-lhe ternamente o braço sobre os ombros.

Nervosa, Sinat encostou a face contra seu peito tentando esconder o rosto.

Eles tinham crescido juntos. Tratavam-se sempre afetuosamente. Não era aquela a primeira vez que Pitar a abraçava; entretanto, ele sentiu como se jamais o tivesse feito.

O contato delicado de sua face em seu peito, o perfume delicioso de seus lindos cabelos, o palpitar excitado de seu peito arfante, tudo aquilo causou-lhe deliciosa emoção.

Sua mão desceu vagarosamente até a cintura da moça, apertando-a delicadamente. Com a outra mão, levantou-lhe o queixo delicado. Olhando-a nos olhos, perguntou baixinho:

— Dize-me, por que choravas?

Seu olhar era irresistível. Seu rosto moreno e belo irradiava força, energia, mocidade.

Sinat, dominada pelo encanto daquele instante, murmurou quase sem sentir.

— Pela tua partida!

Pareceu-lhe natural dizer-lhe agora a verdade. Ele ordenava com o olhar.

Um frêmito de emoção agitou o coração do jovem e impulsivo filho de Pecos. Apertou-a ainda mais e com ternura beijou-lhe os lábios polpudos e purpurinos.

Pitar, embora jovem, conhecera já muitas aventuras amorosas. Nenhuma mulher, entretanto, lhe despertara com um beijo este arrebatamento de que se achava possuído.

Depois de beijá-la repetidas vezes, murmurou-lhe ternamente ao ouvido:

— Sinat, bendigo agora esta viagem, porque ela forçou-te a revelar teu segredo, ajudando-me assim a compreender que te amo! Teu beijo é para mim a mais terna emoção. Eu irei, mas ao regressar, jura-me que serás minha esposa!

— Não sei... — murmurou Sinat, entontecida de ventura — nossas condições sociais são diversas. Não poderás desposar-me!

— És a mais pura e nobre das criaturas. Sentir-me-ei honrado se aceitares meu nome de esposo! Quanto ao resto, tenho a certeza de que tudo se arranjará. Verás. Agora, dá-me um beijo!

— A noite já desceu. Certamente notaram minha ausência, precisamos entrar.

— Então, jura-me. Serás minha esposa!

— Se não vier prejudicar tua posição e tua carreira, serei tua esposa.

— Agora, beija-me e iremos para dentro.

Trocaram mais alguns beijos, depois, desprendendo-se a custo dos braços que a cingiam, Sinat retirou-se, procurando alcançar seu quarto sem ser vista, pois desejava recompor-se.

Pitar, radiante, sentia que com Sinat estava sua felicidade. Como pudera viver tanto tempo ao lado dela sem perceber que a amava? Justo agora que deveria partir! Mas antes conversaria com o tio, pedindo-lhe para velar por ela com especial carinho, confiando-lhe seus anseios.

Foi procurá-lo. Jasar recebeu com simpatia as entusiastas confidências do rapaz. Vendo-o lamentar-se quanto à necessidade urgente de partir, justamente quando descobria motivos para ficar, ponderou:

— Vai, meu filho. A viagem ser-te-á benéfica. És ainda um tanto jovem. Acredito na força sincera do teu amor, mas bem poderia acontecer ser ele apenas fruto da fascinação do momento, da vaidade por saber-se amado por uma jovem e linda mulher. Saindo agora, poderás analisar melhor teus sentimentos. Te unirás a ela com a certeza de poder amá-la e dedicar-se inteiramente à vida do lar. O casamento, meu rapaz, só proporciona a ventura sonhada quando existe o amor, fazendo com que os seres permaneçam unidos na desgraça e na alegria, se compreendam e se completem.

Pitar ouvia em respeitoso silêncio.

— Se depois ao regressares, ainda sentires amor por Sinat, se tiveres concluído que só ela te fará feliz, então poderás contar com meu apoio e proteção para as dificuldades possíveis à realização do casamento.

Pitar sorriu satisfeito, dizendo:

— Tens razão em desejar provar-me. Reconheço que meu caso parece algo precipitado, mas tenho a certeza de que a amo com sinceridade. Não sei explicar-te, mas creio que sempre a amei! Apenas sempre a olhara como a uma criança. Quando vi nela a manifestação da mulher, compreendi num relance que a amava. Mas, seja como dizes. Terei mesmo que partir amanhã. Quando regressar, acertaremos o casamento.

— Desejo que assim seja. Sinat é uma esplêndida criatura que estimo e admiro. Seu nobre espírito merece ser compreendido e apreciado. Fará seguramente tua felicidade.

Com um abraço cordial, Pitar despediu-se do tio. Precisava ultimar alguns preparativos.

Jasar, a sós, pôs-se a pensar no romance do sobrinho e, sem querer, seu pensamento voltou-se para o passado.

Ele também amara e sonhara com um lar feliz! Mas a vida determinara diferente. Um dia entenderia o porquê. Sentia que chegaria o momento, ainda que depois da morte, em que eles poderiam realizar o sonho de ficar juntos.

Os dias após a partida de Pitar começaram a desfilar de maneira igual, sem emoções.

Otias, agora, sentia-se feliz em companhia de Solimar. Esta, sensível e prática quanto aos cuidados que deveria prestar aos doentes, contribuíra para tornar-lhe a vida mais suportável.

Fazia tudo para distrair-lhe o pensamento das coisas tristes e mórbidas. Quando via em seu olhar refletidos sentimentos angustiantes, apressava-se em descobrir algo para desviar-lhe os pensamentos certamente dolorosos.

Sabia-a vaidosa. Cuidava da sua aparência. Antes das visitas de Jasar, costumava escovar-lhe os cabelos, vesti-la com belas roupagens, dar ao aposento um aspecto alegre e agradável.

Quando lá estava, conversava constantemente a fim de distraí-la.

Otias, como todos os doentes, sensível, tornara-se pouco a pouco reconhecida com tanta dedicação.

Se a visão do espírito de seu pai fora a pedra fundamental da compreensão quanto à injustiça de suas suspeitas, extinguindo o ódio que sentia pela ex-escrava, a boa vontade, sinceridade e dedicação amorosa de Solimar haviam criado uma auréola de estima e simpatia.

Solimar irradiava tão bons pensamentos com relação a Otias, que esta chegara a notar que sua presença lhe fazia bem.

Assim, principiara a moça por tornar-se bem recebida e por fim, indispensável à doente.

O estado de Otias era precário. Via-se que seus pobres e rijos membros definhavam dia a dia.

A pele mal cobria os ossos, mas conquistara alguma paz de espírito. Não mais vivia torturada.

Apenas de quando em vez, os pesadelos reapareciam, geralmente à noite, quando no silêncio parecia-lhe ouvir o grito de terror e revia mentalmente a cena da morte do filho.

Solimar não conseguira saber o que se passara durante sua primeira entrevista com Otias, que tanto a modificara, mas notou que sempre quando mencionava as aparições dos espíritos e a vida do além, ela parecia ávida e contente.

Passou então a contar-lhe tudo quanto conhecia sobre a vida, sua finalidade e as leis que a regem.

Várias vezes arrancara lágrimas à enferma. Temerosa, perguntava-lhe nessas ocasiões se queria que parasse de falar sobre aquele assunto; ela, porém, continuava com os olhos abertos em sinal evidente de que desejava ouvir mais.

O benefício que tais palestras ofereciam ao espírito sofredor de Otias, Solimar não poderia prever.

Aqueles conhecimentos, que muitas vezes tinha ouvido sem interesse o marido mencionar, tinham para ela agora novo sentido.

O marido de Otias, mais uma vez testemunha da dedicação e nobreza de Solimar, se já a amava, passara a venerá-la no íntimo do coração.

Solimar era para ele o símbolo da elevação espiritual. Sabia, embora sem que ela lhe dissesse, ser seu amor por ele tão elevado e nobre que o estendera àquela criatura que fora causadora de tantas desventuras para seu coração, ajudando-a a encontrar a paz.

Solimar era sua companheira perante a divindade. Compreendia-o, auxiliando-o na dura tarefa familiar. Perante os homens era marido de Otias, mas em espírito era uno com Solimar!

Nalim, por sua vez, vivia seu próprio drama. Surpreendera-se com a modificação operada em Otias, mas imersa em suas dúvidas e receios, não procurava descobrir-lhe a causa.

Pensava incessantemente no amado esposo. Sua saudade era amargurada pela dúvida quanto a seu destino. Se pudesse tornar a vê-lo! Tê-lo diante de si! Abraçá-lo, beijá-lo, voltar a sentir sua mão forte dirigindo a vida da família!

Às vezes, chorava desiludida e desanimada. Então, seu ódio por Omar vinha à tona e maus pensamentos povoavam-lhe a mente. Tinha pesadelos nessa ocasiões e via Omar assassinando Pecos. Via-se a si mesma enterrando um punhal no peito de Omar e retirando-o cheio de sangue. Esta era a vida de Nalim. Perdida no conflito entre o ódio e o desalento, a saudade e a esperança. O futuro escreveria seu destino. Não lhe restava outro caminho a seguir senão esperar.

CAPÍTULO XXVI

Pitar encontra o pai

Pitar realizara sua viagem despreocupado e alegre. Apesar da tristeza de deixar o lar com seus entes queridos, a certeza de amar e ser amado trouxera-lhe ao coração uma exuberante alegria.

Seus companheiros de viagem perceberam-lhe o estado de espírito e cordialmente lhe dirigiam gracejos. Pitar não se aborrecia, pelo contrário, divertia-se com isso.

A viagem foi longa e penosa. A caravana era grande, pois levavam inúmeras mercadorias ao alojamento.

Conduziam também alguns prisioneiros condenados aos trabalhos forçados nas construções dos monumentos de Darda-Seir.

Afinal, após viagem estafante, chegaram ao seu destino. Lá, o oficial que os comandava conferenciou com o comandante daquela região, inteirando-se da sua tarefa.

Pitar, curioso, procurava analisar o local onde se encontrava. O dia ia em meio e a atividade era grande. Construía-se suntuoso túmulo destinado certamente a receber os restos mortais do soberano.

A obra era grandiosa e já estava em fase quase final. O local era retirado da aldeia e deserto. Um oásis agradável o marginava e lá estavam as tendas dos soldados.

Os escravos que lá trabalhavam, dormiam amontoados em duas tendas maiores do que as demais, vigiados constantemente.

Lá na aldeia construíam também um templo a

Osíris, destinado à adoração pública.

Pitar soube que permaneceriam ali por algum tempo até que o comandante determinasse uma viagem em companhia de alguns soldados, sendo que eles deveriam cuidar do andamento do serviço e vigiar os escravos.

Aqueles homens escuros, queimados pelo sol causticante daquelas paragens, foram os heróis anônimos que transmitiram à civilização atual, muitos a custo da própria vida, os conhecimentos avançados daqueles tempos, para lembrar aos homens de hoje que outros povos existiram, amando, sofrendo as mesmas dúvidas, os mesmos desejos, as mesmas necessidades. Que realizavam demasiado, pois que possuíam seus dirigentes a intuição da ligação que deveria existir entre a alma, o corpo e o espírito. Não incorreram no engano separatista que na era da máquinas se nota.

Nas inscrições sábias que ainda hoje se encontram nas ruínas dos templos da civilização egípcia, vemos que seus conhecimentos eram elevados e numerosos.

Mas, aqueles trabalhadores da posteridade viviam maltratados e subalimentados. À força de conviverem entre si e de possuírem trajes semelhantes, pareciam uns iguais aos outros.

Os soldados, principalmente os novatos no local, os confundiam constantemente.

Pitar não gostara do lugar. As saudades apertavam cada dia mais. O carinho da família e agora da mulher amada tornava a separação insuportável. Os dias sucediam-se monótonos. O calor era abrasador, o local desinteressante e deserto. Sentiu-se radiante quando pôde por fim ser transferido para o forte de Darda-Seir.

Lá na aldeia era mais agradável. Seu trabalho era o mesmo. Deveria montar guarda nas obras durante o trabalho dos escravos. À noite, era revezado por outro que guardava o local, evitando possíveis furtos e as fugas sempre tentadas pelos prisioneiros.

Aquela tarde, Pitar deixara o templo cuja construção se encontrava em meio. Ia absorto e como sempre recordando-se de Sinat.

A certa altura, parou surpreendido. Uma voz triste e suave cantava uma bela canção. Pitar emocionou-se com aquela melodia. Procurou vislumbrar quem cantava. A voz partira do pátio onde estava situado o alojamento dos escravos.

Curioso, Pitar encaminhou-se para lá e entrou. Insensivelmente, como que atraído por uma força estranha, pôde, seguindo o canto nostálgico, encontrar o trovador.

Tratava-se de um escravo. Estava sentado sob uma árvore. Sua elevada estatura, um tanto encurvada pelas lutas e pelos anos, e seus grisalhos cabelos inspiraram instintivamente a Pitar extrema simpatia.

Percebendo-se observado, o escravo calou-se e levantou os olhos para o rapaz, pondo-se em pé rapidamente. Seus olhos se encontraram! Ambos sentiam estranha emoção, inexplicável.

Procurando vencer o silêncio constrangedor, Pitar disse-lhe cordialmente:

— Ouvi tua canção. Tua voz agradou-me. Cantas como um artista.

— Agradeço vossa amabilidade, senhor — respondeu-lhe o escravo.

— Como te chamas?

— Chamam-me aqui de Natius.

— És de Quinit?

— Sou — respondeu ele, pouco expansivo.

Seu olhar era firme, mas havia nele algo de misterioso que fascinou Pitar.

Quem seria aquele homem antes de ser preso? Qual o seu crime?

Era indubitável que teria cometido um crime, pois como cidadão egípcio só por grave motivo seria condenado a tal pena.

Pitar ignorava que se as leis dos homens muitas vezes parecem aos próprios homens justas, estes ao exercê-las, arvoram-se no direito de torcê-las para servir às suas ambições.

Ele era jovem, possuía confiança na justiça humana e em suas leis.

— De onde vieste, de que aldeia?

— Vim de longe. Tantos anos faz que nem me lembro.

Ele falava respeitoso, mas Pitar percebeu que de alguma forma suas perguntas o contrariavam. Parecia que sofria ao respondê-las. Vendo que ele talvez se sentisse melhor sozinho, resolveu retirar-se.

Saiu do pátio, mas os olhos do escravo pareciam ter-se gravado em seu subconsciente.

Onde já os tinha visto antes? Mesmo sua simpática fisionomia não lhe era estranha. Onde a vira?

A noite descera e Pitar não podia esquecer-se do escravo. Agora tinha a certeza de tê-lo visto, mas quando?

Resolveu perguntar a alguns soldados amigos sobre sua vida. Suas pesquisas aumentaram ainda mais o mistério que o rodeava.

Estava ali há muitos anos, mas não falava jamais do passado. Parecia mesmo não tê-lo. Jamais mencionara família ou amigos.

Isto entusiasmou o espírito aventureiro de Pitar, que resolveu descobrir o mistério que envolvia aquele homem que tanto o impressionara.

No dia seguinte, observou-o enquanto trabalhava. Ele era forte e ágil, apesar dos anos. Surpreendera por diversas vezes o olhar dele examinando-o com atenção e insistência.

Lembrar-se-ia ele também de tê-lo visto antes em alguma parte? Quem sabe?

Notou Pitar que seus modos eram educados e distintos, sua maneira de falar, apesar do pouco que dissera, correta.

Quem seria?

O melhor seria tornar-se seu amigo e perguntar-lhe diretamente o que desejava saber. Mas isto não era tarefa fácil. Pitar era jovem e inexperiente; o escravo, taciturno e, apesar de suas maneiras corteses, reservado.

Os dias foram passando. Pitar buscava, sempre que possível, conversar com Natius.

Poderia ter ordenado ao escravo que lhe respondesse tudo quanto desejava saber, mas ele não possuía ânimo para agir com dureza com alguém que nada lhe fizera e que ainda lhe provocava grande simpatia.

Certa tarde, o sol era escaldante. Os escravos trabalhavam exaustos e suarentos. Apesar de habituados àqueles climas escaldantes, naquele dia ressentiam-se do mormaço e da modorra reinante.

Pitar, em seu posto, de repente sentiu que tudo girava ao seu redor. Caiu estrondosamente ao solo.

Quando voltou a si minutos depois, percebeu a ansiosa fisionomia de Natius inclinada sobre ele. Ainda atordoado, perguntou:

— O que foi?

— Apenas uma ligeira tontura devido ao calor. Acho prudente repousardes por hoje, caso contrário vosso estado poderá agravar-se.

Melhor já, Pitar ergueu-se um tanto inseguro, respondendo:

— Não posso. Estou de serviço. Logo mais vence meu turno, então descansarei.

Tentava recompor suas vestes, que Natius afrouxara.

— Isto não seria prudente. Posso garantir-vos que o sol causticante pode fazer muito mal. Se insisto, é porque possuo triste experiência a respeito. Aconselho-vos repouso em lugar abrigado e ventilado.

Pitar, fitando-o firmemente, perguntou:

— Dize-me. Por que te interessas tanto pelo meu bem-estar? Aqui estamos de lados opostos. Dar-se-ia o caso de me haveres conhecido antes em alguma parte?

O semblante triste do escravo perturbou-se um pouco com a pergunta. Procurando dar firmeza à voz, respondeu vagarosamente:

— Não sei. Mesmo que tivésseis sido parte do meu passado, não poderia sabê-lo. Simplesmente, vos posso esclarecer que vosso rosto recorda alguém que me é muito familiar. Quem? Não vos poderia dizer.

— Queres dizer que não contas a ninguém teu segredo?

— Não tenho segredo. É a vida que tem segredos para mim. Algum dia, quem sabe, poderei desvendá-los.

Intrigado, Pitar, desejoso de não perder tão boa oportunidade, decidiu-se a conservá-lo mais tempo em sua companhia.

— Está bem. Vou recolher-me. Terás de acompanhar-me, porque não me sinto firme. Mas antes manda chamar Samut para substituir-me no posto. Encarrega algum companheiro teu dessa diligência.

Pouco depois, Pitar, amparado no braço forte do escravo, penetrava no alojamento.

Na pequena alcova que servia de residência ao jovem soldado, entraram. Pitar, ainda um pouco entontecido, estendeu-se no leito.

O escravo procurou desembaraçá-lo das roupas, vestindo-o apenas com leve túnica.

— Senta-te ao lado do leito e abana para que eu me sinta melhor.

O escravo obedeceu prontamente. Ele nunca gostara desses serviços particulares, mas dessa vez fazia-o com prazer.

Pitar, mais refeito, sentia com gosto a brisa ligeira que vinha do enorme leque abanado pelo escravo.

De repente, os olhos do escravo se abriram ansiosos e suas mãos largaram o abanador, que caiu no chão.

Acabava de vislumbrar algo que lhe perturbara a serenidade.

— Que foi? — perguntou Pitar.

— Aquele objeto.

Levantou-se de um salto e apanhou pequena caixa de madeira lavrada e colorida. Sem pedir licença abriu-a rápido. Continha várias jóias pertencentes a Pitar, mas o escravo apenas viu um cordão purpurino contendo uma maravilhosa pedra opalina.

Estarrecido, sem saber o que dizer, Pitar observava estupefato.

— Isto, onde o achaste? — perguntou o escravo a Pitar. — É meu! Sei que me pertence!

Virando-se para o jovem, cuja surpresa o emudecera, continuou:

— Dize. Onde o encontraste?

Sem saber por que se rendia à insolência do escravo, Pitar respondeu:

— Enganas-te. Esta caixa era de minha mãe, trouxe-a de sua terra. Esta pedra pertenceu a um nobre guerreiro, meu pai! Foi presente do Faraó.

O escravo, perturbado, caiu em si. Sucumbido, largou a jóia, repondo-a na caixa, que guardou no primitivo lugar. Estava trêmulo, descontrolado.

Penalizado, Pitar resolveu interrogá-lo sobre o mistério de sua vida. Perguntou-lhe ansioso:

— Onde e quando tiveste uma jóia como esta?

— Não sei. Sei apenas que era esta e pareceu-me, ao vê-la, que uma cortina do passado se levantava diante dos meus olhos. Vi-me em um luxuoso palácio, vestido de púrpura e ostentando esta pedra ao peito. Depois, tudo perdeu-se novamente nas trevas! Não poderei lembrar-me. Isto me desespera!

O escravo, sem poder controlar as emoções, abalado ainda pelo choque emocional de minutos antes, não guardou a reserva habitual.

Pitar ouvira-o, um pouco pálido. Uma pequena suspeita, uma esperança, uma incerteza brotara em seu espírito ao ouvir as palavras singulares do escravo.

Sem querer agarrar-se a quimeras, perguntou-lhe

um pouco trêmulo:

— Queres dizer que não te recordas de quando a possuíste?

— Não. Um lamentável acidente deixou que meu corpo vivesse, mas meu passado morreu nesse dia. Nunca mais consegui lembrar-me sequer do nome que me pertencia.

Seriamente emocionado, Pitar já agora receava perguntar. Temia deixar-se levar por uma bela ilusão para depois vê-la desvanecer-se.

— Queres dizer que esqueceste teu passado?

— Sim. De nada posso recordar-me. De quando em quando, frente a determinados acontecimentos, parece-me reconhecer pessoas, objetos, mas logo retorna a névoa e de nada posso lembrar-me por mais esforços que faça.

— Dize, faz muito tempo que estás assim?

— Faz muitos anos. Creio que quase onze.

Pitar agora já não podia controlar sua vontade de investigar de todas as maneiras possíveis a vida daquele homem.

— Teu caso muito me interessa. Possuo razões muito sérias para pedir-te que me contes tudo quanto souberes ou puderes lembrar do teu passado.

— Em que vos poderá interessar minha triste situação? — perguntou o escravo, algo surpreso.

— Conta-me tudo, depois dir-te-ei das minhas razões que são muito poderosas como verás.

Vendo a sinceridade do rapaz, o tom de voz quase respeitoso com que o tratava, Natius decidiu-se a contar-lhe o que recordava de sua vida passada.

Começou por relatar como acordara em uma casa estranha, doente, com o corpo ardendo, machucado por queimaduras cujas cicatrizes ainda marcavam, embora de leve, seu rosto. Contou como vivera em companhia de bondosa mulher que o tratara como filho.

Fora tratado por um bondoso velho que aprendera a estimar e por uma sua parenta, jovem e bela mulher, que dissera reconhecê-lo.

Nesta altura, sem poder conter-se, Pitar perguntou emocionado:

— Dize o nome dessas pessoas. Como as chamava?

— Ela era Tarsa, a velha com quem vivi. Ele era Samir e sua jovem parenta, Solimar.

Sacudido por forte emoção nervosa, Pitar não conseguiu desta vez dominar-se.

Levantou-se e num ímpeto abraçou o escravo que, surpreso e emocionado, sentiu que as lágrimas brotavam de seus olhos.

— Então, creio que és aquele a quem procuro! Tenho procurado inutilmente encontrar-te! Bem me parecia conhecer-te! Mudaste muito, mas agora sei quem realmente és!

O pobre homem tremia, sem poder disfarçar sua enorme emoção. Seu coração vibrava de intensa simpatia por aquele jovem e belo rapaz desde o instante em que o vira pela primeira vez. Seria verdade? Encontraria agora realmente um fio do passado?

Quando acalmou-se um pouco, Pitar perguntou:

— Disseste que a jovem mulher te reconheceu. Conta-me o que te disse ela?

— Mas se me reconheceis, dizei primeiro quem sou e por que me buscais?

— Necessito antes saber de tudo. Conta-me. Depois, por minha vez, dir-te-ei o que anseio dizer.

Pecos, pois que era ele, narrou então minuciosamente tudo quanto lhe acontecera desde o instante em que se avistara com Solimar.

À medida que ele falava, Pitar não podia esconder a revolta e a dolorosa surpresa que lhe causava conhecer toda a trama que envolvia o desaparecimento do pai.

Quando este terminou, Pitar, não suportando a revolta, murmurou com rancor:

— Minha mãe tinha razão em suspeitar que Omar

tenha sido o causador de toda a nossa desgraça!

— Desgraça. Por acaso minha desventura vos atinge também? Quereis dizer que...

Ele, esperançoso, indeciso, não se atrevia a continuar.

Olhando-o bem nos olhos, Pitar murmurou emocionado:

— Sim. Meu nome é Pitar. Sou filho do nobre guerreiro Pecos. Ele não morrera. Viemos saber há poucos meses por Solimar, que ainda vivia. Apenas perdera a memória.

Trêmulo, o escravo fez-se pálido. Apenas pôde balbuciar:

— Acreditas então que eu seja realmente esse guerreiro? Que seja teu pai?

— Sim — respondeu resoluto o rapaz, abraçando-o carinhosamente. — Reconheço-te agora, apesar de tudo. O que me contaste, comprova plenamente o que sabia sobre o teu desaparecimento. Até o incidente que narraste de tua prisão frente à nossa casa, minha mãe mo havia contado. Ela reconheceu tua voz. Correu ao forte com tio Jasar, mas não conseguiu avistar-te. Com certeza, esconderam-te bem.

Pecos compreendeu que agira mal, duvidando do que Solimar lhe dissera. Agora percebia que tudo fora verdade!

Seu filho! Então aquele nobre e belo rapaz era seu filho! Com um sentimento de felicidade que nunca se lembrava haver sentido antes, abraçou o rapaz, beijando-lhe a larga fronte.

As palavras fugiram-lhe, tal a comoção de que se encontrava possuído.

Passados os primeiros instantes, Pecos fez com que Pitar se deitasse novamente e sentou-se por sua vez à beira do leito. Queria saber seu passado, o mistério que ele ainda representava em sua memória. Estava ávido.

A bela mulher que vira e que tanto o emocionara

há tantos anos, era sua esposa! Certamente amava-o! Recordava-se de que a visão do seu rosto o acompanhara desde aquele instante e muitas vezes desejara tornar a vê-la.

Pitar, feliz, contava ao pai tudo quanto ele desejava saber.

O sofrimento de sua mãe durante aqueles anos, a abnegação do tio, a tragédia de sua vida. Principalmente, como não podia deixar de ser, seu romance com Sinat. Por fim, disse alegremente:

— Antegozo a alegria dos nossos, quando regressarmos.

Estas palavras sobressaltaram Pecos, que respondeu:

— Agora desejo mais do que nunca regressar, mas sou um prisioneiro. Não sei se poderei sair daqui assim com facilidade e acompanhar-te.

— Havemos de conseguir isso. Agora que te encontrei, não mais nos separaremos. Receio perder-te novamente. Omar é mau. Teu regresso forçosamente lhe trará complicações. Fará tudo para impedi-lo. Mas agora que estamos juntos, haveremos de nos vingar de tudo quanto nos fez sofrer.

— Meu filho. Sinto-me revoltado com o procedimento do homem que aqui me trouxe sabendo a verdade, mas a vida me ensinou que não devemos odiar. A suprema vingança será a de mostrar-lhe que se os homens como ele desejam traçar o destino conforme lhes convenha, aos imortais cabe mostrar-lhes quão pequena é sua força, inutilizando-lhes as ações. Agora, após tantos anos de dúvidas, angústias e sofrimentos, meu maior desejo é o de viver sossegado, em ambiente de carinho e paz.

Admirado, Pitar fitou o semblante cansado de seu querido pai.

Muito tempo conversaram. A noite desceu. Pai e filho, imersos na profunda ventura do reencontro e da compreensão, pareceram nem notar que o tempo inexorável caminhava, traçando em seu roteiro o destino das criaturas.

CAPÍTULO XXVII

A morte de Otias

Na casa de Jasar, tudo decorria normalmente. Nalim, amargurada entre as saudades do filho que já se demorava e as recordações do esposo, vivia triste.

Isto fez com que os laços de amizade que a uniam ao resto da família, principalmente a Solimar, se estreitassem.

Esta dividia seu tempo entre Otias e Nalim, sendo mesmo o elo de tolerância e simpatia que começara a unir as duas cunhadas.

Jasar compreendia o bem que a presença serena de Solimar trouxera àquela casa. Mas dificilmente podia trocar duas palavras a sós com a mulher que adorava. Solimar evitava-lhe a companhia, desejosa de mostrar indiferença a fim de poupar inúteis sofrimentos a Otias.

Sabia que esta era ciumenta e adorava o marido. Depois, por que haveria de palestrar com ele a sós? Adorava fazê-lo, mas não seria ainda mais incentivar uma afeição proibida?

As coisas seguiam seu curso normal, mas todos notavam que Otias estava cada dia mais abatida e seu estado, mais delicado.

Certa manhã, ela acordou com mais febre que o usual. Jasar, ao visitá-la, entristeceu-se e proibiu que a retirassem do aposento. Deu-lhe ainda mais alguns medicamentos.

Condoídas pela situação, as mulheres da casa reuniram-se ao redor do seu leito, pretendendo demonstrar sua solidariedade e estima. Ficaram a seu lado durante todo o dia, jamais deixando-a só.

Jasar, prevendo que o fim não se faria esperar,

não saiu do aposento, atendendo-a sempre que necessário.

A noite chegara. Otias caíra em grande abatimento e o coma se aprofundava. Seu fraco e cansado coração descompassava-se, falhando a cada instante.

De repente abriu os olhos. Viu à sua volta e reconheceu os que a cercavam. Um clarão de prazer transpareceu, e ela fechou-os de novo. Pensava confusamente:

— "Eles preocuparam-se por mim. Estimam-me. Estou pior. Será o fim? Tenho medo. O que se ocultará através da morte?"

Mas notou em certo momento, que alguém se aproximava do leito. Era seu querido pai! Assustada, fixou-o.

Ele lhe disse:

— Filha, regozija-te. Soou a hora de tua libertação. Vim buscar-te!

Otias, angustiada, pensou em Jasar e um pensamento de ciúme ocorreu-lhe com rapidez.

O espírito do velho Osiat, olhando-a triste, continuou:

— Não sejas egoísta. Pensa que recebeste em demasia a generosidade daqueles a quem pretendeste ferir. Vim para levar-te a um lugar de repouso, paz, onde estarás livre! Poderás conversar, rir, cantar, seres enfim como antes, ou melhor, mais leve, mais feliz! Se teimares em agarrar-te às coisas que te cercam, sofrerás muito mais o momento que é inevitável.

Vendo que ela concordava, triste, procurando ser corajosa, Osiat sorrindo continuou:

— Tenho uma surpresa para ti. Não vim só. Alguém espera ansiosamente para abraçar-te e conduzir-te ao novo destino!

— Quem? — perguntou o pensamento de Otias.

— Olha e verás! — respondeu-lhe Osiat.

Ela viu caminhando para ela a figura amorosa de sua mãe.

Otias não pôde sufocar a emoção. As lágrimas copiosas deslizavam por suas descoradas faces.

Apesar de aparentar dormir, todos os que velavam notaram essas lágrimas e por sua vez penalizados, julgando que ela sofria, sentiam os olhos molhados e o peito opresso.

Mas Otias era feliz. Sentia a mão macia e fresca de sua mãe acariciar-lhe a testa, os cabelos. A emoção era sem par naquele instante.

Num relance, viu todas as suas passadas ações e um sentimento vivo de vergonha e arrependimento frente ao espírito de sua bondosa mãe a envolveu.

— Filha — murmurou suavemente o espírito daquela bela mulher — nada receies. O Senhor te protegerá. Nós estamos aqui. Entrega-te sem receio ao sono que aliviará teus sofrimentos. Quando acordares, estarás ao nosso lado, livre e feliz!

Nesse instante, Otias sentiu aumentar a emoção. Acabava de vislumbrar à beira do leito, a figura adorada de seu querido filho. Este lhe sorria amorosamente, e estendendo-lhe os pequeninos braços, murmurou docemente:

— Vem...

Num supremo esforço, sentindo que algo se rasgava em todo o seu ser, Otias gritou desesperada:

— Filho, perdão! Leva-me contigo!

Um grito conjunto de terror escapou do peito das mulheres que velavam. Otias falara! Seu grito rouco, gutural mesmo, fora perfeitamente compreensível. Falara e estendera, como que movida por estranha força, os braços para o alto, suplicante, depois deixou-os cair. Seu corpo estertorou. Estava morta!

As três mulheres deixaram que as lágrimas rolassem, comovidas com o acontecimento.

Jasar, mais prático, acercou-se do leito, tentando verificar se ainda naquele corpo inerte existia um sopro de vida.

Um triste suspiro escapou-lhe do peito bondoso.

Ele não a amara jamais como mulher, mas sua afeição por aquela que lhe partilhara a infância feliz, unida a ele pelos laços de família e ainda mais por seu longo e penoso sofrimento durante aquela triste enfermidade, haviam estabelecido em seu coração uma terna amizade que uma compreensão profunda da vida consolidara.

Triste, sentou-se perto do leito e seu pensamento formulou fervorosa oração, pedindo aos seres do além receberem aquela alma sofredora.

Ela gritara pelo filho. Ele ali estivera com certeza. Jasar tinha esta profunda convicção. Somente sua presença adorada teria sido capaz de produzir em Otias a reação tão extraordinária que vencera a imobilidade do corpo, arrancando-lhe aquele miraculoso grito de súplica e amor.

Se Matur estivesse presente, que soubesse perdoar e recebesse o espírito daquela que, apesar de suas imperfeições, o amara e sofrera tanto tempo o acidente que lhe roubara a vida!

Jasar sentia que havia cumprido sua tarefa. Tudo fizera para amparar e esclarecer aquela que fora sua esposa, na convicção de que este era o dever que a vida lhe impusera.

Não sabia ao certo se Otias aproveitara bem tudo quanto pretendera ensinar-lhe com carinhoso exemplo, mas pelo menos tinha a certeza, principalmente após o regresso de Solimar, de que ela se transformara um pouco e que talvez tivesse conseguido avançar na senda do progresso espiritual.

Enquanto Jasar, comovido, orava, as mulheres deixavam-se arrastar por pensamentos diferentes.

Solimar, penalizada, tendo aos ouvidos o último grito de Otias, sentia que ela talvez repousasse livre e feliz. Suas últimas palavras demonstravam claramente seu arrependimento e sua humildade. Implorava perdão e carinho daquele filho que amava. Nestas disposições, certamente seria bem amparada no mundo espiritual.

Nalim, nervosa e emocionada como estava nos últimos tempos em virtude dos seus próprios problemas, comoveu-se realmente com o estado a que se reduzira a mulher que na sua mocidade odiara. Há muito esse ódio se havia apagado. Fora-lhe impossível odiar uma mulher que se reduzira a uma sombra.

Durante muitos anos, sua presença fora-lhe indiferente, mas nos últimos meses talvez devido à modificação por que passara, sentira despertar em seu coração, sincera piedade. Agora, frente aos restos daquele corpo que fora jovem e belo, sentiu grande compaixão. Diante daquele quadro, Nalim, talvez pela primeira vez em sua vida, percebeu que tudo é efêmero na Terra.

Frente à força misteriosa que paralisa os corpos outrora alegres, cheios de sonhos e desejos, transformando-os em ossos rijos de macilentas carnes que caminham inexoravelmente para a putrefação.

Frente à morte que nivela as criaturas, Nalim pensava como Solimar era feliz em compreender e levar a sério a espiritualidade.

Ela também um dia partiria para o desconhecido! Ao pensar nisso, um arrepio de pavor gelou-lhe o corpo. Então, o que seria feito de seus sonhos de amor, de sua nobre condição social, de seus problemas, suas ambições e aspirações?

Teria sido tudo inútil? Quando ela já houvesse partido, quem se lembraria dela, pobre criatura destruída pela voragem do tempo e pela inutilidade de sua existência?

Sinat, coração piedoso, sentia que aquela fora uma graça alcançada pela bondade dos imortais. Jasar poderia enfim repousar depois de tantos anos de sofrimentos e lutas. Pedia em oração, com toda a fé do seu coração amoroso, fossem ambos amparados pelos deuses.

Deixemos correr o tempo e com ele as cerimônias solenes da mumificação de Otias e das exéquias. Algumas semanas são passadas.

Decorridos os primeiros dias de tristeza, a harmonia e a paz voltaram a reinar no ambiente. Apesar da falta que a ausência de Otias despertava em Solimar e Jasar, a casa tornara-se mais arejada e alegre sem o quadro mudo que a presença de Otias representava.

Jasar, apesar de agora livre para entregar-se ao amor de Solimar, nada falara com ela a esse respeito.

Queria deixar passar o tempo, não por falsa demonstração de sentimento com a morte da esposa, mas porque sentia que a presença de Otias ainda era muito viva entre eles e também porque desejava respeitar o seu passamento.

Sabia que Solimar compreendia e aprovava seu procedimento. Nada se modificara entre eles aparentemente.

Ela evitara-lhe um pouco a presença a princípio, mas ao notar sua reserva delicada e serena, compreendera-lhe a nobre atitude, passando assim a conversar livremente com ele quando as oportunidades apareciam.

Enquanto o corpo físico que pertencera a Otias seguia seu curso inevitável de transformação, aprontando-se suas células para generosamente construir novos corpos no futuro, o que restava de Otias, seu ser eterno, inteligente, munido somente agora do corpo espiritual, repousara durante muito tempo.

Ao tomar consciência, ao acordar, fitou espantada o local estranho onde se encontrava. Era um belo lugar. Deitada em simples e alvo leito, respirava muito melhor.

Subitamente, angustiada pela recordação da emocionante cena da presença do filho, percorreu com o olhar o pequeno quarto onde se encontrava. Admirada, notou que sua mãe aproximava-se do leito. Receosa de indagar, aguardou que ela falasse.

Passando-lhe a mão amorosamente pelos cabelos, ela falou-lhe com doçura:

— Filha, finalmente despertas. Creio que estás agora muito melhor.

Vendo que Otias não respondia, mantendo a imobilidade a que se habituara na Terra, continuou com prazer:

— Se fizeres um pequeno esforço, poderás levantar e caminhar como dantes. Terminaram teus sofrimentos. Estás curada!

Surpreendida, Otias realizou enorme esforço para falar, mas não conseguiu. Tentou mover-se, mas ainda seus membros pesavam como chumbo.

Vendo-lhe os esforços inúteis, sua mãe sorriu bondosamente, explicando:

— Ainda conservas muitos fluidos densos de teu corpo doentio, mas com mais um pouco de tratamento, ficarás boa.

Vendo que Otias perguntava em pensamento o que lhe acontecera, pois percebia algo de diferente naquela situação, respondeu atenciosa:

— Deixaste a Terra. Agora terás tempo de te refazeres, gozar de serenidade e paz.

Otias sentiu que estava diante de algo extraordinário, mas, ao mesmo tempo, parecia-lhe ver repetir-se com naturalidade uma cena comum de sua vida.

Como poderia ser isso? Teria mesmo morrido? Mas como poderia ainda sentir, pensar, ser ainda uma doente se seu corpo deixara de existir?

Calmamente, compreendendo o que se passava no pensamento daquela que fora sua filha na carne e o continuava sendo pelo coração, Aristat explicou-lhe pacientemente as leis que regem os destinos dos seres.

Vendo mais uma vez repetidas diante de si as palavras sábias de Jasar e Solimar, entendeu a verdade. Assustada, pensou: teria ela então que continuar por toda a eternidade naquela triste condição de inválida?

Sua mãe, entendendo-lhe o pensamento angustiado, respondeu:

— Não, minha filha. A bondade divina auxilia e perdoa. Educa-nos através dos sofrimentos, porque dele necessitamos para compreender a diferença entre o bem e o mal. Uma vez aprendida a lição, tudo passará. Serás submetida a um tratamento e conseguirás ir melhorando aos poucos até te libertares totalmente da situação em que te encontras. Devo dizer-te que nesta existência sofreste, porque esquecida da tarefa pré-combinada antes de tua encarnação no mundo terrestre, te deixaste arrastar novamente no círculo das paixões, continuando a perseguir aquela bondosa criatura que somente desejava ajudar-te. Vens atravessando inúmeras existências, alimentando esta ingratidão para com Solimar, que tem sempre sido bondosa e paciente contigo. Ela tem sabido cumprir sua incumbência na Terra nesta e em outras existências. Já pagou há muito a dívida contraída contigo no passado, mas tu não soubeste compreender e perdoar. Guardavas no íntimo aquele ódio. Nesta última existência, colocadas novamente frente a frente pela vida como rivais, não soubeste reprimir tua revolta e buscaste aniquilá-la. Toda essa força voltou-se contra ti, porque ela estava espiritualmente protegida pela sua maneira elevada de pensar. Não era atingível.

Aristat fez ligeira pausa, depois continuou:

— Triste seria agora tua situação se para cá tivesses voltado conservando em teu coração o ódio e a revolta. Felizmente, mais uma vez graças a Jasar e Solimar, soubeste compreender os erros e as injustiças que havias cometido e agora, tenho a certeza, estás no caminho seguro da redenção e da cura completa. Quando este tempo chegar, depois de retemperares as forças, voltarás a Terra para continuar na caminhada rumo ao progresso espiritual.

Otias ouvira tudo, humilde. Embora não pudesse recordar-se das vidas que vivera anteriormente na Terra, não duvidava do que sua mãe lhe dizia, pois no íntimo sentia a verdade de suas palavras.

— No futuro, quando te libertares dos densos fluidos que te prendem à Terra, irás lembrando algumas das últimas experiências do passado.

Otias, mais aliviada e feliz, sentindo que sua libertação viria e com ela a felicidade, em pensamento formulou comovido agradecimento à Divindade. Sentiu em seguida que um agradável calor invadia seu corpo aparentemente rijo e imóvel.

Uma sensação de bem-estar como há muito não sentia, penetrou-lhe o ser. Vencida por agradável sonolência, adormeceu suavemente.

O espírito de Aristat esboçou um sorriso de prazer e, comovida, levantou ao alto seu pensamento, agradecendo a Deus a melhora que se esboçava no espírito de Otias.

CAPÍTULO XXVIII

Solimar, o anjo bom

Voltamos agora à Terra para encontrar a casa de Jasar seis meses após a morte de Otias. A noite descera e com ela, a magia sem igual do luar prateado de Tebas.

No salão, conversavam animadamente as pessoas da casa. Jasar perdera um pouco da tristeza característica de seu olhar onde agora um brilho suave se refletia.

Solimar era a mesma de sempre. Mas Nalim e Sinat não podiam ocultar a saudade que lhes ia na alma. Sofriam a prolongada ausência de Pitar.

Constantemente falavam a seu respeito. Nalim, preocupada, dizia:

— Temo que algo lhe tenha sucedido. Depois das mágoas passadas com Pecos tão tragicamente desaparecido, não poderei estar em paz até vê-lo novamente em meus braços.

— Acalma-te, Nalim — confortou Jasar com meiguice — as coisas não se repetirão. A trama que atingiu meu irmão foi lhe urdida por inimigos ocultos e poderosos, mas Pitar não os possui. Sabias que ele se demoraria. Não há motivos para preocupações. Certamente, dentro em breve estará conosco.

— Oh! Se eu pudesse possuir a tua serenidade! Entretanto, tenho passado noites insones. Quando consigo adormecer um pouco, terríveis pesadelos tomam conta de mim, fazendo-me acordar nervosa e preocupada.

— Tenho notado que de algum tempo a esta parte tens emagrecido. Tua palidez não é bom sinal. Vou preparar-te uma poção e deverá tomá-la com presteza. Precisas dominar a crise nervosa que te ameaça subjugar o espírito.

Juntando a ação às palavras, Jasar saiu para fazer o que dissera. As três mulheres continuaram a conversar.

Súbito, um rumor desusado se ouviu vindo do lado de fora.

— Quem será? — perguntou Nalim entre inquieta e esperançosa.

Eram cascos de animais. O ruído cessara e passos se faziam ouvir no pátio externo.

As três, movidas por um pensamento único, correram para lá. Não se enganavam. Enfim, Pitar regressava!

Entre lágrimas, Nalim abraçou o filho, percebendo que ele se modificara um pouco durante a prolongada ausência. Partira um rapaz e regressara um homem! Havia qualquer coisa nele, uma nova determinação em seus gestos, que a fez compreender isso.

Depois de abraçar a mãe com carinho e também Solimar, seus olhos encontraram os de Sinat que, emocionada, esperava tímida, receosa, seu abraço.

Seu coração, embora exultante pelo regresso do homem amado, temia que o tempo e a distância tivessem apagado a afeição que dissera sentir por ela.

A maneira pela qual ele a olhou, porém, acelerou o ritmo do seu coração. O abraço apertado e o beijo ardente que depositou disfarçadamente em seus cabelos, demonstraram-lhe que ele ainda a amava.

Entre risos e alegria, penetraram na habitação.

Jasar, atraído pelo ruído, juntara-se a eles, alegre. Subitamente, Nalim perguntou curiosa:

— Mas por que regressaste hoje? Ainda ontem mandei indagar no forte e nos disseram que ainda te demorarias.

Fazendo-se sério, como que escolhendo as palavras, Pitar respondeu:

— Tens razão. Ignoravam no forte que eu deveria regressar hoje. Eu não vim com meu regimento. Motivos especiais e muito fortes obrigaram-me a retornar ao lar. Pedi uma licença especial.

— Acaso estarás doente? -- volveu Nalim aflita.

— Não, minha mãe. Minha saúde é excelente. A saudade é que me castigava, mas se abandonei o posto de soldado, foi porque necessitava defender outro muito mais importante e nobre: o de filho!

Intrigados pelas palavras misteriosas do rapaz, olhavam-no surpreendidos. Nalim pediu-lhe que narrasse tudo com clareza e detalhes.

Antes, Pitar pediu-lhes que se sentassem e, sentando-se por sua vez, começou dizendo:

— Não te preocupes, querida mãe. As notícias que trago são boas. Apronta-te para uma grande e alegre surpresa!

Trêmula, Nalim, com os olhos cravados no rosto do filho, aguardava.

— Sim. Trago notícias de meu pai!

Nalim sentiu que suas pernas tremiam enquanto uma sensação de vertigem a dominava. Indagou num sussurro:

— Ele vive? Conta-me tudo, peço-te!

Notando a grande emoção de sua mãe, Pitar correu para ela, abraçou-a dizendo:

— Acalma-te. Já disse que as notícias são boas. Procura dominar tua emoção, senão não poderei continuar.

Jasar apressou-se em obrigá-la a ingerir a beberagem que lhe trouxera momentos antes.

Vendo-a mais calma, pediu a Pitar que continuasse:

— Está bem — concordou ele.

E passou a narrar tudo quanto lhe acontecera durante a viagem, como travara conhecimento com o escravo, chegando por fim a descobrir-lhe a identidade.

As lágrimas rolavam pelas faces de Nalim. Compreendeu naquele instante solene de sua vida que ninguém desafia impunemente as leis da natureza, que confere a cada homem ao nascer, o direito de viver em liberdade. Pecos pagara alto preço para aprender isso. Lembrou-se num relance do muito que odiara Pecos no passado, por ele ter-lhe roubado a liberdade. Arrependia-se amargamente disso, compreendendo que cada um recebe da própria vida o resultado de seus atos.

Pitar continuava:

— Desde esse instante, foi-nos difícil permanecer separados. Eu queria contar a todos a grande descoberta e regressar imediatamente em sua companhia. Ele, porém, temeroso de que algo lhe acontecesse, pois sabia que Omar tentaria impedir por todas as maneiras seu regresso, pediu-me para continuar ocultando sua identidade até concatenarmos um plano mais razoável. Acedi contrariado, mas compreendi que ele tinha razão. Doía-me vê-lo na triste condição de escravo, sabendo ser ele meu querido pai, herói do passado, merecedor de respeito e amizade!

Pitar parou por alguns instantes, depois continuou:

— Por fim, traçamos um plano de ação. Ele deveria fugir, ajudado por mim. Eu pediria licença, e ambos chegaríamos incógnitos até aqui. Assim, evitaríamos o perigo de Omar interferir e, uma vez aqui, combinaríamos a melhor maneira de proceder. No dia combinado, proporcionei-lhe os meios de fuga, que passou despercebida a meus companheiros, pois quem conferiu a presença dos presos ao recolherem-se nesse dia, fui eu. No dia seguinte, cedo parti em gozo da licença a custo conseguida e encontramo-nos em um lugar distante do acampamento. A viagem foi longa e penosa, mas felizmente conseguimos chegar.

Nalim levantou-se de um salto.

— Queres dizer que ele veio contigo? Que está em Tebas?

— Sim, minha mãe. Não só está em Tebas, como bem próximo daqui!

— Oh! — gritou Nalim — dize onde! Anseio por revê-lo, abraçá-lo! Por que não o fizeste entrar logo?

— Receava o choque que sua presença inesperada pudesse causar. Desejei preparar-vos para recebê-lo. Antes devo dizer-te que ele não recobrou a memória. Algumas vezes, parece que se recorda de alguma coisa, mas ainda se debate nesse angustioso problema. É preciso ter calma, pois que ele a princípio talvez nem te reconheça.

— Não importa. Quero vê-lo. Meu amor apagará do seu espírito os sofrimentos do presente, reavivando o passado venturoso que vivemos juntos.

— Creio que tens razão. Ninguém mais do que ele necessita de amparo, carinho e dedicação. Vou conduzir-te até onde ele se encontra.

— Irei contigo — murmurou Jasar, ansioso por abraçar seu querido irmão.

— Nós aguardaremos aqui — esclareceu Solimar, discreta.

Sinat assentiu. Pitar saiu conduzindo sua mãe e o tio para os jardins. Parou à certa altura, dizendo:

— Ele está lá, naquele caramanchão. É melhor que eu fique aqui por enquanto. Assim conversarão mais livremente. Depois aparecerei.

Nalim, sentindo que as pernas fraquejavam, apoiou-se em Jasar para poder caminhar.

Sim. Pecos estava lá! Seu coração, imerso em dúvidas e temores, era invadido sucessivamente pela alegria e pela tristeza.

Sentia-se bem naquele jardim onde cada recanto lhe parecia agradavelmente familiar. Mas e sua família, como o receberia? Aquela bela mulher que sabia sua esposa, depois de tantos anos, amá-lo-ia ainda? Seu regresso em circunstâncias tão inesperadas e singulares não seria para ela motivo de desagrado?

Seu coração palpitava violentamente a cada ruído vindo de fora.

A descoberta de um filho generoso, belo e honrado, fora para ele uma grande alegria a qual se apegara, dando forças à espontânea simpatia que os unira desde o primeiro encontro. Amava-o com sinceridade, mas e seu lar agora desconhecido, sua esposa, o que significaria para ele no futuro?

Estava inquieto, nervoso. A expectativa era difícil de suportar. Por fim, ergueu-se. Ouvira passos que se aproximavam. Não teve coragem para sair ao encontro dos que chegavam. Trêmulo, aguardou.

Logo um casal se aproximou, penetrando no caramanchão.

A noite era clara como somente as noites daquelas paragens podem ser.

Sentindo a garganta seca, a testa ardente, Pecos aguardava, olhos fixos nos que chegavam.

Desvencilhando-se dos braços de Jasar, Nalim, pálida, trêmula, aproximou-se lentamente dele.

Era ele! Estava algo diferente, mais velho, mais queimado pelo sol ardente, amadurecido pelos anos de sofrimento que atravessara, mas era ele. Ela o reconheceria sempre de qualquer maneira!

Parou bem próxima a ele, e seus olhos se encontraram.

Com o rosto transfigurado pelo esforço e dominado por incontida emoção, Pecos esqueceu tudo quanto o cercava.

Reconhecia aquele rosto! Amava-o! Sedento de carinho e compreensão, sem poder pronunciar palavra, abraçou-a fortemente com ternura.

Ela soluçava sem poder conter tanta emoção.

Permaneceram assim enlaçados, mudos, temerosos de que algo viesse quebrar o encantamento do momento. Vendo que no olhar dele havia saudade e amor, ela finalmente perguntou:

— Reconheces-me então?

— Sim. Sei que foste a mulher de minha vida. Sinto que era por ti que eu ansiava quando, perdido nas sombras, evocava na imaginação um vulto querido que parecia sempre fugir-me! Mas quanto aos detalhes, não me recordo, por mais que me esforce.

Notando a nota de amarga tristeza que havia na voz do marido, Nalim abraçou-o, dizendo com carinhoso aceno:

— Não te preocupes. Recordando o grande amor que nos uniu sempre, a tal ponto de vencer as sombras que te circundam, deste-me a maior das alegrias. O que importa é que de novo estás ao nosso lado. Deixa que o passado permaneça esquecido. Basta que o nosso amor exista para que possamos voltar a ser felizes. Meu carinho forçosamente fará com que te sintas venturoso. Tudo farei para suavizar-te a recordação amarga dos sofrimentos passados.

Pecos parecia sonhar. Seu coração palpitava feliz. Aquela mulher de exuberante beleza ainda o amava!

Aquela que ele sentia despertar em seu ser emoções fortes e um ardor há muito esquecido, era sua companheira e o havia esperado sempre, permanecendo fiel, embora acreditando-o morto!

Só então Jasar, sinceramente emocionado pela cena tocante que presenciara, aproximou-se do irmão para abraçá-lo. Este não o havia visto bem, pois só tinha olhos para a esposa.

Jasar tocou-lhe levemente no braço dizendo em tom alegre para disfarçar a emoção de sua voz:

— Até que enfim retornas, meu irmão. Abraça-me como o fazias sempre que regressavas.

Pecos fixou indeciso o semblante simpático de seu irmão. Percebeu que seu rosto lhe era extraordinariamente familiar. Sentiu-se também a ele ligado por laços de extrema simpatia.

Foi com prazer e alívio que o abraçou. Prazer pela amável acolhida, alívio porque temera os embaraços que sua falta de memória pudesse trazer.

Desarmado pela acolhida singela e amorosa que lhe haviam feito, Pecos sentiu-se bem e à vontade como há muito não se sentia.

Os dois irmãos trocaram algumas palavras de afeto e compreensão.

Nalim, novamente abraçada ao marido, disse-lhe alegre e feliz:

— Vamos para nossa casa. Há muito que ela era para mim motivo de tristeza e saudade. Agora será apenas de alegria e paz. Oh! Jamais esperava ser tão feliz!

Pecos abraçou-a com ternura, sem encontrar palavras para exprimir o que sentia. Sofrera tantos anos de solidão, tristezas e incertezas que agora ao encontrar um lar, um filho, uma amada esposa e um irmão amigo, valorizava o que perdera todo aquele tempo. Seu coração exultava, porque a presença daquela mulher lhe tocava as mais sensíveis fibras do coração.

Abraçados, os três tomaram o caminho da casa.

Pitar, não querendo ser indiscreto, deixou que sua mãe e tio se encontrassem a sós com seu pai. Aproveitou para sair a procura de Sinat. Sabendo que ela estava ainda em companhia de Solimar, mandou um escravo chamá-la. Desejava falar-lhe a sós no jardim.

Com o coração palpitante, Sinat acedeu em seguida, depois de trocar um olhar radiante com Solimar que, compreensiva, sorriu feliz, e saiu em busca do local marcado.

Lá chegando, não viu o rapaz. Olhou em volta, mas de repente sentiu que dois braços fortes a enlaçavam enquanto que um riso alegre enchia o ar.

Com um pequeno grito de susto, Sinat deixou-se abraçar feliz, reconhecendo seu jovem namorado.

A longa separação reavivara nele a afeição que sentira pela moça. Agora que seu pai regressara, todos seriam felizes.

Passados os primeiros arroubos de carinho, Pitar deixou esclarecido que pretendia casar-se o mais breve possível.

Seu amor exuberante não mais podia esperar.

Receosa, Sinat temia a desaprovação da mãe de Pitar e agora também do pai, que ainda não vira.

O rapaz, sorrindo feliz, esclareceu:

— Meu pai tem sofrido muito. Não creio que ainda guarde reservas sobre classes sociais. Ele já sabe de tudo e sente-se feliz com minha ventura. Minha mãe te estima sinceramente, não se oporá ao enlace.

— Mas e a corte? — perguntou Sinat, indecisa.

— A opinião da corte é-me indiferente. Estou desiludido da justiça dos nobres e mesmo dos militares. O que fizera com meu pai, mostrou-me de que espécie de gente ela se compõe. Penso mesmo em retirar-me da vida militar. Poderei dedicar-me à administração de nossas terras como sempre desejou minha mãe.

Sinat, feliz, mas ainda temerosa, pediu-lhe que esperasse mais algum tempo.

Ele, porém, tomou súbita decisão. Tomando a moça pelo braço, conduziu-a de volta à casa.

Pecos estava lá, entre Jasar e Solimar, que revira com prazer.

Nalim procurava cercá-lo de atenções e carinho, que o sensibilizavam profundamente.

Mais uma vez, Pecos narrou tudo quanto se recordava ter-lhe sucedido, arrancando exclamações veementes de Nalim contra Omar.

Quando ele terminou, ela perguntou raivosa:

— Certamente agora vais organizar um plano para consumar tua vingança! Tens que arrasá-lo completamente!

Jasar olhou para a cunhada com expressão de tristeza. Pecos, porém, respondeu-lhe calmo.

— Não. Não penso em vinganças. No momento, sou apenas grato aos imortais pela felicidade que hoje desfruto. Pretendo continuar a desfrutá-la. Uma vingança tingiria com o fel do ódio os dias de calma ventura que nos restam.

Surpreendido, Jasar mais uma vez compreendeu que somente o sofrimento modela as almas, educando-as em harmonia com a vontade de Deus.

Pecos sofrera, mas esse sofrimento não havia

sido inútil. Seu espírito sensibilizara-se e aprendera por fim a inutilidade do ódio e da vingança.

Nalim, surpresa, retrucou:

— Então não irás denunciá-lo ao Faraó? Depois de tudo quanto nos fez?

Com um gesto evasivo, Pecos murmurou:

— Não me recordo de como as coisas se passaram desde o princípio. Mas, embora ele me tivesse enganado e conduzido à escravidão, compreendi que talvez ele tenha sido apenas um instrumento do meu destino. Soube por meu filho e também mo havia contado Solimar que no passado eu escravizava os homens empreendendo verdadeiras caçadas humanas! Segundo sei, tu podes verdadeiramente testemunhar a este respeito. Fazia-o talvez sem medir as conseqüências do ato que praticava, mas isso não diminuía os males que tal gesto causava. Justo, pois, que tivesse sofrido o castigo da escravidão. Assim pude compreender que o homem sente, pensa, sofre, chora, vibra, embora seja escravo. Tem personalidade e direitos, como a uma vida calma e feliz. Como culpar a outrem pelo justo castigo que os céus me mandaram? Apesar das sombras em que vivia imerso, minhas noites eram povoadas de sonhos estranhos. Lembro-me que costumava ter um pesadelo terrível. Estava em uma gruta, cercado por alguns homens que me acusavam incessantemente. Via-os e meu corpo se cobria de um suor frio. Eles culpavam-me pela desgraça de suas vidas. Outras vezes, era um rosto de mulher, o teu talvez, que me acusava inexorável e terrivelmente. Desses pesadelos despertava nervoso e amargurado. Agora compreendo que talvez eles representassem pedaços do meu passado, como a recordar-me que, apesar de tudo, se eu sofria, deveria merecer o sofrimento!

Pecos calou-se. Nalim, arrependida por haver reavivado com suas palavras os sofrimentos de Pecos, respondeu desejosa de torcer o assunto:

— Tens razão. Falemos agora de coisas mais alegres. Pitar, por exemplo!

Enquanto eles conversavam alegres sobre o filho, Jasar pensava na modificação operada em seu irmão.

Quanta sabedoria havia em suas palavras sinceras e tristes! Sentiu que pela primeira vez em sua vida, orgulhava-se dele!

Amara-o sempre, porém, seu caráter irrefletido e orgulhoso fora-lhe motivo de grande preocupação. Era o mais moço dos dois, mas apesar de sempre respeitá-lo como mais velho, acatando suas determinações, sentira sempre no íntimo, como um pressentimento vago, que ele pagaria pesado tributo pelas enganosas vitórias que a vida social lhe proporcionara a custo de suas irreflexões e egoísmo.

Agora seu coração estava em paz. Recordava-se das palavras sábias que lhe dirigira o espírito de Silas em sua última mensagem.

Sabia, sentia que agora a vida lhes concederia uma trégua para reflexões. Que viria uma temporada de paz, ventura, alegria.

Seu coração, com as últimas palavras do irmão, ficara em paz.

A palestra estava nesse pé quando Pitar entrou na sala, abraçado a Sinat que, ruborizada, procurava desvencilhar-se.

Jasar sorriu compreensivo. Solimar também. Pelo olhar de Pecos luziu uma chama de emoção indefinível.

Eles compreendiam o momento da vida dos dois jovens.

Nalim olhou-os surpreendida. Vira-os muitas vezes juntos, mas jamais como naquela noite.

Compreendeu em um rápido instante o romance. Irritou-se por não o haver percebido há mais tempo. Pelo que observava, todos pareciam estar a par daquele idílio, menos ela! Ferida pelo ciúme, olhou Sinat como uma rival perigosa que lhe quisesse roubar o filho querido.

Vendo que a mãe não recebera bem sua entrada

na sala, Pitar, dirigindo-se a ela, falou com meiguice:

— Sei que teu coração adivinha o que preciso dizer-te. Amo Sinat com sinceridade e ternura. Sei que também a amas, por isso, acredito que aprovarás e serás feliz em abençoar nossa união.

Nalim não sabia o que dizer. A surpresa, a angústia de partilhar com outra o amor do filho a quem naqueles anos de solidão tanto se apegara, tornou-a indiferente às emoções de Sinat e mesmo do filho querido.

Egoísta por índole, seu amor também o era, portanto só sabia ver sua vaidade ferida em ser a última a saber do que se passava em sua própria casa.

Foi com amargura e certo rancor que respondeu:

— Já decidiste teu futuro sem sequer me consultar. Portanto, minha aprovação e bênção se tornam desnecessárias. És homem, faze o que quiseres.

Sinat fez-se pálida de repente. Era evidente que Nalim desaprovava tal união.

Decepcionada, temendo que as lágrimas rolassem incontroláveis de seus lindos olhos, desvencilhando-se finalmente de Pitar, correu, refugiando-se em seus aposentos.

Pitar, percebendo o que se passava com a mulher que amava, chamou-a repetidas vezes, mas em vão.

Consternado, voltou-se para sua mãe. Percebia-se facilmente em seu semblante a mágoa que seu procedimento lhe causava.

Ia dizer algo, talvez reprovar sua maneira de agir, mas Solimar habilmente tomando Nalim pelo braço, disse-lhe com firmeza:

— Vem comigo, preciso falar-te.

Calada, conduziu-a para o jardim. Escolhendo um sítio calmo, fê-la sentar-se em um banco de pedra.

— Tu também sabias! — murmurou Nalim, amuada.

— Sim. Desde que aqui cheguei. Soube-o mesmo antes de teu filho!

— Não sei como Sinat pôde ser tão hipócrita. Jamais desconfiei!

— Não sejas impetuosa, Nalim. Creio que devo ser franca contigo. Nossa amizade me autoriza a falar-te assim. Sabes que o faço, visando teu próprio bem.

Impressionada pela energia que marcava a figura sempre serena de Solimar, Nalim murmurou:

— Fala.

— Talvez, a verdade te magoe, mas ela far-te-á compreender melhor teu mundo interior e conseqüentemente, serás melhor para com os que te rodeiam. Percebo que estás magoada e com ciúmes de Pitar. Jamais pensaste na possibilidade dele amar e desejar construir seu próprio lar. Não pensaste em sua felicidade, nem no muito que Sinat representa para seus sonhos de ventura. Sentiste apenas que terás de partilhar seu afeto com outra mulher. Não percebeste que eles se amavam, porque te preocupavas com teus próprios problemas, vendo o mundo por um ângulo diferente. Foste injusta com Sinat, ferindo-a com tuas palavras duras e ainda a chamas de hipócrita! Se não estivesse tão voltada a teus próprios problemas, se não pensasses que o mundo gira somente em torno de ti, terias visto aquilo que todos notaram. Perdoa-me se te falo com crueza. Mereces tal atitude. O dia de hoje poderia ser um dos mais belos de tua vida. Pecos retornou. A quem o deves? À bondade dos imortais e ao interesse de Pitar. Este sentiu-se tão feliz com tua alegria, que desejou torná-la completa, anunciando sua grande ventura. Tu, no entanto, ao invés de retribuir-lhe a alegria, soubeste destruí-la de maneira cruel. Se pensas assim impedir que teu filho se case com a mulher que escolheu, conseguirás apenas criar entre tu e ele uma triste situação de mágoa. Se quiseres conservar intacto o amor de teu filho, consente de boa vontade no casamento. Faze mais, mostra-lhe que o estimas, recebendo com prazer essa excelente moça que ele escolheu.

Nalim ouvira tudo cabisbaixa e muda. Não se ofendera com as duras palavras de Solimar.

Esta possuía tal força moral sobre ela, que não conseguia zangar-se. Depois, reconhecia que tudo quanto ela dizia era verdade. Sabia que, para manter vivo o afeto do filho, precisaria aceitar seu casamento. Sentira isto quando ele a fitara há poucos instantes. Teimosa, ainda objetou:

— Mas Sinat é de origem humilde! Nós a recolhemos por caridade!

— Esperava que tocasses nesse ponto. Muitas vezes já conversamos sobre este assunto. Vejo que conservas as mesmas idéias. Gostaria que tivesses mudado. Entretanto, como não percebes a realidade? As posições de nobreza, de hierarquia social, foram criadas pelos homens. São manejadas pelos homens. Como a inventaram, servindo à vaidade de seus corações, podem transferi-la a seu bel-prazer. Tu mesma. Nasceste nobre. Foste escrava. Naquele tempo, nenhum nobre se atreveria a desposar-te. Fugiste. Reconquistaste a nobreza que tanto te faltava. A fatalidade envolveu tua vida, tornando-te criminosa perante tua pátria. Lá, nenhum homem de bem, de nobreza, se atreveria a desposar-te. Voltaste para cá, casada com um nobre e respeitado senhor. Mas aqui tua nobreza pouco tem aparentemente valido, porque eles olham-te como odiada estrangeira, inimiga do país. Durante todo este tempo, foste sempre a mesma. Vês a injustiça dos homens? Acaso deve-se tomar a sério os títulos nobiliárquicos que distribuem e retomam de acordo com suas conveniências? Não serão talvez mais valiosos os títulos de nobreza de caráter, do íntimo, das ações de cada um? Não serão estes títulos conquistados asperamente através da compreensão, do sofrimento, da mágoa e da renúncia? Uma vez conquistados, alguém poderá tirá-los? Nunca! Porque a nobreza da alma é a perfeição do Criador Universal que nela reside. Acaso não possui Sinat estes títulos do coração? Acaso não percebeste a nobreza de seus sentimentos?

Vencida, Nalim sentia que Solimar tinha razão.

Ela amara sempre Sinat como filha. Era bondosa, meiga e honesta.

— Com Sinat, estarás mais unida a teu filho. Casando-se ele com uma da corte, tal não se daria, pois que ela fatalmente não veria em ti senão a estrangeira, a filha de um país odiado e inimigo.

— Tens razão. Creio ter sido precipitada. Mas a surpresa e talvez um pouco de ciúme foram a causa. Mas agora não sei o que fazer. Esperarei que ele torne ao assunto.

— Não, Nalim. Hoje é um dia venturoso. Não consintas que dois corações que estimas não possam compartilhar da tua alegria. Vai, vai ao quarto de Sinat, que certamente chora desalentada. Leva-lhe o beijo da compreensão e do amor. Assim, verás restabelecida a alegria de teu filho.

Nalim permanecia ainda algo indecisa, mas Solimar soube convencê-la finalmente.

Foi procurar Sinat.

A jovem, olhos vermelhos, chorava convulsivamente. Penalizada, Nalim abraçou-a comovida, dizendo:

— Não chores, Sinat. Perdoa-me a atitude impensada. Fiquei zangada por não teres me confiado antes teu amor. Vim para dizer-te que desejo que sejas minha filha de verdade. Peço-te que cases com meu filho!

Sinat parecia não acreditar no que seus ouvidos ouvia. Quando, porém, Nalim repetiu suas palavras, a jovem, cedendo a um impulso de apaixonada gratidão, abraçou-a fortemente, beijando-lhe as faces com alegria.

Depois, afastou-se algo triste, murmurando num suspiro:

— Sabeis da minha humilde origem. Nada possuo, nem dote, nem nome para oferecer ao homem que se tornar meu esposo...

Nalim, sorrindo ainda, tendo no olhar uma expressão bondosa que tornava seu rosto ainda mais belo, respondeu:

— Nós te amamos. É o bastante. És indispensável à felicidade de meu filho. Possuis o mais belo dote que um homem pode desejar: a nobreza de sentimentos.

Sinat não pôde ocultar a emoção que lhe ia na alma.

Finalmente seu amor impossível tornar-se-ia realidade! Comovida, não conseguiu articular a palavra.

Nalim começou então com naturalidade e interesse a interrogá-la sobre o desenrolar daquele romance.

Com os olhos brilhantes, Sinat contou-lhe tudo em poucas palavras.

Por fim, Nalim, tomando Sinat pela mão, demonstrou desejo de levá-la, apesar da noite ir avançando, até o salão em busca de Pitar, a fim de restaurar a alegria geral.

Também estava ansiosa para estar a sós com o esposo, confiar-lhe suas saudades, ouvir-lhe palavras de amor e carinho.

Quando regressaram ao salão, os três homens conversavam. Solimar tecia um delicado bordado, a um canto do aposento.

Era evidente que conversavam sobre os últimos acontecimentos.

Ao verem entrar as duas mulheres, guardaram mudos, que elas falassem.

Pela fisionomia radiosa de Sinat, Pitar compreendeu que sua mãe certamente se arrependera da cena desagradável de momentos antes.

Conduzindo Sinat pela mão, Nalim, frente a seu filho, agora em pé, uniu-lhes as mãos, dizendo:

— Trago-te tua noiva. Sou feliz com tua escolha. Desejo a ambos toda a felicidade sonhada! Peço-te que esqueças minha indelicadeza. As emoções fortes pelas quais hoje passei, abalaram-me os nervos ultimamente tão excitados.

Abraçando a mãe com imensa ternura, Pitar segredou-lhe ao ouvido:

— És a melhor e mais bela das criaturas. Amo-te muito!

Emocionada, Nalim apertou o filho querido nos braços.

Pecos assistia a cena, feliz e comovido. Simpatizara com a jovem Sinat. Agradara-lhe a escolha do filho.

Jasar sabia que, mais uma vez, Solimar conseguira, qual anjo tutelar, manter a harmonia daquele lar. Seus olhos se encontraram. Os dela, úmidos de felicidade, os dele, repletos da adoração que por ela sentia.

Conversaram um pouco mais e depois despediram-se, cada um se recolhendo aos seus aposentos.

CAPÍTULO XXIX

O mal cobra tributo

Nalim conduziu Pecos ao seu antigo quarto, contíguo ao dela. Lá, antes de olhar sequer o ambiente que o cercava, ele abraçou a esposa com paixão, murmurando-lhe ao ouvido ardentemente:

— Amo-te, Nalim! Sinto que este amor é mais forte do que tudo! Ele conseguiu vencer as trevas do esquecimento. Quando meus olhos te fitam, sinto no sangue todo o ardor do deserto. Dize que me amas, apesar do tempo em que estive ausente das transformações que se operaram em meu corpo e em minha mente!

Emocionada, trêmula, sentindo reviver mais forte o amor que sempre sentira pelo marido, ela respondeu baixinho:

— Amo-te! Esperei-te sempre. Embora sem esperança de rever-te, fui-te fiel e jamais pensei em desposar outro homem. O tempo conseguiu reavivar e aumentar meu amor por ti. As transformações que em ti se operaram, não me atingem desde que ainda me tens amor! Nós nos queremos, é o que importa. Seremos felizes, jamais nos separaremos!

Emocionados, entre abraços e beijos ardentes, trocaram novas juras de amor. Quando a emoção serenou, Pecos começou a examinar o aposento. Tudo nele era-lhe familiar e agradável.

Nalim seguia com interesse as reações do marido.

— Lembro-me de tudo que nesta casa me cerca, principalmente este aposento. Sinto que tudo me é familiar, mas os detalhes do passado me escapam.

— Não te preocupes. Com o tempo, com nosso carinho e dedicação, haveremos de vencer as últimas trevas que obscurecem teu espírito. Mas isto não é tão indispensável. Seremos felizes, mesmo que tal não aconteça.

Naquela noite serena e bela, tudo era quietude na casa de Pecos. Tudo era harmonia, mas seus habitantes, agitados por emoções diversas, somente conseguiram conciliar o sono pela madrugada.

No dia seguinte, toda Tebas comentava o retorno de Pecos. A notícia correra célere. Os servos e escravos da casa encarregaram-se de divulgá-la.

Uns julgavam tratar-se de invencionices, outros acreditavam em sua veracidade, mas todos estavam curiosos em verificar a verdade.

À hora do crepúsculo, já à frente da casa do ex-guerreiro havia grande número de pessoas para indagar. Muitos juntaram-se a eles, na expectativa feliz dos festejos que, certamente, realizariam para comemorar tal acontecimento.

Nervoso com o inesperado, Pecos, sempre tão audaz, não sabia o que dizer ao povo. Pediu a Jasar que o tirasse daquela desagradável situação.

Jasar saiu ao pátio e, atravessando os jardins, abriu os portões da rua. O burburinho cessou. A expectativa era geral. Jasar começou:

— Agradecemos vosso interesse amigo e carinhoso. Meu irmão regressou, mas está doente e necessita repouso. Não poderá vos falar. Quando se restabelecer, então ele vos convidará a uma reunião festiva.

Exclamações de alegria cortaram o ar. Com mais algumas palavras de agradecimento, Jasar fechou os portões retornando ao interior, enquanto a pequena multidão se afastava, em comentários animados, tecendo enredos na imaginação fácil, característica comum aos homens daquela terra.

Como acontece em tais circunstâncias, em breve uma onda de histórias diferentes, algumas disparatadas, tomava conta da cidade.

A personalidade marcante do guerreiro Pecos fora

demais conhecida e admirada para que sua gente o houvesse esquecido.

Como não poderia deixar de ser, o rumor chegou ao forte, onde a curiosidade cresceu, principalmente dentre aqueles que o haviam conhecido pessoalmente.

Omar, naquela manhã, dirigiu-se ao palácio e ouviu na corte os rumores sobre o reaparecimento do guerreiro Pecos.

Sobressaltado, empalideceu mortalmente. A custo conseguiu disfarçar sua perturbação e assim que se desincumbiu da tarefa palaciana, foi pessoalmente ao forte.

Necessitava indagar a verdade. Teria Pecos retornado? Justamente agora que o julgava já morto, depois de tantos anos?

Seu coração batia descompassado,suas mãos tremiam, as pernas fraquejavam, refletindo o terror que lhe ia no íntimo.

Lá chegando, cuidou de investigar o caso. Dirigiu-se a uma sala que lhe era reservada e ali procurou controlar sua exaltação.

Mas em vão. As perguntas fluíam em seu cérebro, sem resposta, ou o que é pior, com assustadoras perspectivas.

Antes de mais nada, iria interrogar alguns soldados. Chamou seu imediato e ordenou que trouxesse à sua presença alguns dos homens que soubessem pormenores sobre aqueles rumores.

Logo após, um deles penetrou respeitoso no gabinete.

Sem preâmbulos, Omar foi direto ao assunto ;

— Ouvi certos rumores aqui pelo forte, sobre o reaparecimento do guerreiro Pecos. Consta-nos que esse guerreiro há muito se foi do número dos vivos. Necessito saber se estes rumores têm fundamento.

— Não vos posso informar com detalhes, mas soube por pessoa merecedora de todo crédito, que o nobre Pecos retornou ao lar.

Esforçando-se para dissimular a emoção, Omar tornou:

— Mas em que circunstâncias?

— Não sei ao certo. Parece-me que o nobre Pitar o encontrou cativo em cidade distante.

— Não é possível! — bradou Omar sem poder conter-se mais. — Pecos morreu, com certeza é um impostor que lá se encontra!

— Creio que não. Segundo sei, alguns homens do povo que muito o admiravam, foram ao seu palácio. Queriam saber a verdade. O nobre Jasar os recebeu, dizendo que seu irmão agradecia o interesse, mas que não poderia falar-lhes naquele instante por estar adoentado. Prometia, no entanto, realizar uma festa logo que se restabelecesse. É evidente que um irmão não deixaria de reconhecer o outro!

Omar, sentindo aumentar seu mal-estar, despediu o soldado bruscamente, ordenando-lhe transmitir qualquer notícia que chegasse ao seu conhecimento.

Quando se viu só, Omar deixou-se cair em um coxim, apertando a cabeça entre as mãos.

Sua situação era terrível! Tinha vontade de correr até a casa de Pecos e verificar a verdade, mas como poderia fazê-lo? Tal visita trar-lhe-ia complicações ainda maiores.

Teria Pecos recobrado a memória? Era provável que sim, mas ainda que assim não fora, sua última façanha escravizando-o, fatalmente seria descoberta.

Era fora de dúvida que Nalim não deixaria passar aquela oportunidade. Certamente vingar-se-ia dele, instigando o marido a denunciá-lo.

Pecos, por sua vez, compreendendo quem o atingira e por que o atingira, não hesitaria em fazê-lo.

O Faraó, constantemente desconfiado de tudo e de todos que o cercavam, veria nisso um motivo para condená-lo talvez à morte.

Um arrepio de terror percorreu o corpo de Omar.

Oh! Por que não o matara logo no caminho? Se o

tivesse feito, certamente estaria livre agora. O que fazer?

A solução precisava ser rápida. Cada minuto poderia significar a morte, a morte e a desonra!

Omar não podia conformar-se em ver-se despojado dos prestígios e favores que gozava na corte. Mergulhara prazerosamente na ambição e não se sentia com forças para dela sair.

Ir falar ao Faraó de nada lhe valeria, porque certamente por mais mentiras que inventasse, logo a verdade apareceria e seria ainda pior.

O que fazer?

Poderia mostrar-se indiferente, alegando que Pecos tinha a mente perturbada. Diria que ele não estava em seu juízo perfeito, visto nem sequer lembrar-se do passado.

Esta seria uma boa solução, mas ele estaria ainda desmemoriado?

A solução era realmente difícil para Omar. Desejaria matá-lo! Sim, seria a única solução. Mas teria tempo? E se ele procurasse pelo Faraó naquele mesmo dia?

Omar, aterrorizado, a consciência acusando-o incessantemente, decidiu matá-lo, se a noite o ajudasse.

Pelo que sabia, Pecos retornara adoentado. Era bem provável que descansasse um ou dois dias antes de apresentar-se no palácio.

Nesse caso ele teria tempo para realizar seu intento. Teria que correr o risco. Desta vez, porém, destruiria Pecos para sempre! Só assim teria garantido para o futuro sua posição.

Também o ciúme o perturbava! Aquela mulher que tanto desejara, fora fiel ao marido e certamente dispensava-lhe agora ternas carícias. A estes pensamentos, Omar sentiu aumentar seu rancor!

Ele estava novamente derrotado pelo destino! Mas não se entregaria com facilidade. Saberia sufocar mais uma vez a tempestade que pairava sobre sua cabeça.

Nervoso, febril até, Omar procurou traçar mentalmente um plano de ação. Não poderia confiar em ninguém. O caso era de suma gravidade e ele iria, embora com repugnância, pessoalmente eliminar o ex-guerreiro Pecos. Só assim teria a certeza de que ele não mais poderia interferir em seu caminho. Não tendo cúmplices, veria sepultado com sua vítima o seu segredo.

A família de Pecos, certamente, levantaria suspeitas contra ele e talvez contasse ao Faraó toda a verdade... nesse caso, o que deveria fazer?

Acaso eles poderiam provar suas afirmativas? Não. Tinha a certeza de que não poderiam fazê-lo. Mas necessitaria o Faraó de provas? Sabia a influência e a admiração que o espírito culto e bondoso de Jasar exercia no conceito do soberano. Sua palavra seria definitiva para o Faraó! E ainda que assim não fosse, a dúvida absorveria o espírito do rei e certamente seu desprestígio não se faria esperar.

Não! Não poderia assassinar Pecos!

Omar caminhava pelo aposento, qual fera enjaulada. Mil e um pensamentos rodopiavam em seu cérebro excitado.

A solução parecia-lhe cada vez mais difícil. Sentia que não lhe restava outro recurso senão esperar, mas esperar representava para ele o mais terrível castigo.

Sua compreensão era estreita demais para imaginar sequer a possibilidade de Pecos não desejar vingar-se.

Conhecera o guerreiro orgulhoso e forte, vaidoso e intolerante, desconhecia o escravo de agora cujo sofrimento conduzia a uma compreensão mais extensa das fraquezas humanas.

Naquele dia, começou para Omar terrível pesadelo. Hora por hora esperava receber uma notícia desoladora. Sobressaltava-se ao menor ruído e irritava-se por qualquer insignificância.

Empalidecera e perdera a vontade de alimentar-se. Seus olhos irradiavam um brilho febril. Passou a vigiar disfarçadamente os portões do palácio. Arranjou afazeres para lá estar constantemente.

Como último recurso, preparava-se para uma rápida fuga. Assim que suspeitasse de algo, não daria tempo para que o prendessem. Iria para bem longe e com a fortuna que possuía em jóias e objetos valiosos, poderia viver bem em qualquer parte.

À noite, não dormia. Ocupava-se em transportar parte de sua fortuna para um esconderijo um tanto distante. Em caso de necessidade, poderia ir buscá-la mais tarde.

Tudo estava preparado. Alguns dias se passaram sem que a situação se modificasse.

Mas um dia, Omar assistiu a chegada ao palácio de um mensageiro da casa de Pecos. Soube que viera saudar o soberano por parte de Pecos, solicitando-lhe ao mesmo tempo uma entrevista em seu nome.

Omar sentiu que o ar lhe faltava. Sufocava-o a consciência de sua culpa. Certamente, Pecos iria contar tudo ao soberano!

Sua angústia aumentou quando soube que o Faraó, impaciente pelos rumores que já ouvira, marcara para aquela tarde a entrevista.

Grande excitação tomou conta de Omar.

Desejava revê-lo! Ficaria oculto para observar sua chegada ao palácio. Queria certificar-se de fato se era ele e verificar se havia recuperado a memória.

Um turbilhão de idéias loucas perpassava-lhe pela mente febricitante.

Era já tarde e ele ainda não saíra do palácio. Escondido sob uma das colunas do salão, aguardava ansioso a chegada de Pecos.

Mais tarde, foi com a respiração suspensa que assistiu à sua pomposa chegada.

O povo, que ainda se lembrava da personalidade marcante do guerreiro Pecos, sabedor de que ele iria ao palácio, curioso, saíra à rua pondo-se a esperá-lo frente aos portões principais.

Ao vê-lo chegar, dirigindo garbosamente seu carro em companhia de Jasar, o aclamaram com alegria.

Pecos vestira uma túnica de gala, de seu tempo de chefe militar. Queria saudar seu rei, que sempre respeitara com dignidade.

Vendo o aglomerado de pessoas que o aclamavam, sentiu que aquele acontecimento lhe era comum. Recordou-se do palácio e satisfeito notou que, embora não se lembrasse bem do passado, ele não lhe era de todo obscuro, chegando mesmo em certas ocasiões quase a reencontrá-lo.

A alegria da vida do lar, o prazer de saber-se querido, respeitado, haviam feito nascer em seu olhar sempre atraente, um brilho de entusiasmo e de alegria de viver.

Comovido pelas homenagens espontâneas que recebia, sorria feliz.

Foi, pois, com a aparência de um vencedor, de um forte, que Pecos penetrou no palácio.

Omar estremeceu, vendo-o passar. Não tinha dúvidas: era ele! Um pouco mais velho, mas ainda o mesmo brilho audacioso no olhar resoluto e no conceito de Omar, vingativo!

Com a garganta seca, um arrepio frio a percorrer-lhe a espinha, Omar pensava.

Queria ouvir a conversa dos dois com o soberano. Necessitava conhecer o que se iria passar. Mas como?

Percorreu os corredores, circundando a sala onde o Faraó recebia e, por fim, conseguiu postar-se ao lado de uma janela onde podia ouvir o que conversavam.

Aplicou toda a sua capacidade auditiva na palestra dos três homens.

O que ouviu fê-lo estremecer. O Faraó dizia:

— É fora de dúvida que a lei do nosso país pune os traidores com rigor. Ferindo a um soldado do meu exército, a ofensa foi feita à minha autoridade e embora caro me custe, hei de reagir, punindo o culpado. Há muito venho desejando castigá-lo! Penso que a hora chegou! Não terei piedade! Hei de destruí-lo!

Omar não quis ouvir mais. Estava fora de dúvida que falavam a seu respeito. Precisava fugir o quanto antes. Talvez, dali a poucos instantes, fosse tarde demais! A passos rápidos, retirou-se apressado, rumo a novo destino.

Entretanto, se ele tivesse permanecido mais tempo à escuta, teria percebido quão infundados eram seus receios.

O Faraó recebera Pecos com alegria e ordenara-lhe que contasse suas aventuras.

Ao saber que Pecos fora aprisionado pelos soldados inimigos em Dresda e tão rigorosamente castigado, não conteve sua ira, pronunciando as palavras que Omar, trêmulo, ouvira.

O Egito temia o poder assírio cada vez mais violento, e seu Faraó desejava começar a luta para vingar-se das provocações que nos últimos tempos lhe eram dirigidas.

Pecos tivera o cuidado de omitir o nome de Omar de sua narrativa.

Quando o soberano acalmou-se e ordenou que ele continuasse, Pecos passou a relatar tudo quanto lhe acontecera; apenas ao chegar ao trecho de sua primeira volta, doente, à terra natal, declarou que pelo seu estado precário fora confundido com um escravo fugido e transportado para os trabalhos forçados em Darda-Seir. No mais foi sincero e nada ocultou.

Ao término da narrativa, o Faraó, comovido pela história dramática de seu ex-guerreiro, falou solene:

— Nobre Pecos. És um herói. Concedo-te o posto que ocupavas no passado. Omar foi teu soldado, será teu colaborador. Tu serás chefe do meu exército palaciano, Omar, será dos guerreiros que dentro em breve deverão partir para lutar contra os perigos da invasão.

— Nobre filho dos deuses. Se desejais conceder-me algo, permiti que eu permaneça afastado das atividades militares. Agradeço-vos a enorme honra que me concedeis neste instante, entretanto, sinto-me cansado já e talvez não venha a servir-vos com a necessária eficiência.

— Recusas então? Pensei recompensar-te de algum modo pelas ofensas que sofreste no cumprimento de tua missão de soldado valoroso.

— Sou grato à vossa bondade. Entretanto, a vida ensinou-me muitas coisas. Esses ensinamentos recompensaram-me dos sofrimentos por que passei. Nada me deveis pelo fato de haver cumprido meu dever.

Havia algo muito profundo na voz de Pecos, e o Faraó sentiu que uma nova luz brilhara em seu olhar.

Desejoso de conhecer a modificação que se operara naquele que outrora fora vaidoso e impulsivo, ardente e ambicioso, o rei indagou:

— Que pode a vida conceder-te mais do que as honras e tesouros do meu palácio?

— A compreensão das coisas. Como nobre e soldado, aprendi a mandar, escravizar, lutar e vencer pela força bruta. Como pária, lançado em um destino diferente, pobre, escravo e só, aprendi a conhecer os corações humanos, suas lutas, suas incertezas. A dedicação daqueles que se irmanam na resignação e na dor comum. Que sabem mais do que seus algozes, porque aprenderam a vencer pelo perdão, pela tolerância, pelo amor. Assim, embora respeitando a honra de ser soldado, senti que este posto não mais me satisfaria o espírito aberto, a mais ampla compreensão da vida. Ao invés de dominar pessoas, prefiro dominar minhas paixões e encontrar a sabedoria. Desejo consagrar-me à vida do lar, ao lado dos meus, durante tantos anos órfãos do meu convívio. Lá espero obter ventura e serenidade!

— Seja — tornou o Faraó impressionado pelas palavras e pelo tom convicto de Pecos.

Palestraram mais algum tempo sobre outros assuntos, tomando desta vez Jasar parte na conversa.

O Faraó mostrava-se benévolo. Observador arguto, compreendeu quanto seu antigo guerreiro amadurecera. Foi pois, com deferência e simpatia que deu por terminada a entrevista.

Reverentes, os dois irmãos despediram-se, retornando ao lar.

CAPÍTULO XXX

O amor venceu

A noite era linda, repleta do misterioso fascínio que somente as noites daquelas paragens costumam possuir.

O luar magnífico, o perfume dos jardins e principalmente o amor na realização de um sonho, enchiam a alma de Jasar de uma ventura impulsiva que o rejuvenescia, emprestando-lhe à fisionomia sempre séria, um certo ar alegre de juventude.

De fato, ele sentia-se jovem, como se a vida não tivesse passado, como se nunca tivesse sofrido o pesadelo daquele casamento.

Estava assim, porque decidira-se a falar com Solimar naquela noite sobre o futuro.

Esperava ansioso que ela viesse ter com ele, conforme o combinado, no mesmo lugar onde outrora costumavam encontrar-se. Aspirava a plenos pulmões o ar balsamizado da noite.

De súbito, ouviu passos. Solimar estava diante dele.

Não se falaram, nem era preciso. Jasar puxou-a para si, tomando-a em seus braços, apertando-a de encontro ao coração.

Seus corações dilataram-se, cheios de imensa ternura.

Jasar, num gesto muito seu, levantou pelo queixo o pequeno rosto de Solimar que se escondera em seu peito largo.

Queria fitar seus olhos claros e límpidos. Notou que as lágrimas deslizavam-lhe pelas faces.

Perturbado, Jasar apertou-a ainda mais, murmurando-lhe ao ouvido:

– Choras? Por quê?

– Não sei...

– As lágrimas acabaram-se para ti. Desejo pedir-te que sejas minha esposa. Juntos, hei de proteger-te, cercando-te das alegrias que mereces, mas que nunca te pude dar. Meu coração agora é livre dos compromissos, poderá dedicar-se inteirinho à tua felicidade! Posso enfim dizer-te aquilo que adivinhavas, mas que não te podia revelar! Eu te amo, Solimar! Um amor infinito, um amor eterno! Um amor que já existia antes desta vida, pois que assim que te vi, te amei. Um amor que continuará existindo depois da morte, porque está gravado em nossos espíritos e jamais poderá terminar!

A voz de Jasar vibrava ardente e comovida, cheia da convicção pura do que lhe ia na alma.

Solimar ouvia trêmula de emoção e não podia impedir que as lágrimas lhe rolassem pelas faces.

Mas eram lágrimas serenas. Eram lágrimas humildes de gratidão ao Criador por aquela felicidade tão esperada. Toda ela era emoção e ternura, amor e carinho.

Agora que podiam falar livremente de seus sentimentos, começaram as confidências de todo um passado de amor, de resignação e de dedicação.

Jasar ouvia-a enlevado. Não se cansava de fazê-la repetir quanto pensara nele quando ausente, quanto sonhara com ele, o quanto desejara sua felicidade. E por sua vez, contava também quanto sofrera com seu desaparecimento, sua emoção ao revê-la.

Traçaram também planos para o futuro, comprometendo-se Jasar a visitar com ela a propriedade que Samir lhe deixara, bem como os doentes que embora tivessem família, necessitassem de seus cuidados, só regressando a Tebas quando tudo estivesse resolvido.

Imperceptivelmente, haviam sentado sob a árvore como antigamente, e Jasar passara o braço sobre os ombros de Solimar. Sua cabecinha delicada, meiga, descansava recostada no peito forte do homem amado.

Após as mútuas confidências, Jasar beijou aqueles belos cabelos com ternura e ergueu mais uma vez o rosto ainda belo da ex-escrava.

Seus olhos se encontraram. Ele não resistiu mais, beijou-a apaixonadamente nos lábios.

Foi um beijo longo, uma permutação de sentimentos de carinho, uma felicidade quase inatingível.

Depois, ainda abraçados, continuaram traçando planos para o futuro.

Aqueles corações que tanto haviam sofrido nas provações da vida, ainda podiam encontrar na Terra seu quinhão de felicidade. Seu amor purificara-se, consolidando-se na pureza dos sentimentos, na sinceridade e na renúncia.

Eles podiam agora ser felizes. Seus corações eram leves, livres do peso das más ações e do remorso. Porque o maior castigo para aquele que resvala do caminho certo, é o negror dos próprios sentimentos. Eles muitas vezes precipitam os acontecimentos.

Omar, vítima de seus erros, castigava-se a si mesmo. Julgando-se perseguido pelo Faraó, fugira imediatamente e naquela noite cavalgava, transportando consigo dois jumentos carregados com parte de sua fortuna.

Saíra já de Tebas e cortava uma das estradas disfarçado em mercador. Era muito conhecido por aquelas paragens, por isso disfarçara-se muito bem.

Toda a sua figura irradiava ódio e terror. Jurava vingança tremenda contra Pecos e até contra seu próprio rei!

Omar forjara mentalmente um plano que tornaria possível sua vingança. Iria incógnito para as terras da Assíria. Lá, o rei Farfah certamente se interessaria em obter seus serviços. Era ele senhor de muitos segredos militares do exército de seu país e poderia vendê-lo a Farfah em troca de uma privilegiada posição em sua corte e quem sabe, no futuro, se Farfah dominasse Quinit, poderia vir a ser o seu rei!

Ébrio de ambição, Omar via-se vestido de branco, com o manto sagrado dos reis e a grã-pedra ao peito, governando todo o povo do Egito.

Então, haveria de possuir Nalim e espezinhá-la o quanto lhe agradasse. Exterminaria seu filho e o maldito guerreiro Pecos.

Omar ia imerso em gloriosos pensamentos, mas de repente, pareceu-lhe que uma voz dentro dele, como se um outro ser lhe falasse, o chamava de traidor.

Estremeceu... parecia-lhe a voz de sua mãe que lhe dizia:

– Traidor! Traidor! Traíste os amigos, o posto que ocupaste e o teu país. Abusaste da confiança que depositaram em ti. Foste o único a trair e ainda pensas em vingança contra os que atingiste. Pensa, Omar, procura modificar teus pensamentos, pois que a cada momento poderás ser chamado a prestar contas em um reino que não é dos homens!

Sempre cavalgando, Omar sentiu um suor frio invadir-lhe o corpo, apesar do calor, cansaço e da excitação da fuga.

– Estou esgotado – pensou. – Com certeza é por isto que julgo ouvir vozes. Necessito repousar um pouco antes de começar a atravessar o deserto.

No momento, porém, que se dispunha a escolher um local abrigado para dormir, sentiu que algo caía sobre ele, ao mesmo tempo que uma lâmina fria lhe rasgava as carnes.

Sua cabeça atordoou-se, mas ainda pôde ouvir que alguém dizia ofegante:

– Acertei em cheio! Agora, rápido, cuidemos do mais importante.

Depois perdeu a noção das coisas.

O homem que ferira Omar, vestido de larga túnica marrom e a cabeça envolta em panos de cor indefinida, com um gesto rápido, ordenou a seus dois cúmplices que se apoderassem da bagagem de Omar, inclusive de seu cavalo.

– Que faremos com o corpo? – indagou um deles.

– Ponha-o sobre o animal e o largaremos em local apropriado – e com um gesto de desprezo, designando o corpo de Omar que inerte jazia na poeira da estrada, continuou zombeteiro. – Este pobre animal será pasto magro para os abutres.

Tudo pronto, o cortejo seguiu rumo ao deserto. O corpo de Omar era agora joguete nas mãos daqueles homens inescrupulosos. Caíra nas mãos dos salteadores do deserto, mas era antes de mais nada, vítima de sua própria ambição desenfreada.

Quando premido pelos receios, resolvera esconder parte de suas riquezas, Omar fora visto e seguido por um daqueles salteadores que, astucioso, resolvera esperar o momento propício para apanhar a presa, dando-lhe ocasião de amealhar o máximo, tornando-lhes assim mais lucrativa a empresa.

Sabiam do posto importante que Omar ocupava no reino e acreditavam que os tesouros que este transportava durante aquelas noites, fora roubado ao Faraó.

Temerosos de uma represália por parte dos guerreiros de Omar, pretendiam eliminar todas as pistas possíveis e longe, senhores daquelas riquezas, desfrutar a vida ociosa que desejavam.

Pobre Omar, que procurando fugir de um perigo imaginário, criara e atirara-se de encontro ao verdadeiro perigo.

Na calada da noite, silenciosos, aqueles homens caminhavam pelo deserto. Omar recuperara os sentidos, mas fraco pela copiosa hemorragia, percebia que a vida se lhe esvaía com seu sangue.

De quando em vez, sofria pequenos desmaios e fazia um esforço sobre-humano para não perder os sentidos.

Temia a morte. Seus olhos embaciados refletiam um terror sem limites. Como todos os que se apegam demais às coisas materiais, que vivem somente para satisfazer suas ambições de riqueza e poder, Omar jamais pensara na morte. Jamais pensara naquela realidade inevitável. Agora sua situação interior era terrivelmente opressora.

Quanto tempo seguiu assim o cortejo?

Omar nunca saberia dizer, mas aquela noite parecia-lhe interminável.

Pensava mesmo que talvez há anos estivesse ali, vergado sobre o lombo do animal, perdendo sangue e aguardando a morte.

Afinal, em que se resume a noção do tempo?

Ele não é senão a criação, não de um relógio que procura medi-lo, mas da espécie de vida que levamos.

Se somos felizes, ele correrá célere e um ano parecerá um minuto, se estamos sofrendo, um minuto será para nós um ano.

Quando os homens aprenderem a viver serenamente e houverem vencido a si mesmos, o tempo será contado diferentemente e as trevas terminarão na Terra.

Mas Omar sofreu mil séculos naquela noite.

Enfim, raiou o dia, o que piorou ainda mais sua precária situação, pois que o sol começou a causticar-lhe o corpo.

À certa altura, pararam e a um gesto do que dirigia a turma, os outros desamarraram Omar, atirando-o ao chão.

Este perdeu os sentidos em virtude da dor que sentia no peito.

Horas depois, voltou a si, embora febril e delirante, compreendendo que o tinham atirado ao deserto e estava só.

Mas sua fraqueza extrema não lhe permitiu sequer voltar-se para o lado a fim de verificar se eles iam longe.

O sol inclemente impedia-o de abrir os olhos. Toda a sua carne queimava, possuída de febre e envolvida pelas areias escaldantes do deserto.

Aparentemente, seu corpo em agonia não possuía mais vida, mas seu espírito aterrorizado debatia-se em terríveis pesadelos.

Não pôde ver sequer que alguns abutres sobrevoavam o local onde seu corpo estava estendido.

Quando o calor se fez mais intenso, o corpo de Omar estremeceu ainda uma vez, depois petrificou-se, entregue aos braços da morte.

Mas se o corpo ficara inerte, o espírito reanimara-se, já livre do vínculo que o prendia à carne.

O infeliz, crendo-se ainda vivo, sentindo ainda o tormento de sua dolorosa agonia, não se afastou do local.

Sentia que um fogo intenso o abrasava, mas seu sofrimento aumentou quando viu que dois abutres sobrevoavam seu corpo inerte, aproximando-se com visível intenção de atacá-lo.

Foi o máximo que ele pôde suportar.

Quando viu que eles lhe dilaceravam as carnes com seus bicos enormes, sentiu dores lancinantes e gritava como louco.

A poucos passos dele, porém, um espírito banhado de lágrimas e aureolado de luz, orava por ele.

Omar não viu aquela figura que conhecera como mãe na Terra. Mas aos poucos foi envolvido por um sono invencível e entregou-se a ele, escapando ao dantesco espetáculo.

Porém, seu espírito jamais poderia arrancar do íntimo aquelas lancinantes recordações. Elas permaneceriam vivas, como uma advertência para o futuro.

O tempo, inexorável, avançou sobre os últimos acontecimentos.

Por toda Tebas comentava-se o desaparecimento de Omar.

O Faraó, temeroso que ele houvesse sido capturado pelo inimigo, ordenou sindicâncias minuciosas.

Logo apareceram testemunhas das suas estranhas atividades naqueles últimos dias.

Os serviçais e escravos do seu palácio, interrogados, contaram que seu senhor lhes parecera preocupado e doente.

Mal se alimentava e estava sempre taciturno, falando sozinho. À noite, dava-lhes ordens para se retirarem do interior do palácio, proibindo-os de sair de suas habitações na ala dos escravos.

Entretanto, ouviam-se ruídos no interior do palácio e algumas vezes, os mais ousados, espiando pelo postigo, tinham-no surpreendido a transportar estranhas arcas, só regressando dia alto.

A última vez que o tinham visto, ele despedira-se de todos, recomendando que nada contassem aos estranhos sobre sua partida.

Diante de tantas provas suspeitas, o Faraó ordenou a busca de Omar, vivo ou morto. Suspeitava de uma traição. Sempre desconfiara do seu servilismo.

Certamente o traíra para, sequioso de ambição, unir-se ao inimigo, julgando-o mais poderoso.

Já o povo comentava sem rebuços a traição de Omar.

Poucos sentiam realmente sua ausência. Seu caráter egoísta e vaidoso granjeara poucos amigos e muitos inimigos. Seus comandados suspiraram aliviados por não terem de suportá-lo mais como chefe.

E como decorridos dois meses seu corpo não houvesse sido encontrado, seu nome era mencionado sempre como símbolo da traição e da ambição desmedida.

Naquela agradável noite, deliciosamente perfumada, encontramos na casa de Pecos, seus moradores reunidos em amistosa palestra.

Somente eles poderiam conhecer parte da verdade sobre o desaparecimento de Omar.

Sentados no pátio externo em um banco de pedra, desfrutando a brisa da noite, Nalim e Pecos, braços entrelaçados, ouviam Jasar que ao lado de Solimar, agora sua esposa, tecia conjecturas sobre a aventura de Omar.

Alguns passos além, Pitar e Sinat, em plena glória do noivado feliz, trocavam confidências e teciam planos para o futuro.

Dizia Jasar:

– Acredito na fuga. Com certeza, temeroso da tua vingança que no seu ponto de vista reconhecia inevitável, resolveu escapar, certo de poder salvar parte de sua fortuna e viver sossegado em terras distantes.

– Isto prova – volveu Pecos para a esposa – que não é a nós que compete vingar as afrontas recebidas. O peso da própria culpa derrubou Omar da posição elevada que prazerosamente desfrutava no palácio.

– Embora não pensem como eu, sinto que não lhe houvesse acontecido coisas piores. Omar é uma víbora e só me sentirei segura quando sua cabeça houver sido esmagada.

– Nalim, eu tenho-lhe pena – volveu Solimar – o receio, o remorso, a angustiosa obsessão da fuga, hão de acompanhá-lo sempre. Em compensação, embora ele nos quisesse ferir, somos agora infinitamente felizes. Analisa a nossa vida atual e sentirás justa piedade por ele. Nós temos tudo, ele nada possui. Está só, com seus negros pensamentos.

A voz comovida de Solimar implorava sinceramente, e Nalim, que interiormente se abrandara com os anos e os sofrimentos, sorriu ao responder:

– Tens razão. Omar sofre e eu desejo esquecer o passado ofensivo. Somos felizes. Vivamos nossas vidas. Que possamos estar unidos no futuro, é o que desejo.

As palavras de Nalim, ditas em um suspiro, deixou-os silenciosamente imersos nos próprios pensamentos.

Eram felizes!

Fim

Sucessos de ZIBIA GASPARETTO

Crônicas e romances mediúnicos.
Mais de seis milhões de exemplares vendidos.
Há mais de dez anos Zibia Gasparetto vem se mantendo na lista dos mais vendidos, sendo reconhecida como uma das autoras nacionais que mais vende livros.

Crônicas: Silveira Sampaio

- PARE DE SOFRER
- O MUNDO EM QUE EU VIVO
- BATE-PAPO COM O ALÉM

Crônicas: Zibia Gasparetto

- CONVERSANDO CONTIGO!

Autores diversos

- PEDAÇOS DO COTIDIANO
- VOLTAS QUE A VIDA DÁ

Romances: Lucius

- O AMOR VENCEU
- O AMOR VENCEU *(em edição ilustrada)*
- O MORRO DAS ILUSÕES
- ENTRE O AMOR E A GUERRA
- O MATUTO
- O FIO DO DESTINO
- LAÇOS ETERNOS
- ESPINHOS DO TEMPO
- ESMERALDA
- QUANDO A VIDA ESCOLHE
- SOMOS TODOS INOCENTES
- PELAS PORTAS DO CORAÇÃO
- A VERDADE DE CADA UM
- SEM MEDO DE VIVER
- O ADVOGADO DE DEUS
- QUANDO CHEGA A HORA
- NINGUÉM É DE NINGUÉM
- QUANDO É PRECISO VOLTAR
- TUDO TEM SEU PREÇO
- TUDO VALEU A PENA
- UM AMOR DE VERDADE
- NADA É POR ACASO

Sucessos de LUIZ ANTONIO GASPARETTO

Estes livros irão mudar sua vida!
Dentro de uma visão espiritualista moderna, estes livros irão ensiná-lo a produzir um padrão de vida superior ao que você tem, atraindo prosperidade, paz interior e aprendendo acima de tudo como é fácil ser feliz.

- ATITUDE
- FAÇA DAR CERTO
- SE LIGUE EM VOCÊ *(adulto)*
- SE LIGUE EM VOCÊ - nº1 *(infantil)*
- SE LIGUE EM VOCÊ - nº 2 *(infantil)*
- SE LIGUE EM VOCÊ - nº 3 *(infantil)*
- A VAIDADE DA LOLITA *(infantil)*
- ESSENCIAL *(livro de bolso com frases para auto-ajuda)*
- GASPARETTO *(biografia mediúnica)*

- PROSPERIDADE PROFISSIONAL
- CONSERTO PARA UMA ALMA SÓ *(poesias metafísicas)*
- PARA VIVER SEM SOFRER

- CALUNGA - "Um dedinho de prosa"
- CALUNGA - Tudo pelo melhor
- CALUNGA - Fique com a luz...

- série AMPLITUDE:

1- Você está onde se põe

2- Você é seu carro

3- A vida lhe trata como você se trata

4- A coragem de se ver

OUTROS AUTORES

Conheça nossos lançamentos que oferecem a você as chaves para abrir as portas do sucesso, em todas as fases de sua vida.

LOUSANNE DE LUCCA:

- ALFABETIZAÇÃO AFETIVA

MARIA APARECIDA MARTINS:

- PRIMEIRA LIÇÃO - "Uma cartilha metafísica"
- CONEXÃO - "Uma nova visão da mediunidade"
- MEDIUNIDADE e AUTO-ESTIMA

VALCAPELLI:

- AMOR SEM CRISE

VALCAPELLI e GASPARETTO:

- METAFÍSICA DA SAÚDE:

vol.1: sistemas respiratório e digestivo

vol.2: sistemas circulatório, urinário e reprodutor

vol.3: sistemas endócrino *(incluindo obesidade)* e muscular

MECO SIMÕES G. FILHO:

- EURICO um urso de sorte (infantil)
- A AVENTURA MALUCA DO PAPAI NOEL
E DO COELHO DA PÁSCOA (infantil)

RICKY MEDEIROS:

- A PASSAGEM
- QUANDO ELE VOLTAR
- PELO AMOR OU PELA DOR...
- VAI AMANHECER OUTRA VEZ
- DIANTE DO ESPELHO

MARCELO CEZAR (ditado por Marco Aurélio):

- A VIDA SEMPRE VENCE
- SÓ DEUS SABE
- NADA É COMO PARECE
- NUNCA ESTAMOS SÓS
- MEDO DE AMAR
- VOCÊ FAZ O AMANHÃ

MÔNICA DE CASTRO (ditado por Leonel):

- UMA HISTÓRIA DE ONTEM
- SENTINDO NA PRÓPRIA PELE
- COM O AMOR NÃO SE BRINCA
- ATÉ QUE A VIDA OS SEPARE
- O PREÇO DE SER DIFERENTE
- GRETA

LEONARDO RÁSICA:

- FANTASMAS DO TEMPO - Eles voltaram para contar

MÁRCIO FIORILLO (ditado por Madalena):

- EM NOME DA LEI

LUIZ ANTONIO GASPARETTO EM CD:

Aprenda a lidar melhor com as suas emoções, para conquistar um maior domínio interior.

- Prosperidade
- Confrontando a ansiedade
- Confrontando a desilusão
- Confrontando a solidão
- Confrontando as críticas
- Confrontando a depressão
- Prece da Solução *(pelo espírito Calunga)*

• série VIAGEM INTERIOR *(n° 1, n° 2 e n° 3)*:

Através de exercícios de meditação mergulhe dentro de você e descubra a força da sua essência espiritual e da sabedoria. Experimente e verá como você pode desfrutar de saúde, paz e felicidade desde já.

• série REALIZAÇÃO:

Com uma abordagem voltada aos espiritualistas independentes, eis aqui um projeto de *16 cds* para você melhorar.

Encontros com o Poder Espiritual para práticas espirituais da prosperidade.

Temos que trabalhar para alcançar nossos objetivos. Para isto necessitamos de conhecimento e práticas adequadas.

Nesta coleção você aprenderá práticas de consagração, dedicação, técnicas de orações científicas, conceitos novos de força espiritual, conhecimento das leis do destino, práticas de ativar o poder pessoal e práticas de otimização mental.

• série LUZES:
Coletânea de 8 cds, nos volumes 1 e 2.

Através de curso ministrado no Espaço Vida e Consciência, pela mediunidade de Gasparetto, os espíritos desencarnados que formam no mundo astral o grupo dos Mensageiros da Luz, nos revelaram os poderes e mistérios da Luz Astral, propondo exercícios para todos aqueles que querem trabalhar pela própria evolução e a melhoria do planeta.

Nesta coletânea trazemos aulas captadas ao vivo, para que você também possa juntar-se às fileiras dos que sabem que o mundo precisa de mais luz.

• série ESPÍRITO *(composto de 12 cds)*:

1- espírito do trabalho
2- espírito do dinheiro
3- espírito do amor
4- espírito da arte
5- espírito da vida
6- espírito da paz
7- espírito da natureza
8- espírito da juventude
9- espírito da família
10- espírito do sexo
11- espírito da saúde
12- espírito da beleza

A realidade tem muitas camadas, porém mais profunda é aquela que gera a existência das outras. Nós a chamamos de **Espírito**.

Sendo o centro de cada um de nós, é pois o guia de nossos destinos rumo à realização.

Eleve-se, aprofunde-se e acorde para o seu espírito.

ESPAÇO VIDA & CONSCIÊNCIA

É um centro de cultura e desenvolvimento da espiritualidade independente.

Acreditamos que temos muito a estudar para compreender de forma mais clara os mistérios da eternidade.

A Vida parece infinitamente sábia em nos dotar de inteligência para sobreviver com felicidade, e me parece a única saída para o sofrimento humano.

Nosso espaço se dedica inteiramente ao conhecimento filosófico e experimental das Leis da Vida, principalmente aquelas que conduzem os nossos destinos.

Acreditamos que somos realmente esta imensa força vital e eterna que anima a tudo, e não queremos ficar parados nos velhos padrões religiosos que pouco ou nada acrescentaram ao progresso da humanidade.

Assim mudamos nossa atitude para uma posição mais cientificamente metodológica e resolvemos reinvestigar os velhos temas com uma nova cabeça.

O resultado é de fato surpreendente, ousado, instigador e prático.

É necessário querer estar à frente do seu tempo para possuí-lo.

Luiz Antonio Gasparetto

EDITORA VIDA & CONSCIÊNCIA GRÁFICA

INFORMAÇÕES E VENDAS:

Rua Agostinho Gomes, 2312
Ipiranga • CEP 04206-001
São Paulo • SP • Brasil
Fone / Fax: (11) 6161-2739 / 6161-2670
E-mail: editora@vidaeconsciencia.com.br
Site: www.vidaeconsciencia.com.br